L'héritage du clan Moreau

TOME 1

Hector

COLETTE MAJOR-McGRAW

L'héritage du clan Moreau

TOME 1

Hector

Guy Saint-Jean
ÉDITEUR

Guy Saint-Jean Éditeur
4490, rue Garand
Laval (Québec) Canada H7L 5Z6
450 663-1777
info@saint-jeanediteur.com
saint-jeanediteur.com

. . . .

Données de catalogage avant publication disponibles à Bibliothèque et Archives nationales du Québec et à Bibliothèque et Archives Canada

. . . .

Nous reconnaissons l'aide financière du gouvernement du Canada ainsi que celle de la SODEC pour nos activités d'édition. Nous remercions le Conseil des Arts de l'aide accordée à notre programme de publication.

Financé par le gouvernement du Canada | **Canadä** | **SODEC** Québec | Conseil des Arts du Canada | Canada Council for the Arts

Gouvernement du Québec – Programme de crédit d'impôt pour l'édition de livres – Gestion SODEC

© Guy Saint-Jean Éditeur inc., 2018

Édition : Isabelle Longpré
Révision : Isabelle Pauzé
Correction d'épreuves : Johanne Hamel
Conception graphique : Christiane Séguin
Page couverture : ©Depositphotos.com/kiyyah

Dépôt légal – Bibliothèque et Archives nationales du Québec, Bibliothèque et Archives Canada, 2018

ISBN : 978-2-89758-419-1
ISBN EPUB : 978-2-89758-420-7
ISBN PDF : 978-2-89758-421-4

Imprimé et relié au Canada
1re impression, janvier 2018

Guy Saint-Jean Éditeur est membre de l'Association nationale des éditeurs de livres (ANEL).

À toi, Martine Chalifoux
Une femme que j'admire…
Une enseignante exemplaire…
Mais surtout, une nièce que j'adore!

LE CLAN MOREAU

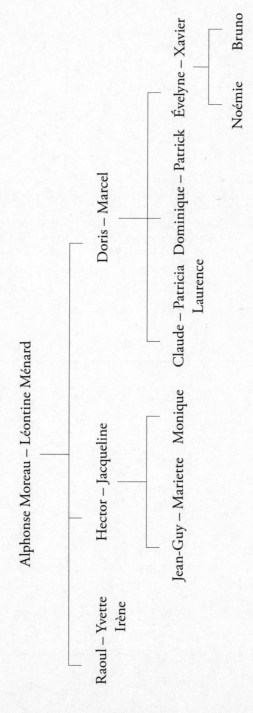

Alphonse Moreau – Léontine Ménard

Raoul – Yvette
Irène

Hector – Jacqueline

Doris – Marcel

Jean-Guy – Mariette Monique

Claude – Patricia Dominique – Patrick Évelyne – Xavier
Laurence

Noémie   Bruno

CHAPITRE 1

Rencontre imprévue

(Mars 2007)

Il y avait congé scolaire aujourd'hui, une autre journée pédagogique qui obligeait les parents à modifier leur horaire ou à utiliser le service de garde de l'école des petits. Pour Évelyne, qui travaillait habituellement chez elle, ce n'était pas un problème. Elle pouvait facilement passer du temps avec ses jeunes.

Ses deux enfants, Noémie et Bruno, se réjouissaient de pouvoir accompagner leur mère chez mamie Doris. Ils savaient qu'elle leur offrirait un excellent chocolat chaud avec des guimauves miniatures. C'était la boisson hivernale qu'elle leur servait toujours en collation, avec ses délices faits maison, des beignes ou des galettes au beurre.

Dès que le temps plus clément se pointait, Doris variait le menu. C'est un succulent lait frappé qu'elle leur préparait alors avec un vrai mélangeur électrique, comme celui de la crèmerie. Pas étonnant qu'elle ait autant de succès auprès de ses petits-enfants!

La maison de la grand-mère était le lieu de rencontre de la famille Moreau et, pratiquement chaque jour, des visiteurs se pointaient. Les oncles, les tantes, les amis et parfois de simples connaissances du village s'arrêtaient chez la vieille femme qui demeurait là depuis près de 60 ans. On s'y sentait à l'aise et jamais on n'avait l'impression de la déranger.

Les enfants étaient toujours curieux d'entendre ces adultes raconter mille et une histoires d'une époque qui leur paraissait si lointaine. Ils appelaient ça «le bon vieux temps», celui durant lequel les gens n'avaient pas d'électricité, pas de toilette dans la maison et surtout pas de téléviseur. Les jeunes ne pouvaient concevoir que ces personnes aient vécu toutes ces années sans les nouvelles technologies.

Aujourd'hui, chez Doris, c'était beaucoup plus calme qu'à l'habitude, probablement à cause de la mauvaise température des jours précédents.

— Je te dis que dans notre temps, ça prenait pas une semaine pour nettoyer les chemins! Mais depuis que les employés de la Ville sont syndiqués, ils en épluchent pas épais!

— J'haïs ça, maman, quand tu critiques les façons de faire de nos jours! C'est comme si tu laissais sous-entendre qu'on a pas évolué, lui répliqua Évelyne, qui n'aimait pas cette attitude négative.

— Il y a des affaires qui ont reculé plutôt que d'avancer. Si t'avais connu le gars qui entretenait les trottoirs dans le temps, tu saurais de quoi je parle. On l'appelait «la pipe à Beaulieu».

— «La pipe à Beaulieu», répéta le petit Bruno en riant, c'est pas un nom pour quelqu'un, ça, mamie!

— On le voyait jamais sans sa pipe et quelqu'un lui avait donné ce surnom. En tout cas, ce gars-là sablait les trottoirs à pied. Il marchait avec une grande pelle pleine de sable qu'il tenait à la hauteur de la ceinture. Avec son autre main, recouverte d'un gant de travail, il en saupoudrait en avant de lui. C'était mieux qu'avec une machine !

— Comment il faisait pour remplir sa pelle ? demanda Noémie, qui cherchait délibérément à trouver des failles dans les récits de ses proches depuis qu'elle était adolescente.

— Un camion de la Ville le suivait lentement, mais ça en prenait pas beaucoup pour faire une belle job. La voirie d'aujourd'hui, c'est pas vargeux[1]. Les gars se promènent avec des petits tracteurs pour déneiger les trottoirs et ils roulent en fou avec ça !

— Oui, approuva Bruno, en ricanant. Je me rappelle que l'année passée, ils ont accroché ta galerie et « la madame était pas contente », ajouta-t-il avec cynisme.

— Toi, mon vlimeux, t'as une mémoire de crocodile ! répliqua la grand-mère.

Évelyne ne put réprimer un sourire. Elle jeta cependant un regard à Noémie pour s'assurer qu'elle ne soit pas impolie avec sa grand-mère.

La jeune fille savait très bien qu'elle se ferait sermonner, mais elle ne pouvait se retenir devant une si belle occasion.

— Mamie, t'es drôle, lança-t-elle d'un ton ironique, en toisant sa mère. Un peu plus et je rirais jusqu'aux larmes. Tu pourrais alors me dire de sécher mes larmes d'éléphant.

— Noémie ! la reprit durement Évelyne. On dirait que c'est plus fort que toi. Tu trouves toujours le moyen de me pousser à bout. On rit pas de nos grands-parents ! Le respect, je vous le répète assez souvent, ce mot-là, pourtant !

— Laisse donc faire, indiqua Doris, qui savait très bien que sa petite-fille n'avait pas voulu la blesser. Si j'étais allée

---

1 Ne pas être vargeux : ne pas être terrible, être moche, médiocre.

à l'école plus longtemps, je serais aussi smatte[2] que vous autres.

Bruno était un enfant qui avait un bon caractère et il aimait bien rigoler, mais lorsqu'il y avait de la chicane, il avait pris l'habitude de se retirer. Ces dernières semaines, il trouvait que sa mère et sa sœur étaient souvent à couteaux tirés.

— Mamie, est-ce que je peux aller regarder la télé dans le salon? demanda-t-il doucement, en sachant fort bien la mise en garde qu'elle allait lui servir.

— Oui, pourvu que tu touches pas à tous les pitons de ma télécommande. L'autre jour, après votre départ, j'ai dû attendre que ton oncle Claude arrive parce que j'avais plus d'images pantoute!

— Mamie, tu devrais écouter quand on essaie de te montrer comment ça fonctionne, intervint Noémie du haut de ses 13 ans. C'est pourtant pas si compliqué que ça. Si maman l'a appris, tu devrais être capable toi aussi!

— J'ai pas le temps et surtout pas le goût de connaître toutes vos bébelles. Expliquez-moi comment c'est possible que ça fasse toujours défaut juste après que vous êtes venus faire un tour?

C'était la même discussion chaque fois! Bien qu'elle utilisât un ton moralisateur, Doris n'impressionnait pas les enfants pour autant. Ils savaient qu'elle pouvait très bien japper de temps en temps, mais que jamais elle n'avait mordu.

Pour sa part, Évelyne ne souhaitait pas alimenter le débat. Elle avait vécu une petite altercation avec son adolescente ce matin à propos d'une sortie que la jeune fille

---

2 Smatte: intelligent.

aurait aimé faire aujourd'hui et qu'elle avait dû lui refuser. Il n'était pas question qu'on se chamaille devant sa mère.

— Claude est pas à la maison? questionna Évelyne, s'inquiétant quelque peu pour son frère.

— Non, il avait des prises de sang et des radiographies à passer à l'hôpital de Saint-Jérôme et il est parti avec un de ses amis. Il va de mieux en mieux. Les premiers mois ont été difficiles, mais je crois que le pire est derrière lui, du moins je l'espère.

L'aîné de la famille était revenu habiter avec sa mère durant la dernière année, tout juste après sa séparation. Il avait accepté l'offre de celle-ci en se disant que c'était une solution temporaire pendant les procédures de divorce et ses deux sœurs l'avaient encouragé en ce sens. Elles jugeaient qu'il n'était pas bon qu'il se retrouve seul. Le constat de son échec conjugal était difficile à avaler pour Claude et cette solidarité familiale lui avait apporté un grand réconfort.

Il avait encore des moments de morosité, mais ils étaient de plus courte durée. C'est chez Évelyne, sa plus jeune sœur, qu'il se réfugiait quand il voulait se confier. Ils avaient ainsi développé une belle complicité.

— Il faut que vous veniez souper, un soir où Claude travaillera pas, offrit Évelyne. Elle adorait cuisiner et savait que sa mère prenait plaisir à effectuer une petite sortie en plein milieu de la semaine.

— Moi, je dis jamais non quand je reçois des invitations et ça changera les idées de ton frère. Il aime beaucoup tes enfants et il a pas eu la chance de les voir souvent du temps où il était marié.

— Malheureusement, il a manqué de belles années!

— Il semble qu'on était pas assez bien pour sa grébiche[3].

— Je sais que ça t'a blessée, maman, mais il est préférable qu'on l'oublie, celle-là. Le principal, c'est que mon frère remonte la pente. Dans les dernières années, il était rendu comme un ermite. Depuis qu'il reste avec toi, on retrouve le Claude qu'on a connu enfant.

— T'as bien raison. Vaut mieux avoir des pensées positives, tu me le dis assez souvent.

— Là tu parles à mon goût! ajouta Évelyne qui tentait de faire voir à sa mère une nouvelle façon de réfléchir. Elle avait une sainte horreur des gens âgés qui critiquent tout. Elle souhaitait être en mesure d'éviter que celle-ci se transforme en vieille grincheuse.

— Quand Bruno est arrivé tantôt, il m'a demandé où était son oncle Claude, indiqua Doris, qui espérait changer le cours de la discussion.

— Depuis qu'il a commencé à lui apprendre des tours de magie, il est devenu son idole.

— C'est drôle de voir Bruno manipuler les cartes avec ses petites mains.

— Ça va être tout un clown celui-là! Il aime bien être le centre de l'attention, tout le contraire de Noémie.

— As-tu eu des nouvelles de Dominique? s'enquit Doris. Elle était censée venir cette semaine pour m'apporter du sirop d'érable.

— Eh bien, en parlant du loup, il se montre le museau! lança Évelyne, qui apercevait justement sa sœur s'approcher à grands pas avec les bras pleins de colis.

— Va lui donner un coup de main! intima Doris d'un

---

3 Grébiche : personne acariâtre.

ton autoritaire que sa famille lui connaissait bien. Tu vois bien qu'elle est chargée comme une mule!

— J'arrive, j'arrive! rétorqua Évelyne, exaspérée que sa mère la régente de la sorte.

La jeune femme se précipita donc pour ouvrir la porte à sa sœur et l'aider à déposer ses nombreux paquets.

— Je voulais pas faire deux voyages, avec un vent pareil, précisa Dominique. Alors comme tu dirais, ma petite maman, j'en ai fait un de paresseuse. Laissez-moi le temps de me déshabiller et je vais vous montrer ce que j'ai apporté.

Et voilà qu'encore une fois, Doris se retrouvait avec ses deux filles. Des moments dont elle ne se rassasiait jamais.

Dominique demeurait à Lorraine, soit à environ 70 kilomètres de Val-David, mais chaque fois qu'elle le pouvait, elle venait visiter sa mère et jamais elle n'arrivait les mains vides. Elle apportait soit un livre qu'elle avait lu et qu'elle voulait lui faire découvrir, un chandail qu'elle avait acheté, mais que, finalement, elle n'aimait plus, une cassette sur laquelle elle avait enregistré un film ou une émission particulièrement intéressante. À cette période de l'année, c'était le sirop d'érable, dont elle faisait chaque année une large provision pour les siens.

— Bruno, Noémie, j'ai quelque chose pour vous aussi! cria Dominique afin de déloger sa nièce et son neveu, qui étaient figés devant le téléviseur et qui n'étaient pas encore venus lui faire les baisers qu'elle attendait impatiemment.

— Mais tu pouvais pas savoir qu'on serait là! répliqua Noémie avec un franc-parler qui frôlait l'impolitesse. D'habitude, on est à l'école la semaine.

— T'as bien raison, Noémie, répondit la tante pour flatter l'ego de la jeune fille. Mais ici, j'ai toujours la possibilité de vous laisser quelque chose. Vous êtes jamais longtemps sans venir faire votre tour chez mamie.

Dominique se souvenait très bien d'une époque de son adolescence où son sens de la répartie lui avait valu quelques réprimandes. Elle ne se formalisait donc pas du ton employé par l'adolescente. Elle entreprit alors de leur donner ce qu'elle avait acheté en pensant à eux dans ses tournées de magasinage. Aujourd'hui, c'était un bracelet et des boucles d'oreilles pour Noémie. Pour Bruno, elle avait choisi un casse-tête et un jeu de dominos.

Les jeunes aimaient bien cette tante un peu extrava-gante. Elle n'hésitait pas à leur raconter des histoires dont ils avaient peine à distinguer le vrai du faux, ce qui faisait différent de leur mère, qui était plutôt terre à terre.

Évelyne appréciait ces petites rencontres impromptues qui nourrissaient l'esprit de famille. Depuis qu'elle avait eu ses enfants, elle n'avait plus jamais travaillé à temps plein. Au moment où les jeunes avaient commencé l'école, elle avait repris un poste à mi-temps chez l'épicier du coin, où elle faisait la tenue des livres. Elle était une femme d'inté-rieur accomplie, mais elle avait également besoin de se sentir valorisée socialement. Elle souhaitait conserver une certaine indépendance financière et se protéger au cas où la vie lui jouerait un mauvais tour.

On entendit soudain des bruits de pas sur la galerie. Quelqu'un secouait ses pieds avant d'entrer dans la maison, sans frapper. C'était donc un habitué. Tout emmitouflé dans sa parka beige, l'individu avança doucement sur la catalogne tissée qui lui permettait de circuler dans la cui-sine sans se déchausser.

Il avait l'air de l'abominable homme des neiges en format réduit. Il releva la tête pour faire basculer son capuchon vers l'arrière et on aperçut ensuite la figure rougie du frère aîné de Doris, son cher Raoul. Après avoir enlevé ses grosses mitaines, celui-ci retira délicatement ses lunettes embuées et fouilla dans ses poches pour y prendre un papier-mouchoir chiffonné afin d'essuyer son nez, qui coulait tout autant que les chalumeaux enfoncés dans les érables au printemps.

— Bonjour, Raoul! Veux-tu bien me dire ce qui t'amène par un temps de chien pareil? lui demanda Doris d'une voix forte, sachant très bien qu'il était plutôt dur d'oreille.

— Parle-moi z'en pas! répondit ce dernier, encore tout essoufflé d'avoir lutté contre un vent glacial pour atteindre la maison de sa sœur.

— Prends le temps de te déshabiller avant de nous raconter ce qui t'arrive, offrit Doris. En attendant, je vais te préparer un bon chocolat chaud, exactement comme tu l'aimes, avec beaucoup de sucre et un soupçon de crème fouettée.

Raoul retira son gros manteau d'hiver et sa tuque, et s'installa dans la chaise berçante que Dominique lui laissa gentiment. Elle n'avait jamais vu son oncle aussi perturbé et elle souhaitait être en mesure de lui apporter un certain réconfort. Elle s'empressa de lui fournir un nouveau papier-mouchoir afin qu'il puisse essuyer son nez qui coulait de nouveau. Elle était dédaigneuse et ne pouvait tolérer que quelqu'un utilise un vieux mouchoir ou, pire, le dos de la main pour le faire.

Il était à peine installé qu'il entreprit de raconter ce qui suscitait chez lui autant d'embarras.

— J'avais un rendez-vous chez le docteur pour mon problème d'oreilles et il m'a rien fait. J'ai dû attendre plus d'une heure avant de pouvoir le voir et je suis resté rien que 10 minutes dans son bureau. Et regarde ce qu'il m'a donné!

indiqua-t-il en remettant à sa sœur un petit papier blanc portant l'en-tête de l'établissement de soins de santé.

— C'est quoi ça? demanda Doris, qui avait peine à déchiffrer ce qui était inscrit sur la requête.

Instinctivement, Dominique prit le document des mains de sa mère afin d'éclaircir la situation. Il lui était impossible de ne pas se mêler des affaires des gens quand ils semblaient désemparés. À la blague, ses amis l'appelaient Mère Teresa[4].

— C'est pour une consultation chez un ORL, mon oncle. Il est inscrit qu'ils vont vous faire un nettoyage d'oreilles. C'est pas plus compliqué que ça.

— Oui, mais c'est à Saint-Jérôme. C'est pas à la porte! soupira-t-il sur un ton exprimant son désagrément.

Bien qu'il soit âgé, Raoul conduisait toujours sa voiture, mais jamais durant la saison froide. Le 1er octobre de chaque année, il remisait son automobile dans son garage jusqu'au printemps suivant et il faisait alors ses courses à pied. Il trouvait tout ce dont il avait besoin au village, mais quand il devait se rendre dans une ville voisine, il n'hésitait pas à prendre un taxi.

— Ça coûte moins cher que d'être obligé de faire poser des pneus d'hiver sur mon *char*, rétorquait-il à ceux qui critiquaient sa façon de faire.

C'était un homme bon et généreux, et son travail de vendeur itinérant avait fait en sorte qu'il connaissait beaucoup de gens dans les Laurentides. Il était par contre très indépendant et il hésitait toujours à demander un service à qui que ce soit.

Dominique pouvait sentir tout le désarroi du pauvre

---

4 Mère Teresa: religieuse catholique missionnaire. Récipiendaire du prix Nobel de la paix en 1979.

vieillard. Comme elle avait quitté le village depuis long-temps pour aller gagner sa vie à l'extérieur, elle ne l'avait pas croisé très souvent durant les dernières années. Elle en avait cependant eu régulièrement des nouvelles par sa mère, qui l'adorait.

— Faites-vous z'en pas, mon oncle. Si ça peut vous rassurer, je vais appeler tout de suite pour demander un rendez-vous et ça va me faire plaisir d'y aller avec vous!

— Tu serais bien fine, ma belle fille, répondit Raoul avec un léger trémolo dans la voix. Il était sorti du bureau du docteur si contrarié qu'il réalisait maintenant qu'il avait fait une entrée fracassante chez sa sœur. Il regrettait amèrement sa saute d'humeur et la bienveillance dont faisait preuve sa jeune nièce l'avait attendri.

Dominique réclama la carte d'assurance maladie de son oncle afin d'avoir les informations nécessaires avant de communiquer avec cette clinique de médecins spécialistes. Elle prit ensuite le téléphone sur le comptoir et elle ouvrit une porte d'armoire à côté du réfrigérateur pour y trouver un stylo et du papier sur lequel elle pourrait noter les détails relatifs au rendez-vous.

— Fouille pas dans mes affaires! la semonça sévèrement Doris, qui préférait qu'on lui demande la permission au lieu de s'approprier les choses soi-même. Il y a toujours des vieilles feuilles à côté du téléphone, utilise-les à la place.

— On dirait que tu caches un trésor dans ta cuisine quand tu nous apostrophes comme ça! lança Dominique, qui n'aimait pas le ton colérique que sa mère employait. Inquiète-toi pas, on va pas te les voler, tes *gratteux*[5] et tes billets de 6/49 dans le gros bol à salade!

---

5 Gratteux: billets de loterie à gratter.

— Il passe assez de monde dans la maison ici que si tout un chacun fouine partout, je vais finir par même perdre mon dentier!

— Calme-toi, maman, sinon ta pression va monter! Pis si c'est pas le cas, c'est la mienne qui va le faire! ajouta la femme pour clore la discussion.

Dominique entreprit de sortir son agenda de son sac à main ainsi que son stylo personnel, un Mont Blanc reçu de ses collègues de bureau lors de son party de retraite. Elle voulait démontrer à sa mère sa grande indépendance. Elle savait de toute façon qu'en fouillant dans l'armoire, elle aurait dû utiliser trois ou quatre vieux crayons avant d'en trouver un qui fonctionne. Même si elle avait souvent demandé à Doris de jeter les plumes qui étaient vides d'encre, celle-ci les remettait toujours dans le contenant prévu à cet effet, convaincue qu'elles pouvaient servir encore à quelques reprises. Elle avait cette manie de vouloir tout garder.

Dominique réussit finalement à établir la communication avec la clinique, mais elle ne parla que peu de temps avec la réceptionniste.

— Pas de chance, mon oncle, il y a une panne d'électricité majeure à Saint-Jérôme. Sans ordinateur, ils peuvent pas me fixer de rendez-vous. Inquiétez-vous pas! Je vais noter vos coordonnées et dès demain matin, je téléphonerai de chez nous. Je vous contacterai ensuite afin de vous donner la date où on sortira ensemble.

— Aimerais-tu mieux garder tout mon *wallet*[6]? offrit-il, alors que sa nièce lui remettait sa carte d'assurance maladie. Des fois qu'il te manquerait d'autres détails?

---

6 *Wallet*: portefeuille.

— Si mon mari était avec moi, il vous dirait qu'on doit jamais laisser son portefeuille à une femme! Sans blague, j'ai juste besoin du numéro de votre carte et je l'ai déjà noté. Je leur donnerai mes coordonnées afin qu'ils puissent me joindre facilement. S'il y a quoi que ce soit, je vous appellerai directement.

— T'es donc bien fine, Dominique! C'est normal que tu t'occupes des affaires de ta mère, mais t'es pas obligée de le faire pour un vieux comme moi.

— Et pourquoi pas? Après tout, vous êtes mon parrain. C'est tout à fait logique que je prenne soin de vous un peu. Vous m'avez assez gâtée quand j'étais jeune, disons que c'est à mon tour maintenant de vous retourner l'ascenseur.

— J'aurais bien aimé ça avoir des beaux enfants comme les tiens, Doris, mais c'était pas pour moi. Bon, avant de me mettre à brailler comme un veau, je vais y aller parce que j'avais sorti de la viande pour mon souper.

— T'as pas le goût de manger avec ta petite sœur? lui demanda Doris, qui appréciait avoir de la compagnie pour les repas.

— Non merci! On est mardi et à soir, c'est *Providence* qui joue à la télé.

— Dites-moi pas que vous regardez les téléromans, mon oncle? lança Évelyne à la blague. D'habitude, c'est les femmes qui écoutent ces émissions-là!

— C'est la faute de ta mère. Elle m'en parlait si souvent que j'ai commencé à le suivre et là, c'est plus fort que moi. D'une semaine à l'autre, je suis curieux de savoir ce qui va arriver. Je redoute pas mal la vieille Édith Beauchamp. Je te dis que j'y donnerais pas le Bon Dieu sans confession à celle-là!

— C'est assez bon! renchérit Doris. À chaque émission,

on reste sur notre appétit. Tu devrais souper avec moi et on le regarderait ensemble. Claude pourrait aller te reconduire après. Je suis certaine qu'il arrivera pas trop tard.

— Non, je préfère être rendu à la maison quand la noirceur va prendre. De toute manière, toi, t'es une couche-tard et tu voudras plus me laisser partir. Moi, aussitôt que mon programme va être fini, je vais être bien content d'aller mettre mon pyjama. Je te remercie quand même de l'invitation.

— Vous écoutez même pas les nouvelles de temps en temps? demanda Évelyne, surprise que son oncle aille au lit si tôt.

— Pas en fin de soirée. De toute façon, ils ont pas grand-chose de nouveau à nous apprendre. Ces temps-ci, ils nous parlent rien que des élections qui vont avoir lieu dans une quinzaine de jours.

— Et ça vous intéresse pas pantoute? Entre le Parti Québécois, l'ADQ et les libéraux, on a le choix cette année. Je me dis toujours qu'un jour, on va avoir une surprise, et les gens vont voter avec leur tête au lieu de continuer à se fier aux sondages.

— Boisclair et Dumont sont trop jeunes et ont pas assez d'expérience pour gouverner. En plus, ils frisent pas assez pour déloger le mouton à Jean Charest, analysa Raoul avec un large sourire, laissant voir l'usure excessive de son dentier.

— Vous avez une opinion bien arrêtée sur le sujet! lui lança Dominique, qui aimait bien l'attitude du vieil homme.

— En tout cas, ça fait une maudite secousse que je suis pas allé voter. Vous êtes jeunes, vous autres, vous pouvez continuer de croire au père Noël!

— T'es drôle, Raoul! répliqua Doris, qui vouait une

grande admiration à son frère aîné. Attends une minute avant de partir, je vais te donner un morceau de gâteau. Un gars tout seul, ça mange pas toujours ce genre de gâterie.

— Je te dirai pas non pour du dessert. Tu sais que j'ai la dent pas mal sucrée.

— Oui! T'es exactement comme maman quand on parle de déguster des douceurs. Elle aurait pu mettre du sirop d'érable sur son morceau de tarte au sucre!

— Vous vous en retournerez pas à pied, lui offrit Évelyne avec assurance. Je partais justement pour aller faire mon souper. Habillez-vous, les enfants, on va en profiter pour aller reconduire mon oncle Raoul chez lui.

— Vous allez tous partir en même temps? s'attrista Doris, qui adorait les moments où plusieurs personnes étaient attablées chez elle.

— Je resterais bien, moi, ajouta Dominique, mais j'ai aussi un homme à qui je dois préparer un repas. Et tu seras pas vraiment seule, maman: on t'a laissé plein de vaisselle sale dans l'évier. Tu pourras faire tremper tes mains dans le Palmolive, qui les rend douces comme la peau des fesses…

— Toi, ma grande girouette! répondit Doris en tirant l'oreille de sa fille pour se venger. Tu as toujours quelque chose à dire pour nous mettre de bonne humeur.

Les deux sœurs sortirent de la maison et en profitèrent pour échanger quelques mots en toute complicité, pendant que les enfants essayaient de déglacer le trottoir avec la vieille pelle qui traînait tout l'hiver sur la galerie de leur grand-mère.

— Bonjour, salua Raoul en embrassant Doris avant de partir. Je m'excuse d'avoir eu l'air aussi bête quand je suis arrivé tantôt. Je te dis qu'en vieillissant, on perd patience assez vite!

— C'est pas de ta faute. Je comprends bien ton désarroi, mais inquiète-toi pas. Si Dominique t'a dit qu'elle allait s'occuper de ton rendez-vous, c'est qu'elle va le faire!

— T'es chanceuse d'avoir des enfants qui prennent soin de toi. C'est pas facile de prendre de l'âge quand on est tout seul au monde.

— Je veux plus jamais t'entendre dire ça! gronda Doris. Moi, je suis là, et j'ai trois enfants qui t'adorent.

— Je sais, mais on vieillit tous les deux et un jour, je pourrai plus compter sur toi.

— On verra dans le temps comme dans le temps! Papa répétait toujours qu'on traversait le pont juste quand on était rendus à la rivière!

—

Raoul était fatigué ce soir et il avait peine à garder les yeux ouverts. En arrivant à la maison, il eut le goût de parler à son frère Hector, qu'il n'avait pas vu souvent dernièrement. Il n'y avait pas de réponse chez lui. Il se promit qu'il le rappellerait demain.

— C'est ça quand on a des enfants, marmonna-t-il encore tout haut, comme si les murs avaient des oreilles. Probablement que Monique est venue le chercher pour souper ou bien que Jean-Guy est dans la région et qu'il a décidé de sortir son père. Hector dit toujours qu'il a juste un gars et une fille, mais c'est quand même mieux que moi, toujours tout seul comme un codinde[7].

---

7 Codinde: personne stupide.

Sa solitude lui pesait et il rabâchait constamment ses plaintes à ce sujet, mais surtout depuis qu'il se voyait diminué. Quand il était en mesure de faire ses affaires lui-même, il s'ennuyait rarement.

Dès que son émission de télévision fut terminée, Raoul éteignit toutes les lumières et se dirigea vers sa chambre à coucher : une petite pièce désuète avec deux lits à une place et un bureau. La décoration n'avait jamais été refaite depuis le décès de son épouse, il y avait de cela plus de 25 ans. Il faisait un grand ménage une fois par année, mais il n'avait déplacé ni remplacé l'ameublement. C'était inutile selon lui, car personne ne venait dans cette partie de la maison.

Bien installé dans sa couchette, Raoul réfléchissait maintenant à tout ce qui s'était passé depuis qu'il s'était levé ce matin.

Il avait la nette impression que depuis le commencement de l'automne, il se sentait moins bien dans sa demeure. Dans la journée, tout allait on ne peut mieux, mais dès que la brunante arrivait, il ressentait une grande anxiété suscitée par sa surdité de plus en plus profonde. Lui qui n'avait jamais craint quoi que ce soit, il se voyait sursauter pour tout et pour rien. Il se disait qu'un malfaiteur pourrait très bien pénétrer dans sa maison sans qu'il s'en aperçoive. C'est la raison pour laquelle il gardait un bâton de baseball à côté de son lit, au cas où il devrait se défendre.

Afin de se donner du courage, il prenait son chapelet et priait pendant de longues minutes, soit jusqu'à ce qu'il s'endorme totalement épuisé. Toujours, il demandait la même chose.

— Dieu tout-puissant, vous qui êtes infiniment bon, veillez sur moi pendant mon sommeil afin que je puisse encore une fois voir le jour se lever.

Le vieil homme vivait des nuits agitées, rêvant beaucoup, mais se souvenant rarement de ce qui avait défilé dans sa tête durant toutes ces heures. Il se réveillait très tôt le matin, soit aux aurores. Il ne mettait jamais les pieds en bas du lit sans avoir au préalable rendu grâce au Seigneur de l'avoir protégé.

— Dieu tout-puissant, je vous remercie d'avoir exaucé mes prières et je vous offre maintenant ma journée.

C'était simple et très court, mais il se sentait particulièrement serein en exerçant ce rituel.

Raoul se levait, faisait méthodiquement sa toilette et préparait son petit-déjeuner. Quand il faisait totalement jour, il s'étendait alors sur son vieux divan de velours or avec des coussins capitonnés sur lequel il laissait toujours traîner un oreiller. Il s'abriait ensuite le haut du corps avec une couverture de laine que sa dernière compagne Irène lui avait tricotée. À ce moment-là, il pouvait s'endormir profondément. Cette sieste le menait habituellement jusqu'à l'heure du dîner.

Il n'était en pleine forme que dans l'après-midi et il recommençait à angoisser dès que la noirceur se pointait à nouveau.

Jamais il n'aurait osé raconter cela à qui que ce soit ; pas même à sa sœur Doris en qui il avait pourtant une confiance absolue. Il se devait de trouver une solution durant l'été afin de ne pas vivre un autre hiver comme celui-là !

Après avoir ruminé ses soucis pendant plusieurs semaines, il décida un soir d'entreprendre une neuvaine au Sacré-Cœur, qu'il vénérait depuis toujours. Il se mit donc à réciter une litanie qu'il connaissait sur le bout des doigts.

Cœur sacré de Jésus, nous avons confiance en toi
Dans nos épreuves et nos souffrances,
Dans les dangers et les difficultés,
Dans le doute et l'angoisse,
Dans les échecs et les contretemps,
Chaque fois que notre prière semble ne pas être exaucée,
Au plus fort de la tentation,
Malgré nos péchés et nos mauvaises habitudes,
Dans la maladie et la souffrance,
À chaque instant de notre vie,
À l'heure de notre mort,
Ô Seigneur Jésus-Christ, je confie cette intention à Ton très
Sacré-Cœur

Il lui fallait maintenant formuler sa requête avant de continuer sa prière. Qu'allait-il réclamer? Que souhaitait-il vraiment?

— J'aurais besoin de quelqu'un pour prendre soin de moi, songea-t-il intérieurement. Mais à qui je peux demander une affaire de même? C'est délicat de se confier à quelqu'un d'autre. Il y a bien le notaire Girouard que j'ai rencontré pour mon testament, mais il peut pas s'occuper personnellement de tous ses clients. Ma sœur est trop âgée pour prendre cette responsabilité sur ses épaules et bien que j'aie des neveux et des nièces, j'ai pas l'impression qu'ils s'empresseraient de s'engager envers un vieux comme moi.

Ne voyant plus comment il pourrait s'exprimer plus clairement, il décida de couper court à sa méditation et demanda ceci: Seigneur, il me reste plus beaucoup de temps à vivre. Éclairez-moi, mais faites ça vite!

CHAPITRE 2

Des ancêtres colonisateurs

(Avril 2007)

Au réveil, comme tous les dimanches de Pâques, Bruno avait découvert de petits œufs en chocolat sur le sol de sa chambre. Ils formaient une piste qu'il devait suivre afin de repérer d'autres friandises qu'il savait être de plus en plus grosses.

La veille, avant d'aller au lit, Évelyne s'était amusée à dissimuler les surprises dans des endroits insolites au grand détriment de son époux, Xavier, qui trouvait qu'elle exagérait.

— Si tu continues comme ça, notre fils va rester un gosse jusqu'à l'université! lui avait-il reproché avec son accent parisien. Il va avoir 10 ans dans quelques mois!

— C'est encore un enfant et il doit vivre des moments comme celui-là pour se remémorer des bons souvenirs plus tard. On dirait que toi, tu sais pas ce que c'est que d'avoir du plaisir. T'es sérieux comme un pape!

— À l'âge de Bruno, j'avais plus de père, avait répliqué Xavier. Je faisais des courses pour les voisins et je transportais leurs sacs d'épicerie dans le but de gagner quelques centimes!

— Je m'excuse, Xavier, mais c'est pas parce que ton père vous a abandonnés qu'on doit faire vieillir notre fils prématurément. J'ai eu une belle enfance et j'aimerais que mes petits soient aussi heureux.

— T'as sûrement raison, avait reconnu le mari, mais je peux t'assurer que je vais faire en sorte que mon gamin devienne un homme responsable.

Évelyne l'avait entouré de ses bras, souhaitant qu'il comprenne qu'elle serait toujours à ses côtés. Ils s'étaient embrassés et c'est avec enthousiasme qu'ils avaient camouflé ensemble les dernières friandises.

Tôt le lendemain matin, ils étaient tous les deux en train de siroter un café lorsque le jeune garçon sortit de sa chambre avec les mains remplies de petits œufs de différentes couleurs.

— Qu'est-ce que tu as trouvé là? lui demanda Évelyne avec un air innocent.

— Tu le sais, maman, répondit Bruno tout sérieux. Donne-moi un sac pour les ramasser; je veux pas en perdre, ajouta-t-il, enthousiaste à l'idée de trouver les plus grosses surprises.

Sa mère ouvrit une porte d'armoire et en tira une nouvelle boîte à lunch, dans laquelle elle avait disposé de la paille aux teintes pastel. L'enfant pouvait donc continuer sa course, pendant que son père s'amusait à le filmer.

Bruno découvrit donc une poulette enveloppée dans une serviette dans la douche, un robot derrière le sofa du salon et un lapin dans une énorme plante dans l'entrée. Pour trouver le dernier cadeau, il dut enfiler ses bottes et son manteau pour aller chercher un beau camion en chocolat que Xavier avait camouflé le matin même devant le cabanon.

L'activité dura une bonne demi-heure, sous le regard complice de ses parents.

Bruno eut le droit de manger cinq petits œufs, dès qu'il eut terminé sa chasse, mais pas plus. C'était la règle établie par sa mère, qui avait l'habitude de quantifier les permissions accordées.

— Xavier, est-ce que tu irais réveiller ta fille pour qu'elle vienne déjeuner avec nous? Elle passe ses nuits à lire et le matin, elle est plus capable de se lever. J'en ai assez de crier après elle tous les jours!

— Pourquoi on la laisserait pas roupiller un peu? Une demi-heure avant notre départ, j'irai la prévenir. De toute façon, elle mangera dès qu'on arrivera chez ta mère.

— Fais comme tu veux, mais je trouve que t'es plutôt permissif avec elle. Ça paraît que t'es pas toujours à la maison pour endurer ses sautes d'humeur!

— C'est une adolescente, Évelyne! Dis-moi pas que t'as oublié comment t'étais à cet âge-là!

La magie du moment venait de prendre fin en un rien de temps.

— Est-ce qu'on mange? demanda candidement Bruno, qui souhaitait que ses parents cessent de discuter sur ce ton. J'ai hâte de m'en aller chez grand-maman Doris! ajouta-t-il en développant en cachette sous la table un énième petit œuf en chocolat.

———

C'était un rituel. Le dîner de Pâques se déroulait chez Doris et le menu était toujours le même: du jambon à l'ananas avec des pommes de terre en purée et une salade verte. Pour le dessert, c'était le pouding chômeur qu'elle servait à ses invités avec une énorme boule de crème glacée à la vanille.

Claude avait aidé sa mère dans la préparation du repas et il avait même dressé la table.

— Je te dis que t'es un gars dépareillé dans une maison.

— C'est toi qui nous as appris à faire tout ça et ça m'a été bien utile. Si tu t'en souviens bien, mon ex-femme était plus souvent en voyage que chez nous.

— J'apprécie beaucoup tout ce que tu fais pour moi depuis que t'es revenu.

— C'est pas une journée pour brailler, rétorqua Claude en apercevant un livreur qui arrivait avec un colis.

— Madame Roy? interrogea celui-ci en lui remettant une plante emballée d'un papier brun. Vous me reconnaissez pas?

— Hugo? Hugo Fréchette? répondit Doris, surprise.

— Oui, ça fait une éternité qu'on s'est vus!

— Ça fait-tu longtemps que tu travailles pour le fleuriste?

— C'est juste pour la fin de semaine de Pâques. Je remplace un gars qui est malade, mais ça me donne une chance de voir si j'aime ça!

— Es-tu allé chez mon frère Raoul dernièrement?

— Ça fait plusieurs fois que je passe par chez eux, mais il est jamais là!

Doris ne souhaitait pas continuer la conversation, mais elle pouvait deviner qu'Hugo ne partirait pas tant qu'il n'aurait pas reçu un pourboire pour la livraison.

Claude s'avança et lui donna une pièce de deux dollars, que le garçon regarda avec mépris.

— Salut! termina-t-il tout simplement en quittant les lieux sans remercier ses clients.

Doris referma la porte, un peu décontenancée par ce visiteur impromptu. Elle avait l'intuition que la journée de Pâques débutait sur une mauvaise note.

— C'était Hugo Fréchette, l'enfant dont Raoul s'occupait quand il était jeune, précisa Doris au cas où son fils ne l'aurait pas reconnu.

— Si j'avais su où il travaillait, je serais jamais allé dans ce commerce-là pour acheter ton cadeau! As-tu vu? Il était *atriqué* comme la chienne à Jacques[8]. Je pense que ce serait une charité à faire au fleuriste que de l'avertir du genre de gars qu'il a engagé. Pas trop fiable comme employé.

Doris raconta à son fils comment Hugo était arrivé dans la maison de son frère et même si ce dernier connaissait des bribes de l'histoire, il l'écouta sans répliquer.

———

Vers la fin des années 50, la famille Fréchette demeurait sur la rue voisine de celle de Raoul. Ces gens avaient plusieurs enfants et, malheureusement, le père était handicapé. Dès la jeune trentaine, il avait dû se faire amputer une jambe à la suite d'une infection majeure.

Afin de subvenir aux besoins des siens, madame Fréchette était devenue domestique chez un médecin, dont l'épouse était infirmière. Ceux-ci avaient quatre enfants et un horaire très chargé, alors ils étaient heureux d'avoir pu trouver une dame qui travaillait à leur domicile depuis tôt le matin jusqu'après le repas du soir.

Les frères et la sœur aînés d'Hugo fréquentaient tous

---

8   Être *atriqué* comme la chienne à Jacques : être mal habillé, de façon négligée.

l'école ; le petit restait donc seul à la maison, avec un papa peu actif. Les occupations du jeune garçon se résumaient à colorier, jouer avec de vieilles balles de laine et rouler des cigarettes avec son paternel. Quand il faisait beau, l'enfant pouvait aller s'amuser dans la cour. Il en profitait alors pour visiter les voisins, qui lui faisaient la jasette et lui offraient parfois une collation. C'est ainsi qu'il était devenu le protégé d'Yvette et de Raoul, qui le prenaient en pitié d'être ainsi abandonné à lui-même.

Ne voulant pas que les parents s'inquiètent inutilement à propos de leur garçon, Raoul était allé les rencontrer et il leur avait dit qu'il aimerait à l'occasion garder Hugo pour partager un repas avec lui, ce que les Fréchette avaient accepté. De fil en aiguille, le jeune garçon s'était fait une place dans leur vie. Yvette et Raoul avaient commencé par lui acheter des vêtements chauds pour l'hiver, ce que sa mère et son père avaient apprécié. Ils avaient payé tout ce dont il avait eu besoin pour sa rentrée scolaire et au printemps suivant, ils l'avaient habillé comme un petit prince pour sa première communion. Hugo faisait partie de leur existence et avait su mettre un peu de couleur dans leur quotidien plutôt morose.

Parallèlement, Raoul apportait régulièrement des victuailles à monsieur Fréchette. Il lui rendait aussi de nombreux services et, à l'occasion, il lui donnait un peu d'argent pour pourvoir à certains besoins de ses autres enfants. Il se disait qu'il avait la chance d'avoir la santé et un bon travail, alors qu'eux supportaient de rudes épreuves. C'était sa manière à lui de remercier le Bon Dieu pour toutes ses offrandes.

Avec les années, le jeune était cependant devenu exigeant et manipulateur. Il demandait des choses à Yvette en cachette de Raoul et vice-versa. Il accumulait ainsi de l'argent qui lui servait à se procurer ce qu'il voulait. Quand son père était décédé, Hugo était adolescent et il s'était retrouvé seul à la maison avec sa mère, les aînés ayant déjà quitté le foyer familial. Il avait alors outrageusement dominé celle-ci, qui n'avait pas eu la force nécessaire pour se défendre. Elle était morte tout juste trois ans après son mari, d'un virulent cancer du sein. Elle s'était ainsi en quelque sorte libérée de cette vie qui n'avait été pour elle que travail, soucis financiers pour finalement se terminer avec une maladie incurable.

À ce moment-là, Hugo venait d'avoir 18 ans. Il avait déménagé peu de temps après dans la région de Prévost, où l'un de ses frères demeurait. Il avait eu peine à garder ses emplois à cause de ses problèmes d'alcool. Raoul ne s'en était jamais aperçu, mais le jeune avait commencé à consommer de la boisson avec son père vers l'âge de 12 ans. Celui-ci l'envoyait en acheter au dépanneur et, pour le récompenser, il lui en donnait un peu. Rapidement, le garçon avait développé une dépendance. S'étaient ensuivis quelques vols à l'étalage et autres petits larcins qui avaient éloigné Hugo de ses bienfaiteurs. Il revenait les voir à l'occasion, mais Raoul le craignait comme le feu. Il regrettait de n'avoir pu inculquer de bonnes valeurs à cet enfant qu'il avait pourtant beaucoup aimé.

— Sais-tu s'il a déjà volé des affaires à mon oncle Raoul ? interrogea Claude.

— Peut-être pas directement, mais je peux jurer qu'il lui a soutiré pas mal d'argent.

— En tout cas, c'est pas le genre de gars que j'inviterais à coucher chez nous.

Claude ne voulait pas que la fête de Pâques soit gâchée et

il se devait de changer de sujet de conversation avant que les invités arrivent.

— Maman, je t'ai connue plus curieuse que ça! T'as pas le goût de savoir ce que le plus beau de tes enfants t'a acheté pour Pâques?

— Je m'excuse, Claude! Avec toutes ces émotions-là, j'en oublie mes bonnes manières. Doris déballa le cadeau pour découvrir un joli rosier.

— Tu t'es rappelé que j'aimais ça!

— Quand papa te donnait des fleurs, c'était toujours cette sorte-là. Je pouvais pas me tromper.

— Je vais la mettre en terre dès qu'il fera plus chaud. Si tu savais comme tu me fais plaisir, mon garçon! se réjouit-elle en lui faisant une caresse.

— Avec tout ça, on a pris pas mal de retard pour notre dîner, reconnut Claude. Il faudrait s'occuper de nos patates parce que les jeunes vont arriver et ils vont avoir faim. Penses-tu que mon oncle Hector et mon oncle Raoul vont venir?

— Imagine-toi donc que Monique a décidé de les emmener tous les deux dîner au restaurant. C'est elle qui m'a appelée hier soir pour m'avertir.

— Mon oncle Raoul devait être tiraillé!

— Oui, mais je crois qu'il va quand même passer faire un tour cet après-midi. En tout cas, je vais lui garder un morceau de pouding chômeur. Si c'est pas aujourd'hui, il va venir me voir demain pour me raconter comment ça va avoir été avec cette chère nièce, lança Doris sur un ton condescendant.

— On dirait que personne l'aime, Monique, mais avec moi, elle a toujours été très correcte. Quand j'écoute parler Évelyne, on dirait pourtant qu'elle a tous les défauts de la Terre!

— T'es un gars, toi, et avoue que t'as pas tellement de malice. Tu tiens ça de ton père, qui pouvait se laisser enfirouaper[9] facilement.

Afin de couper court aux propos de sa mère, Claude se rendit à la porte pour accueillir Dominique et Patrick, qui arrivaient avec des cadeaux pour les enfants d'Évelyne et pour Doris.

Ne manquait plus que la famille de son autre fille, qui se pointa avec une demi-heure de retard.

— Je pensais que vous aviez oublié qu'on était rendus à Pâques! ironisa Doris. Je me suis dit que vous trouviez peut-être que c'était pas assez, 40 jours de Carême!

— Maman, c'est pas le temps de picosser[10]. Tu sais que je suis jamais en retard, mais ce matin, Noémie a décidé qu'elle venait pas dîner avec nous. On l'a traînée jusqu'ici.

— Évelyne, intervint Xavier, s'il te plaît, rajoutes-en pas!

Comme Noémie affichait une mine boudeuse, Dominique se rapprocha doucement d'elle afin d'essayer de dédramatiser la situation.

— C'est le temps de se mettre à table, annonça Claude avec entrain. Aujourd'hui, c'est une première! Je fais le service avec ma mère.

— Maman, assis-toi, je vais aider Claude, offrit Dominique.

— Si tu penses que tu vas m'enlever le plaisir de travailler avec mon fils!

Le repas se déroula somme toute dans la bonne humeur. Au début, Noémie ne répondait que par monosyllabes aux questions qui lui étaient posées, mais elle reprit

---

9 Enfirouaper : berner, abuser.
10 Picosser : lancer des pointes, des paroles blessantes.

tranquillement de la vitalité. Il n'y avait qu'Évelyne qui restait aigrie de ce qui s'était passé.

Histoire de détendre l'atmosphère, Claude endossa le tablier rose de sa mère et il l'imita en apportant les assiettes à table.

— Fais attention, Évelyne, prévint-il d'une petite voix nasillarde. Je voudrais pas que tu te salisses le poitrail[11]. Toi, Dominique, t'auras pas besoin de faire attention!

Tout le monde se mit à rire en écoutant Claude taquiner ses deux sœurs. C'était agréable de le voir aussi heureux.

On mangea à satiété et, après le repas, les enfants reçurent des chocolats de Dominique, de Claude et de Doris. C'était plus qu'ils ne pouvaient en déguster, mais comme tous les ans, Évelyne en congèlerait une grande partie. Plus tard, à l'automne, lors d'une fête familiale, elle leur servirait une bonne fondue au chocolat avec une multitude de fruits frais.

Dominique et Patrick partirent les premiers, car ils devaient aller souper chez les parents de ce dernier, et Évelyne retourna à la maison, se plaignant de maux de tête et de douleurs au ventre.

— Laisse-moi donc les enfants, proposa Doris. Allez vous reposer un peu.

— Dis oui, maman! insista Bruno, qui souhaitait demeurer avec sa mamie et son oncle Claude.

— Qu'est-ce que tu en penses, Noémie? Veux-tu rester ou tu aimerais mieux revenir avec ta mère et moi? interrogea le père.

— J'irais avec vous, si ça vous dérange pas, répondit poliment la jeune fille.

— Jamais tu dérangeras, ma belle! rétorqua Xavier. Et

---

11 Poitrail: poitrine, seins.

Bruno va sûrement être content d'avoir sa grand-maman pour lui tout seul!

Quand tout le monde fut parti, il sembla qu'un souffle de sérénité s'installa dans la maison. Doris finit de ramasser quelques morceaux de vaisselle, pendant que Claude remettait les chaises à leur place avant d'aller faire un tour chez un copain.

— Viens t'asseoir à la table de la cuisine, demanda Doris au jeune garçon. Aurais-tu le goût que je te montre des anciens portraits?

— Ah oui, j'aimerais ça! C'est toujours drôle des photos qui ont pas de couleurs.

— J'ai justement sorti mon plus vieil album cette semaine.

Bruno s'empressa de soulever la couverture noire et il regarda avec intérêt le premier cliché fixé sur la feuille par quatre coins de carton argenté. Il s'agissait d'un jeune couple de hautes statures. La femme était mince et elle avait les cheveux attachés en chignon sur la nuque. Elle était vêtue d'une robe foncée sur laquelle elle portait un long tablier noué à la taille. L'homme était plutôt costaud et il arborait une chemise unie et un pantalon gris qui semblait trop grand pour lui et qui était retenu à la ceinture par des bretelles.

— Elle a un drôle de bonnet, la madame! s'amusa Bruno.

— C'était la mode de l'époque. Peut-être aussi qu'elle l'a mis justement pour prendre la photo. Les gens étaient fiers et quand ils avaient la chance de «se faire tirer le portrait», comme ils disaient, ils voulaient paraître à leur avantage. C'est tes arrière-grands-parents, expliqua Doris. Ma mère Léontine et mon père Alphonse.

— J'aime ça, mamie, quand tu me racontes des histoires de ton temps!

— Aujourd'hui, je vais même te raconter des histoires d'avant mon temps!

Doris n'avait jamais eu le loisir de faire à ses enfants le récit de l'excursion de leurs ancêtres vers Val-David. Plus les années avançaient et plus elle pensait à eux, à la vie qu'ils avaient vécue et aux sacrifices qu'ils avaient dû faire. Elle se disait qu'elle devrait peut-être consigner toutes ces péripéties un jour dans un cahier, mais l'écriture n'était pas sa force. C'est plutôt Dominique qui devrait procéder à cette tâche pour elle, songeait-elle.

Les parents de Raoul, d'Hector et de Doris, Alphonse Moreau et Léontine Ménard, étaient originaires de Saint-Benoît et ils étaient arrivés à Val-David en 1917. À cette époque, on appelait cette municipalité paroisse catholique de Saint-Jean-Baptiste-de-Bélisle.

En tant que nouveau cultivateur, Alphonse souhaitait participer à la colonisation et surtout voir du pays.

Le jeune homme avait donc épousé sa belle Léontine tout juste avant de quitter son village natal. Avant leur départ, son père, Cléophas Moreau, lui avait remis une petite somme d'argent qu'il conservait précieusement.

— Combien il lui avait donné? demanda Bruno, qui était déjà proche de ses sous.

— Je sais pas, mais ça devait pas être une fortune. Dans ces années-là, les gens étaient pas riches, mais bien prévoyants. Chaque cenne était importante et quand ils pouvaient en serrer une de côté, ils le faisaient.

— On peut pas partir en voyage avec des cennes, mamie! Ça prend des piastres et pas mal encore!

— T'as raison, mais pour faire une piastre, il faut

commencer par ramasser des cennes. Par exemple, si tu veux t'acheter une bébelle à une piastre et que tu as juste 50 cennes, qu'est-ce que tu vas faire?

— Je vais demander 50 cennes à maman! répondit l'enfant instinctivement.

— C'est à peu près ça! confirma la grand-mère en riant.

Il était plutôt ardu de faire réaliser à un garçon qui fêterait bientôt ses 10 ans combien la vie avait été difficile autrefois.

Doris continua en expliquant à Bruno qu'en lui donnant l'argent, Cléophas avait dit à son fils qu'il aimerait qu'il puisse s'installer sur un lot, même si c'était modestement. Il voulait lui épargner la misère qu'il avait connue à ses débuts.

Sans en avoir conscience, c'est lui qui avait semé l'idée d'entreprendre cette aventure dans la tête d'Alphonse. Durant les longues soirées d'hiver, alors que toute la famille était assise autour du poêle dans la cuisine, il racontait souvent les péripéties des deux frères Ménard et d'un dénommé Dufresne. Ces gars, dans la jeune vingtaine, avaient quitté le village de Saint-Benoît, au milieu du 19e siècle. Ils étaient partis à pied avec comme but d'aller coloniser le Nord et au printemps 1849, ils s'étaient installés dans le canton Morin.

— Ton père est parti à pied lui aussi? demanda Bruno.

— Non, pépère est allé les conduire à Saint-Jérôme et ils ont pris le train jusqu'ici.

— Ton père est arrivé à Val-David sur la piste cyclable?

Doris ne put faire autrement que d'éclater de rire en entendant les propos de son petit-fils.

— Mais il y avait pas de piste cyclable, dans ce temps-là, Bruno! Elle a été construite après que les rails du chemin de fer ont été enlevés.

— C'est compliqué ton affaire, mamie! Et puis pourquoi t'as placé la photo de l'église dans ton album?

— C'est parce que dans notre temps, la religion était très importante et dans le village, c'était la priorité d'avoir un endroit où les gens pouvaient assister à la messe. Pâpâ disait toujours...

— Pourquoi tu dis toujours pâpâ? l'interrompit-il.

— On parlait tous comme ça dans ma jeunesse, mais quand mes enfants sont nés, ça avait changé. J'ai jamais pu appeler mon père autrement, probablement à cause de l'habitude. C'est drôle parce que t'es le premier qui me pose une question là-dessus.

— Et puis, est-ce que tu m'expliques pourquoi tu as mis la photo de l'église dans ton album? T'avais commencé par: pâpâ disait toujours... se moqua le jeune garçon avec un large sourire.

— T'es un vrai clown! Alors, il nous racontait qu'en arrivant à Val-David, la première chose qu'ils avaient vue, c'était la chapelle et ma mère avait aussitôt été rassurée. Elle avait ajouté que si les gens avaient bâti une maison au Bon Dieu, c'était un signe que c'était du monde qui avait le cœur à la bonne place.

— On y va quasiment plus à la messe avec papa pis maman. On dirait qu'on est catholiques juste avec toi!

— Vous êtes catholiques même si vous allez pas à l'église, mais voudrais-tu que je t'amène plus souvent?

— Pas tous les dimanches, mais des fois. C'est le *fun* d'entendre les vieux chanter des chansons d'église! J'aime aussi la senteur de l'affaire en métal que monsieur le curé balance en avant de lui.

— On appelle ça un encensoir. Ma belle-sœur Yvette

assistait pratiquement jamais à la messe parce qu'elle disait que cette odeur-là lui donnait mal au cœur.

Claude était revenu depuis déjà quelques minutes, mais il s'était retiré dans sa chambre et voilà qu'il s'installait pour écouter la télévision dans le grand salon. Bruno sembla tout à coup avoir moins le goût de discuter du passé. Il était comme bien des jeunes et son enthousiasme ne durait jamais très longtemps.

— Mamie, est-ce que tu penses que je pourrais aller dans le salon avec mon oncle Claude ? On pourrait regarder ça un autre jour.

— Ben oui, mon beau garçon, vas-y, fit l'aïeule, compréhensive.

Doris ne ferma pas pour autant son album de photos. Elle continua à le feuilleter afin de poursuivre le voyage qu'elle avait entrepris avec son petit-fils. En peu de temps, il lui sembla entendre, au fond de sa mémoire, la douce voix de sa maman qui lui racontait que son père s'était rapidement trouvé du travail.

En échange de biens de consommation, il effectuait différentes tâches dont, entre autres, de la menuiserie. Il était très habile et pouvait construire des meubles solides et fort bien pensés. On disait de lui que c'était un artiste. Quand les gens venaient chez lui et qu'ils voyaient les armoires, les chaises, les lits ou autres articles qu'il fabriquait, ils étaient toujours étonnés. Il avait d'ailleurs vendu les quatre premières tables de cuisine qu'il avait façonnées avant que son épouse puisse en avoir une pour sa propre maisonnée. Pendant une longue période, elle avait dû se contenter d'une vieille porte recouverte d'une nappe que son mari avait installée sur des chevalets.

Trois ans après leur arrivée dans le village, Alphonse fut recruté quand on parla d'ériger une véritable église.

Un certain René Richer, jeune architecte de Saint-Hyacinthe, avait dressé les plans de la chapelle de style classique trois ans plus tôt. Celle-ci était rapidement devenue trop exiguë. On avait alors fait de nouveau appel à lui pour élaborer de nouvelles représentations graphiques pour la construction du lieu de culte. Les travaux débutèrent en mai 1920 pour se terminer juste à temps pour les célébrations de la fête de Noël de la même année. Alphonse avait mis des heures et des heures à fignoler mille et un détails.

Léontine se retrouvait donc souvent isolée à la maison avec ses deux premiers enfants, Raoul, né en octobre 1918, qui avait rapidement été suivi d'Hector, à peine 13 mois plus tard.

— Alphonse, t'es pas raisonnable! l'avait-elle sermonné un soir. C'est rendu que tu couches quasiment à l'église! Moi, je t'attends patiemment et je suis toujours seule avec les petits.

— Voyons, la femme, tu sais bien que c'est pour le Bon Dieu que je fais ce travail-là!

— Moi, je pense plutôt que c'est un péché d'orgueil. Les gens te disent assez que t'es talentueux que ça t'a monté à la tête!

— Tu manques de rien ici d'dans et puis, de toute façon, ça achève. On va avoir tout l'hiver pour bardasser[12] alentour de la maison.

La jeune femme avait tout donné à ses deux enfants, mais étrangement, elle n'avait pas vécu d'autres grossesses. Quand Hector eut deux ans, elle s'inquiéta réellement.

---

12 Bardasser : faire du ménage, de menus travaux.

Elle devait se justifier au confessionnal de son infertilité et ne savait pas trop quoi dire.

— Monsieur le curé, je crois que le Bon Dieu a décidé de me punir. J'aurais voulu avoir une grosse famille et surtout avoir une petite fille bien à moi.

— Vous devez comprendre, ma bonne dame, lui avait expliqué un prêtre venu expressément pour une retraite fermée, que Dieu a sûrement d'autres projets pour vous, j'en suis convaincu. Ne vous en faites pas et laissez aller les choses.

— Vous êtes bien gentil, mon père, mais ce sont pas tous les curés qui pensent comme vous. Si vous aviez vu la crise que m'a faite l'abbé Picard quand il est passé pour la visite paroissiale à l'automne! Un peu plus et il m'excommuniait. Je vous dis, par secousses, j'en dors pas des nuits!

— Un jour, vous aurez des comptes à rendre au Très-Haut, mais jamais vous n'en aurez avec le commun des mortels. Ne vous en faites plus avec tout ça. Si quelqu'un d'autre vous en parle, répondez-lui simplement que c'est la volonté du Seigneur.

Avec le temps, Léontine avait accepté le fait qu'elle n'aurait que deux enfants. Il n'était pas rare que, lors de rencontres amicales, les hommes taquinent Alphonse en lui disant qu'il n'était pas un bon coq, mais il les laissait causer et se réjouissait intérieurement d'avoir au moins ses deux garçons.

Le fils aîné, Raoul, était très attaché à sa mère, et dès son jeune âge, elle lui avait montré à faire l'ouvrage de la maison comme elle. Il pouvait tout aussi bien laver la vaisselle que faire de l'époussetage. Il n'aimait cependant pas les travaux manuels de son père. C'est plutôt Hector qui suivait celui-ci dans la grange pour manier le marteau et les ciseaux à bois.

Durant l'hiver 1927, on avait demandé à Alphonse de se

rendre à l'extérieur du village pour participer à la construction d'une école plus au nord. Il s'agissait d'un ouvrage très bien rémunéré et le père de famille ne voulait pas refuser une telle offre. Avec les deux garçons à la maison, il n'était pas inquiet de laisser son épouse pendant plusieurs semaines.

Étant l'aîné, Raoul s'était senti investi d'une lourde charge, alors que son jeune frère était tout juste attristé que son paternel soit absent et qu'il n'ait personne pour passer du temps avec lui dans la grange.

Léontine avait pris beaucoup de poids dans les derniers mois et Raoul trouvait qu'elle avait de moins en moins d'énergie. Le médecin était venu à deux ou trois occasions, mais elle ne leur avait pas dit ce qui lui arrivait vraiment, prétextant tout simplement qu'elle irait mieux quand leur père serait de retour au printemps.

Très dévot, l'aîné priait tous les soirs pour que son père rentre au plus tôt afin de leur apporter un certain réconfort. Sa mère serait-elle atteinte d'une maladie grave? Il ne voulait rien lui demander de peur de l'attrister ou même de l'insécuriser encore plus.

Un mercredi après-midi, alors qu'il revenait de l'école, il vit le cheval du docteur attelé devant leur maison. Il se rendit donc chez lui à la course, laissant derrière son frère Hector, qui, comme à son habitude, avait la tête dans les nuages. En entrant dans la cuisine, il constata qu'une voisine était là et qu'elle se dirigeait vers la chambre de sa mère avec des linges. Le vieux médecin, bien assis à la table, était pour sa part occupé à placer divers articles dans sa mallette.

— Qu'est-ce qui arrive, docteur? Maman est malade? demanda-t-il du haut de ses neuf ans et demi.

— Inquiète-toi pas, mon garçon, elle va très bien.

Les sauvages sont passés[13] et vous ont laissé une belle petite fille. Tu as maintenant une sœur avec des beaux cheveux blonds comme le blé.

Raoul était abasourdi. Au moment où il était parti pour l'école ce matin, sa mère semblait plutôt bien et voilà qu'elle était alitée. En plus, on lui annonçait qu'il aurait un bébé sur les bras. Comment viendrait-il à bout de s'occuper de tout cela et qu'est-ce que son père dirait quand il reviendrait ?

Le médecin constata la mine déconfite de l'enfant et voulut le réconforter.

— Madame Bertrand, votre voisine, m'a assuré qu'elle resterait avec vous, d'ici à ce qu'Alphonse soit de retour.

— Maman nous a promis qu'il arriverait pour la fête de Dollard. C'est pour très bientôt !

— S'il n'a pas de retard, ce sera lundi prochain, le 21 mai, mais si toutefois il y a quoi que ce soit, inquiète-toi pas. Il y a plusieurs bonnes femmes qui viendront prendre soin de vous. On est habitués par ici à s'occuper les uns des autres.

Moins d'une heure plus tard, monsieur le curé était arrivé et il avait baptisé l'enfant du nom de Marie Doris Moreau. Madame Bertrand et son époux furent respectivement choisis comme marraine et parrain, puisqu'ils étaient les voisins les plus proches.

Durant les deux journées qui avaient suivi, Raoul ne s'était pas rendu à l'école, mais il avait plutôt aidé la voisine aux travaux d'entretien. Il voulait que la maison soit impeccable quand son père y mettrait les pieds et il se sentait également rassuré d'être présent pour sa mère. Si à un moment

---

13 Les sauvages sont passés : expression utilisée quand une femme accouchait, pour dire qu'une naissance avait eu lieu.

elle allait moins bien, il pourrait aller chercher le médecin très rapidement.

L'accouchement avait été difficile et Léontine avait perdu beaucoup de sang. Pour être passée par là à 10 reprises, madame Bertrand savait que la nouvelle mère aurait besoin de beaucoup de repos pour remonter la pente. Elle avait donc décidé, dès le premier jour, d'emmener Hector chez elle. Cette décision pourrait éviter qu'il y ait des conflits entre les jeunes. Le soir, Raoul était suffisamment mature pour demeurer avec sa mère et aller demander de l'aide au besoin.

— Je vais venir chaque jour pour faire les travaux nécessaires, avait promis madame Bertrand, et je vais m'occuper de ton frère. Si toutefois il y avait quoi que ce soit qui t'inquiétait, de jour comme de nuit, hésite pas à traverser chez nous.

— Faites-vous en pas, madame, je les laisserai pas une seule minute.

Égoïstement, Raoul avait donc gardé juste pour lui les deux êtres qu'il aimait le plus au monde. Il pouvait passer des heures à les regarder dormir. Il aidait sa mère du mieux qu'il le pouvait et il restait à ses côtés le plus longtemps possible, sauf quand elle devait allaiter sa petite sœur. À tout instant, madame Bertrand traversait pour mille et une raisons et chaque fois, elle changeait la couche du bébé.

Quand elle eut repris ses forces, Léontine expliqua à son fils aîné qu'il n'avait pas à s'en faire pour son père.

— Alphonse se doutait bien que les sauvages nous apporteraient un paquet ce printemps. C'est pas pour rien qu'il a accepté ce contrat en haut de la Rouge[14]. Je m'attends à ce

---

14 En haut de la Rouge : en haut de la rivière Rouge, soit les municipalités environnantes : Lac-Saguay, Nominingue, L'Ascension, La Macaza, Labelle, La Minerve et La Conception.

qu'il arrive très bientôt et toi, tu vas retourner à l'école dès mardi matin. Il faut pas que tu manques de journée à la fin de l'année comme ça.

— Mais maman, vous êtes faible comme un pou. Je veux pas vous laisser toute seule. Juste quelques jours encore, le temps que pâpâ revienne.

— Non, mon garçon. Si tu souhaites avoir un bon travail plus tard, il faut que tu aies de l'instruction et ce temps-ci de l'année est important.

Le jeune garçon s'était donc rendu à l'école le mardi matin et, avant d'aller dîner chez la voisine, il avait choisi de passer à la maison afin de vérifier si tout allait bien. Il avait été heureux de constater que son père était de retour et il l'avait trouvé endormi aux côtés de sa mère dans le lit.

Raoul avait alors tourné les talons et il était retourné en classe, satisfait d'apprendre que sa lourde tâche venait de prendre fin. Le chef de la famille était à nouveau en poste et il pouvait dès lors redevenir un gamin.

Léontine n'avait plus jamais enfanté et son époux s'en réjouissait. Ils avaient deux beaux garçons et une mignonne petite fille. Il ne voulait plus risquer la vie de sa femme adorée. Il avait maintes et maintes fois entendu des histoires d'horreur où les prêtres avaient déclaré qu'en cas de problème, on devait sauver le bébé au détriment de la mère. Il ne souhaitait pas qu'on ait à prendre cette décision un jour.

Raoul s'était immédiatement attaché à sa petite sœur et, malgré son jeune âge, il s'était moralement engagé à toujours la protéger.

La vie avait fait en sorte qu'une fois devenus adultes, ils étaient demeurés tout près l'un de l'autre dans le village de Val-David.

— Maman, l'interpella Claude. Maman, t'es dans la lune!

— Quoi? sursauta Doris, qui semblait avoir rêvé. Qu'est-ce qu'il y a?

— Veux-tu bien me dire à quoi tu pensais pour être aussi concentrée?

— J'avais commencé à raconter une histoire à Bruno et ça a été plus fort que moi. Quand il est allé te trouver dans le salon, j'ai continué le récit dans ma tête.

— Ça devait être quelque chose de triste, parce que t'as l'air tout à l'envers.

— Me croirais-tu si je te disais que j'ai passé une partie de l'après-midi avec ma mère et mon père?

CHAPITRE 3

Visite médicale

(Avril 2007)

Dominique avait été attendrie en constatant le désarroi de son oncle au moment où elle avait appris qu'il devait se rendre chez un ORL. Elle avait toujours été beaucoup attachée à celui-ci, particulièrement parce qu'il était son parrain, mais aussi en raison de son style, qu'elle estimait complètement différent de celui des autres. Depuis qu'elle avait terminé ses études et quitté le village pour aller travailler, elle ne l'avait revu qu'en de rares occasions.

Elle entendait cependant parler de lui par sa mère, qu'il visitait régulièrement depuis qu'ils étaient tous les deux sans conjoint. Ces deux-là avaient beaucoup d'affinités et Doris avait une grande confiance en son frère. Elle disait qu'il avait été très présent pour elle au moment où ses enfants étaient jeunes et que son mari travaillait loin de la maison. À quelques occasions, il l'avait accompagnée chez le médecin avec un enfant malade, pendant que sa mère gardait les autres à domicile. Ce n'est pas Hector qui aurait agi de la sorte, jaloux qu'il était de son rang dans la famille et de l'aisance financière que Marcel avait pu procurer aussi rapidement à sa jeune sœur.

Quand Dominique se remémorait ses souvenirs d'enfance, elle constatait que l'oncle Raoul était habituellement présent le jour de son anniversaire. Il prenait son rôle de parrain très au sérieux et même s'il ne restait pas nécessairement longtemps, il tenait toujours à lui apporter une carte de souhaits contenant un peu d'argent.

— Tu t'achèteras ce que tu voudras, offrait-il gentiment. Moi, je sais pas ce que ça aime, des filles de ton âge.

— Vous êtes gentil, mon oncle. Je vais le déposer dans mon compte de banque et un jour, j'irai m'acheter quelque chose qui me fera vraiment envie!

Raoul trouvait que sa filleule était si raisonnable qu'il était toujours enclin à lui en donner un peu plus chaque année.

Le souvenir le plus mémorable que Dominique partageait avec son oncle était sans contredit l'année où il l'avait emmenée visiter l'Expo 1967. Après qu'elle eut terminé avec succès son année scolaire, il l'avait invitée à l'accompagner pour une sortie très spéciale, avait-il tenu à préciser. Il était arrivé chez elle tôt le matin dans sa luxueuse Mercury Marquis de l'année.

— T'es prête, ma belle? lui avait-il demandé. On s'en va faire le tour du monde et on doit le faire dans une seule journée. Ça fait assez longtemps que tu nous fredonnes ta petite rengaine: «Un jour, un jour, quand tu viendras…» C'est maintenant qu'on va visiter Terre des Hommes!

Dominique était trop jeune pour apprécier l'envergure de l'exposition, mais elle savait qu'elle vivrait là un moment privilégié. En plus d'aller à Montréal avec son oncle préféré, elle voyagerait en métro pour se rendre sur l'île Sainte-Hélène.

Dès qu'il avait stationné sa voiture, il avait pris une petite minute pour lui faire une mise en garde.

— Je suis pas habitué à sortir avec des enfants. Ça fait que même si tu auras bientôt 10 ans, j'ai beaucoup réfléchi avant de te demander de m'accompagner aujourd'hui. Tu as une grande maturité, mais là où on s'en va, il va y avoir beaucoup de monde et je voudrais pas qu'il t'arrive quoi que ce soit.

Depuis l'ouverture de l'Expo, Raoul s'y était déjà rendu à deux reprises et il possédait son passeport pour toute la durée de l'événement. Il se demandait maintenant s'il avait bien fait de suggérer cette activité à sa nièce. Il était cependant trop tard pour faire marche arrière.

— Il y aura pas de problème, mon oncle. On est accoutumés de sortir avec nos parents et on écoute presque tout le temps. Vous imaginez même pas comment maman peut être sévère!

— Oui, je sais, mais je suis responsable de toi aujourd'hui et t'es pas ma fille, t'es ma filleule! Si ça te dérange pas, je te demanderais juste de me tenir par la main. Comme ça, je me sentirai mieux.

C'est donc fièrement que Dominique avait mis sa petite main dans celle de son parrain en lui offrant un sourire complice. En posant ce geste, il lui semblait qu'elle se greffait à lui le temps d'une escapade.

L'oncle et la nièce s'étaient lentement dirigés vers les escaliers roulants qui allaient les conduire dans le tunnel du métro. Même si elle était allée à plusieurs reprises à Montréal avec ses parents, Dominique n'avait jamais encore pris ce moyen de transport.

— Je pensais jamais aller me promener en dessous de la terre, s'était-elle émerveillée. Si maman avait réfléchi à ça avant qu'on parte, elle vous aurait probablement empêché de m'emmener.

— Il faut vivre avec son temps, ma belle! Comme je connais ton père, il va sûrement trouver une journée pour venir montrer ça à Doris.

Une fois embarquée dans le wagon, Dominique s'était assise, collée contre le corps de son parrain, sans réaliser toute la fierté et le bien-être qu'elle lui apportait. Elle tournait la tête dans tous les sens afin de capter chaque détail et les enregistrer au fond de sa mémoire.

La jeune fille trouvait cependant que le wagon recelait une drôle d'odeur, comme si l'air ambiant n'était pas le même qu'à l'extérieur. Était-il possible qu'on puisse à un moment donné manquer d'oxygène? Elle ne voulait pas déranger son oncle avec sa peur enfantine. Il n'y avait sûrement pas de danger, sinon il ne l'aurait jamais amenée ici.

En mettant le nez dehors, Dominique avait soupiré de soulagement. Elle était ressortie des entrailles de la terre saine et sauve! La lumière du jour l'avait aveuglée temporairement et quand elle avait ouvert les yeux à nouveau, elle avait aperçu une gigantesque boule transparente au revêtement acrylique.

— C'est le pavillon des États-Unis qui est devant toi, Dominique. Est-ce que tu trouves ça beau?

La fillette semblait hypnotisée en constatant l'immensité de ce spectacle visuel.

— C'est beaucoup plus gros que ce qu'ils montrent à la télévision, avait-elle reconnu, impressionnée. J'aimerais que Claude puisse venir voir ça, avec maman et papa. Je pourrais garder Évelyne avec mémère Léontine.

Malgré son jeune âge, Dominique avait déjà l'habitude de penser aux siens quand elle vivait des moments agréables.

D'un endroit à l'autre, elle croyait qu'elle ne pourrait rien admirer de plus beau, mais il lui semblait que c'était toujours de plus en plus majestueux. L'émerveillement lui laissait l'impression d'avoir des papillons dans l'estomac.

Ils avaient visité plusieurs pavillons et chaque fois, Dominique se faisait une joie de demander qu'on estampille le passeport de son oncle. Raoul le conservait dans sa poche de chemise et le lui remettait quand ils s'apprêtaient à pénétrer dans une nouvelle bâtisse.

— On change encore de pays! s'enthousiasmait le parrain, en confiant à sa filleule son fameux carnet rouge arborant le logo de l'Expo 67.

De temps à autre, c'est elle qui tirait sur la main de son oncle pour aller voir quelque chose de particulier.

— Venez, parrain. Là-bas, il y a des danseuses avec des beaux costumes! s'excitait la jeune fille en songeant qu'il serait magique de pouvoir porter des vêtements aussi colorés que ceux-là.

— Elles représentent la Corée du Sud, l'avait informée Raoul. C'est un pays d'Asie, avait-il ajouté heureux de pouvoir lui enseigner ses connaissances.

Dominique et Raoul vivaient des moments inoubliables et ils partageaient un goût pour la culture en général.

Ils avaient terminé la journée à bord du minirail qui leur permettait de voir tout le site du haut des airs. Raoul l'avait serrée contre lui et il s'était un peu inquiété:

— T'es pas trop fatiguée, ma grande? J'ai bien peur de t'avoir trop fait marcher, mais je voulais que tu puisses profiter de tout.

— Non, mon oncle, avait-elle répondu en lui faisant un câlin. Je pense que c'est le plus beau jour de ma vie!

Depuis ce temps, il n'était pas rare qu'en traversant le

pont Jacques-Cartier, cette journée magique revienne à l'esprit de la nièce devenue adulte.

◆

Quand arrivait la période des Fêtes, l'oncle Raoul venait chez ses parents, où avaient lieu les réunions familiales. Très jeune, Dominique avait constaté qu'il était différent des autres, tant par son allure que par son attitude. Il était toujours bien mis, mais avec une touche d'excentricité. Que ce soit avec un lainage raffiné ou avec des souliers deux tons, il ne passait jamais inaperçu.

Il ne se prenait cependant pas au sérieux et trouvait habituellement le moyen de faire rire tous les invités. La majorité du temps, il se présentait seul en prétextant qu'Yvette, son épouse, n'était pas bien. Personne ne posait de questions. C'était comme s'il y avait un malaise, un mystère quand il était question de cette fameuse tante.

Dominique se rappelait également que sa sœur Évelyne ne se gênait pas pour ridiculiser celle qu'ils connaissaient pourtant à peine.

— Vas-y tout seul, Raoul, raillait-elle d'une voix suraiguë. Tu expliqueras aux tiens que j'ai une terrible migraine! lançait Évelyne en se prenant la tête à deux mains, d'un geste théâtral.

— Riez pas de votre tante! réprimandait Doris quand elle surprenait ses enfants à plaisanter de la sorte. On se moque pas des gens malades!

— C'est certain qu'elle est pas bien! ajoutait effrontément Évelyne en tournant son index vis-à-vis de sa tempe pour laisser entendre que c'était surtout l'esprit de celle-ci qui était dérangé.

La jeune fille n'aimait pas du tout sa tante et sa mère ne comprenait pas pourquoi. Évelyne gardait son secret pour elle, mais elle se vengeait ainsi de la chipie qui l'avait un jour choquée sans gêne, alors qu'elle l'avait surprise en train de caresser son père, couché sur le divan pour cuver son vin. En voyant l'enfant, Yvette lui avait fait un sourire malicieux et elle l'avait bien avertie de ne rien dire, sinon ses parents se sépareraient et elle irait à l'orphelinat.

Cet incident avait longtemps dérangé Évelyne, mais elle avait choisi de se taire. Son père n'y avait jamais fait allusion et elle crut fermement que sous l'effet de la boisson, il ne savait pas ce qu'il faisait et qu'il ne pouvait donc se souvenir de cet épisode.

Yvette était décédée subitement le 31 décembre 1982, à l'âge de 62 ans, des suites d'une crise cardiaque. Au moment de sa mort, Raoul n'était pas à la maison, puisqu'il faisait partie de la chorale qui chantait à l'église à la messe de 19 heures. De retour chez lui, vers 20 h 45, il avait fait la triste découverte. Les funérailles avaient eu lieu quelques jours plus tard, dans la plus stricte intimité, et on avait depuis très peu parlé de la défunte.

Curieusement, après le décès de son épouse, l'oncle Raoul avait rapidement repris goût à la vie. Il avait entrepris un grand ménage de sa maison durant l'hiver et il s'était débarrassé des affaires personnelles de sa femme par la même occasion. Dès les premiers jours du printemps, il avait été vu en train de faire de longues promenades avec sa voisine et, en avril, il avait invité celle-ci à l'accompagner à un repas de cabane à sucre organisé par la chorale de la paroisse.

— Tu sais, Doris, on fait pas de mal à personne, s'était-il justifié auprès de sa sœur. Ça fait plusieurs années qu'Irène est veuve et on reste sur la même rue depuis près de 40 ans. C'est normal qu'on passe un peu de temps ensemble.

— Je te juge pas, mon frère. Je pense qu'à ton âge, t'es assez vieux pour prendre les bonnes décisions. J'ai toujours dit que t'avais fait ton purgatoire sur la Terre avec ta première femme. Si elle avait agi comme du monde, je suis convaincue qu'on t'aurait vu pas mal plus souvent.

— Je veux pas revenir sur le passé. J'étais marié à l'église et j'ai rempli mon devoir de catholique en demeurant avec elle jusqu'à la fin. Asteure, j'ai le goût de profiter du temps qu'il me reste, par exemple!

Raoul était sorti avec Irène pendant plus de 15 ans. Ils demeuraient chacun dans sa maison et ils s'aidaient mutuellement pour l'entretien des deux résidences. Au printemps, ils en avaient au moins pour un mois et demi à faire du grand ménage, mais les corvées se faisaient dans la bonne humeur.

Jamais il n'avait été question de cohabitation ni de mariage entre eux. D'un commun accord, ils avaient choisi de partager tout leur temps en prenant soin de conserver leurs biens propres.

Dans les 10 dernières années de sa vie, Irène avait accepté d'aller faire de courts voyages avec Raoul. Ils avaient fait le tour de la Gaspésie, une excursion dans la péninsule acadienne et même une belle escapade aux îles de la Madeleine, où ils étaient allés deux fois. Quand ils revenaient au village, ils réintégraient leur maison respective et retournaient à leurs petites habitudes en se visitant tous les jours.

Lorsque la gentille dame était décédée d'un accident vasculaire cérébral, l'oncle Raoul avait pleuré toutes les larmes de son corps. Il venait de perdre l'amour de sa vie. À partir de cet instant, il n'avait plus jamais été le même. Bien qu'il ait lentement repris une routine journalière plutôt équilibrée, son entrain et sa vivacité semblaient épuisés.

Doris avait raconté toute cette histoire à Dominique, qui avait été touchée par la destinée de l'homme. Elle savait qu'il visitait maintenant sa mère une ou deux fois par semaine et qu'à l'occasion, il lui apportait une petite gâterie en échange des bons desserts qu'elle lui concoctait.

—

— Mon oncle Raoul? C'est Dominique! On va pouvoir faire une visite chez le spécialiste.

— Parlez plus fort, je vous entends pas! hurla ce dernier dans le combiné.

— C'est Dominique, votre nièce. J'ai eu votre rendez-vous à Saint-Jérôme! cria-t-elle.

— Oui, et c'est quand?

— Jeudi prochain à 1 heure de l'après-midi.

— Dis-moi à quelle heure tu veux partir.

— Vers 11 heures, articula-t-elle d'une voix forte. On dînera dans le coin! Dominique avait déjà prévu emmener son oncle prendre un repas chez Vic, en face de l'hôpital à Saint-Jérôme. Il s'agissait d'un petit restaurant familial où l'on mangeait très bien. Quand ils auraient terminé leur repas, il ne leur faudrait que traverser la rue pour rejoindre l'établissement de soins. Cette façon de faire simplifierait les déplacements et éviterait ainsi un retard potentiel.

— C'est bien correct! Je vais être prêt quand tu vas arriver!

Il ne restait plus que six jours avant cette rencontre qui énervait le vieil homme au plus haut point. Il savait qu'il avait un problème d'audition majeur depuis déjà un bon moment et il se disait qu'à son âge, il n'y avait probablement rien à faire. Il était par ailleurs bien déterminé à ne pas subir d'opération chirurgicale.

Au-delà de la maladie, Raoul était cependant enchanté d'avoir la chance de sortir avec sa nièce, une grande femme qui lui ressemblait beaucoup physiquement. Sa sœur Doris lui en parlait souvent et il suivait ainsi à distance ses activités tant familiales que professionnelles.

Il aurait bien aimé avoir une fille comme elle ou même plusieurs, mais avec une épouse comme Yvette, il n'en avait jamais été question. Elle lui avait clairement fait comprendre qu'il n'aurait pas de descendant.

Pour cette sortie avec Dominique, il devrait s'habiller avec ses plus beaux vêtements. Il ne voulait pas lui déplaire, alors qu'elle-même était toujours tirée à quatre épingles[15]. Il avait déjà tout prévu. Il porterait son pantalon gris, une chemise de flanelle à carreaux et un débardeur assorti. C'est Irène qui lui avait acheté cet ensemble et il ne s'en servait pratiquement jamais. Comme il n'avait pas de souliers suffisamment propres, il enfilerait ses bottillons d'hiver noirs, qui feraient l'affaire, même si on était en avril.

Le jour du rendez-vous, Dominique arriva avec 10 minutes d'avance et Raoul était déjà fin prêt. Dès qu'il vit la voiture

---

15 Être tiré à quatre épingles : être vêtu avec un soin minutieux.

se stationner devant la maison, il enfila son manteau et son chapeau, et il sortit sur le perron. Il n'était surtout pas question de la faire attendre.

— Bonjour, mon oncle, le salua-t-elle en s'approchant pour lui faire la bise sur la joue, mais il ne sembla pas avoir compris. Elle devrait s'habituer à hausser le ton si elle voulait lui faire la conversation.

— Bonjour, Dominique, t'arrives juste à temps. Est-ce que la route était belle ce matin ?

— Oui, aucun problème, cria-t-elle. J'en ai profité pour venir déjeuner avec maman. J'ai fait d'une pierre deux coups. De toute façon, je me lève toujours tôt quand j'ai un rendez-vous dans la journée.

— Ça va être la première fois que je vais embarquer dans ton auto, lança l'aïeul, en ouvrant délicatement la porte de la Honda Accord de l'année. Je te dis que tu te promènes pas dans une barouette[16], ma fille. Je suis fier de toi !

— Mon mari adore les voitures et il a de la difficulté à en conserver une plus de deux ans. C'est quasiment une maladie. Je voulais garder la mienne plus longtemps, mais il m'a promis qu'il avait profité d'une bonne occasion en allant chez le concessionnaire. Il a donc changé nos deux véhicules en même temps.

Et la discussion continua sur les actualités. Dominique savait que son oncle suivait les parties de hockey à la télévision et qu'il était un fervent partisan des Canadiens de Montréal, mais malheureusement, ceux-ci ne s'étaient pas classés pour participer aux séries éliminatoires cette année. Raoul put lui raconter la fin de la saison de ses idoles et lui expliquer quels genres de joueurs la direction devrait

---

16 Barouette : brouette, vieille voiture.

cibler pour que l'équipe soit meilleure l'année prochaine. Contrairement à plusieurs femmes, Dominique s'y connaissait assez bien dans le domaine et elle put facilement échanger avec lui en ajoutant ici et là de petits commentaires qui enrichirent la discussion.

Ils devaient se découvrir et s'apprivoiser un peu plus avant de pouvoir parler de sujets plus approfondis. D'ailleurs, auraient-ils l'occasion de se revoir pour la peine après cette visite? Rien n'était moins certain.

Au restaurant, ils furent placés dans un coin peu achalandé. Dominique laissa son oncle jaser, ne faisant que de brèves remarques. Elle évita ainsi de devoir parler très fort parmi tous les clients.

Raoul se sentit tout de suite en sécurité avec sa nièce et il rit quand elle insista pour qu'il se lave les mains avec la bouteille de Purell qu'elle traînait toujours dans son sac à main.

— Ta mère me l'avait bien dit que tu faisais pas bon ménage avec les microbes. On devrait bien s'entendre!

— Vaut mieux prévenir que guérir! répliqua-t-elle en souriant.

Il commanda son repas en spécifiant fièrement à la serveuse qu'il souhaitait qu'elle prépare une seule addition pour les deux.

— Mademoiselle, je voudrais un hamburger steak bien cuit avec des oignons frits.

— Est-ce que vous aimeriez avoir des patates frites ou pilées?

— Elle demande si vous voulez des frites ou des patates pilées, répéta Dominique, qui savait bien que son oncle n'avait rien compris de la demande de la serveuse.

— Je vais prendre des frites, mais donnez-moi z'en pas trop. J'ai pas beaucoup d'appétit le midi.

Dominique trouva l'anecdote plutôt amusante et elle échangea un regard empreint de complicité avec la jeune employée, qui s'était maintenant tournée vers elle.

— Et vous, madame, est-ce que vous avez fait votre choix ?

— Je vais prendre la même chose que mon oncle, ajouta-t-elle, spécifiant ainsi avec fierté le lien filial qui l'unissait au vieil homme.

Raoul avait bien mangé, ne laissant que quelques frites dans son assiette, mais il avait pris la peine de nettoyer toute la sauce qui restait avec son pain. Il était maintenant repu et heureux. Il appréciait chaque instant, comme s'il n'aurait plus jamais la chance d'en vivre d'autres.

Quand vint le moment de payer la facture, il demanda à sa nièce combien il devait remettre de pourboire, en expliquant que les choses avaient sûrement changé depuis le temps.

— Je veux pas passer pour un Séraphin. Quand on reçoit un bon service, il faut qu'on le montre. Je sais pas si tu vas me croire, mais je suis déjà parti d'un restaurant en laissant juste une cenne à la fille parce qu'elle travaillait comme une pas d'allure.

— Elle a pas dû vous aimer ! répliqua Dominique sans que son oncle comprenne son commentaire.

Ils quittèrent le restaurant pour se diriger vers la polyclinique, située tout près, sur une rue adjacente à l'hôpital Hôtel-Dieu de Saint-Jérôme.

Dès son entrée dans le portique, Raoul éprouva à nouveau de l'anxiété. La période d'accalmie était maintenant derrière lui. Il observait, à la dérobée, les gens assis dans la salle d'attente et se demandait s'ils souffraient tous du même mal que lui. Il y avait pourtant des personnes de tous les âges.

Dominique sentit ce changement qui s'opérait chez le vieil homme et elle prit sa main dans la sienne pour le rassurer. Il se tourna pour la regarder avec ses beaux yeux bleus et le sourire qu'elle lui retourna lui confirma que tout se passerait bien.

On appelait maintenant les deux prochains patients à l'interphone.

— Mon oncle, c'est à notre tour, l'informa Dominique, lui signifiant ainsi qu'elle comptait assister à la rencontre avec le spécialiste. La situation de l'homme le contraignait à être accompagné. Si quelqu'un s'y opposait, la nièce lui servirait des arguments de taille.

— C'est correct. Ils vont penser que t'es ma fille! rétorqua Raoul avec une fierté manifeste.

Au cours de la visite, le médecin expliqua, après une observation sommaire, qu'il devrait procéder à un nettoyage des conduits auditifs du patient, ce qui s'avéra plutôt ardu.

— J'étais pas certain d'être en mesure de déloger le bouchon de cire qui s'était formé. Il faudrait que monsieur mette régulièrement de l'huile d'amande dans ses oreilles. Ça pourrait éviter que le phénomène se reproduise. On va maintenant effectuer l'examen d'audiométrie.

— Parfait, docteur. Pour ce test, est-ce que je peux rester dans la salle avec lui? demanda Dominique. Mon oncle se sentirait plus à l'aise.

— Aucun problème! C'est souvent plus simple pour nous quand les patients sont sécurisés par la présence d'un membre de la famille. Je réalise également qu'il vous entend beaucoup mieux que moi. C'est qu'il est habitué à votre timbre de voix.

— Vous utilisez une façon polie de me dire que je parle fort, mais c'est parce que vous avez jamais rencontré ma mère! ajouta Dominique pour blaguer.

— En effet, j'avais cru remarquer, sourit le médecin en mettant ses deux mains sur ses oreilles pour faire semblant d'atténuer le son.

Il était bon de sentir qu'un professionnel de la santé pouvait ne pas toujours se prendre au sérieux, malgré la complexité de son travail.

Raoul fut conduit dans une petite cabine insonorisée munie d'une grande vitre à l'avant. Le spécialiste lui demanda de s'asseoir sur le banc. Il lui installa alors des écouteurs sur les oreilles en lui expliquant le déroulement de l'examen, spécifiant que la porte devait être refermée pour éliminer tout bruit extérieur. Le spécialiste se plaça devant cette cabine, mais à une certaine distance. Avec des documents en main, il commença à parler à son patient en lui précisant qu'il devait répéter ce qu'il entendrait.

Au début de l'examen, Raoul semblait très nerveux. Il avait de la difficulté à répondre aux consignes. Chaque fois que le professionnel prononçait clairement un mot, Dominique attendait anxieusement que son protégé réponde et elle était déçue quand il lançait quelque chose qui n'avait aucun rapport avec ce qu'on lui avait dit.

— Cire, articula le docteur.

— Soif, tenta Raoul.

— Fève, continua le spécialiste.

— Sept, répéta le vieil homme.

La nièce ne regardait pas le médecin, qui remplissait son audiogramme, mais elle observait les yeux apeurés de son parrain qui était enfermé dans cette cabine comme un pauvre animal en cage. Elle souhaita à cet instant même en prendre soin jusqu'à la fin de ses jours.

L'oncle Raoul avait toujours été très important pour elle, mais cet après-midi-là, elle ressentit quelque chose de plus fort. Elle aimait celui-ci comme un père et, aujourd'hui, elle sentait qu'il avait bien besoin de sa « fille ».

Le résultat de l'examen fut concluant. Les dommages auditifs étaient majeurs.

— Malheureusement, monsieur Moreau, on peut rien faire pour vous, confirma le spécialiste. Votre oreille interne est considérablement usée. Cependant, si vous portiez une prothèse auditive, vous pourriez retrouver une certaine qualité de vie.

— Non, répondit spontanément Raoul. Il est pas question que je porte des appareils.

— Mon oncle, pourquoi on irait pas rencontrer les gens qui font ce genre de prothèse? Il sera toujours temps de dire non plus tard si vous le désirez. C'est ici, dans la même bâtisse. On a juste à traverser le couloir.

Dominique avait une façon rassurante de présenter les choses. Raoul acquiesça à sa demande, afin de lui démontrer qu'il avait totalement confiance en elle.

— C'est correct, on va y aller, accepta-t-il posément, mais fais-toi pas trop d'idées!

Dominique et Raoul se rendirent au bureau de l'audio-prothésiste et prirent toute l'information nécessaire. Contre toute attente, l'oncle accepta de porter un appareil.

— Comme l'a spécifié mon collègue, votre oreille interne est très endommagée, expliqua l'audiologiste. On parle de surdité sévère. Tout ce qu'on peut faire, c'est de vous procurer un instrument qui permet d'amplifier les sons que vous entendez. Ça pourra cependant pas séparer les voix des bruits de fond. Il y aura également une période d'adaptation qui pourra être plus ou moins longue.

— Combien ça va coûter? demanda immédiatement Raoul.

— Le montant du premier appareil est assumé par le gouvernement. Vous aurez donc rien à débourser pour l'instant.

— Si c'est le gouvernement qui paie, je veux bien l'essayer! déclara le patient en sachant qu'il ferait plaisir à sa nièce.

— C'est parfait! se réjouit Dominique, contente de voir son protégé accepter cette option. Et s'il décidait de porter un deuxième appareil, est-ce que ce serait dispendieux? demanda-t-elle, convaincue que son oncle pouvait bien se permettre cette dépense. Il ne jouait qu'au vieil homme radin.

— Pour le moment, répondit le spécialiste, ce ne serait pas utile pour monsieur. Il est préférable qu'il s'habitue avec ce que je lui propose. On pourra réévaluer la situation après quelques mois.

Raoul écoutait sa nièce avec beaucoup d'émotion. Il était heureux de constater qu'elle se préoccupait ainsi de son bien-être.

— Nous avons un bureau à Sainte-Agathe-des-Monts. Vous pourriez y venir pour votre premier rendez-vous officiel. Il me reste une place pour demain après-midi à 13 heures, car une personne s'est désistée, spécifia l'audiologiste. Lors de cette rencontre, je ferai un moulage de votre oreille. Dès que l'appareil sera prêt, vous reviendrez et je vous expliquerai son fonctionnement. Il sera installé dans la conque ou si vous préférez dans la cavité du pavillon de votre oreille.

Les termes employés par le spécialiste dépassaient la capacité de compréhension de son patient qui, de toute manière, se fiait à sa nièce pour cette partie du rendez-vous.

— Si c'est à Sainte-Agathe, tu serais peut-être pas obligée de venir avec moi, reconnut avec déception l'oncle Raoul.

— Vous allez pas vous débarrasser de moi comme ça! répondit Dominique, qui percevait son chagrin. Quand j'entreprends une affaire, j'ai l'habitude d'aller jusqu'au bout!

Raoul réalisa à ce moment-là que Dominique était définitivement entrée dans sa vie. Il ne pouvait connaître son degré d'implication, mais il était prêt à lui accorder toute sa confiance.

Rares étaient les gens qui avaient atteint cette proximité avec le vieil homme, qui était plutôt casanier et renfermé. Dominique l'avait tout naturellement conquis, mais elle ne savait pas vraiment dans quel bateau elle s'était embarquée.

—◆—

C'était vendredi soir et la fille d'Hector, Monique, rentrait chez elle après une semaine de travail qui lui avait paru interminable. Elle avait de la difficulté à déverrouiller sa porte d'entrée. Ses longs cheveux volaient au vent et l'aveuglaient. Elle s'énervait, car elle entendait le téléphone sonner dans la maison et elle craignait de manquer l'appel. Quand elle arriva à l'appareil, il émit la dernière sonnerie.

— Allo, répondit-elle, croyant que son interlocuteur serait encore au bout du fil. Malheureusement, ce n'était pas le cas. Monique ne voulait pas se payer un répondeur ni un service d'affichage, mais elle pestait chaque fois qu'une personne lui disait qu'elle n'avait pas pu la joindre.

Elle était caissière dans une pharmacie de Sainte-Agathe-des-Monts et elle avait peu d'amis ou plutôt ne parvenait jamais à les garder. On lui reprochait d'être curieuse et de faire des histoires avec des riens. À son travail, elle avait été réprimandée à plusieurs reprises et la dernière plainte de son gérant était reliée à une conversation qu'elle avait eue avec une consœur. Elle avait raconté à celle-ci qu'une ancienne collègue était passée dans la semaine précédente pour renouveler une ordonnance d'antidépresseurs.

— Madame Moreau, lui avait reproché son supérieur, je pourrais vous congédier immédiatement pour le geste que vous venez de poser.

— J'ai parlé avec une autre employée, c'est de la communication interne, il me semble, s'était défendue l'employée. De plus, mon commentaire concernait une fille qui travaillait ici avant. Je vois vraiment pas pourquoi vous en faites tout un plat!

— Vous semblez pas comprendre ce que le mot confidentialité veut dire. Vous ne devez rien raconter de ce qui se passe dans l'exercice de vos fonctions. À la prochaine offense, je serai dans l'obligation de vous congédier, sans autre avis préalable, l'avait-il menacée.

— C'est vous le patron! avait rétorqué Monique sur un ton arrogant qui démontrait son non-respect de l'autorité.

— J'ai préparé un document selon lequel je vous ai avertie aujourd'hui, avait précisé le patron. Je vous demande de le signer et je vous en remettrai une copie.

— Vous prenez ça plutôt au sérieux! s'était moquée la

caissière en se levant négligemment, après avoir paraphé la feuille présentée.

Monique en était à son dixième emploi dans la région. C'est un peu la raison pour laquelle elle demeurait et travaillait maintenant à Sainte-Agathe-des-Monts.

À Val-David, dans le village où elle avait grandi, sa réputation la précédait. Elle était douée, intelligente et méticuleuse, mais elle avait le don de se mettre les pieds dans les plats et ses indiscrétions étaient toujours la source de ses problèmes.

Ce jour-là, le téléphone sonna à nouveau et elle s'élança pour ne pas manquer l'appel. Il s'agissait de Suzanne, une cousine du côté maternel qui avait le même appétit qu'elle concernant les ragots.

— Enfin t'es arrivée chez toi! lui lança-t-elle, pressée de lui parler. Ça fait une heure que j'essaie de te joindre!

— Qu'est-ce qui peut te tracasser autant pour que tu m'appelles en catastrophe?

— J'ai vu ton oncle Raoul entrer chez le gars qui fait des appareils pour les sourds sur la rue Saint-Donat au début de l'après-midi. T'imagineras jamais avec qui il était!

— Avec ma tante Doris?

— Non, mais t'es pas mal proche!

— Arrête de me faire languir. Tu sais pourtant que ma plus belle qualité, c'est pas la patience!

— Fâche-toi pas! Il était avec ta cousine de la ville! Je me souviens pas de son nom, mais c'est la sœur d'Évelyne.

— Tu parles de Dominique, celle qu'on appelle la grosse madame? On l'a pratiquement jamais vue dans le coin durant les dernières années. Dis-moi pas qu'asteure que mon oncle vieillit, elle va se coller le cul pour lui téter son héritage?

— Je pense pas qu'elle en ait réellement besoin. As-tu remarqué comment elle s'habille ? Une vraie Gerda[17] !

— Je te jure que celle-là, je la porte pas dans mon cœur !

— Tu aurais dû la voir ! reprit la commère. Elle le tenait par le bras et marchait lentement, toute serrée contre lui.

Les deux femmes continuèrent de déblatérer, s'encourageant l'une et l'autre dans leur méchanceté.

Monique jalousait la famille de Doris depuis qu'elle était toute petite. Elle se souvenait très bien que sa mère la jugeait ouvertement devant elle et Jean-Guy, ce qui avait dès lors créé de la discorde entre eux.

Les enfants de Doris étaient les plus jeunes du côté des Moreau et ils occupaient tous de très bons emplois.

— Elle tient ça de qui, Dominique, pour être aussi fendante ? Une vraie femme de la ville !

— Son père, mon oncle Marcel, était un peu fanfaron ! Il se vantait de travailler chez Paccar à Sainte-Thérèse. À l'écouter, on aurait cru que c'était lui qui fabriquait tous les *trucks* qui roulaient sur le chemin. Ma mère nous racontait qu'il découchait pas mal souvent.

— Facile à faire quand tu travailles loin de la maison. Il avait peut-être une petite poulette en quelque part !

— Y en avait peut-être plus qu'une dans son poulailler ! ajouta Monique en éclatant de rire.

— S'il fallait que Dominique ou Évelyne t'entende !

— Ça me dérangerait même pas, je les haïs assez !

---

17 Gerda : référence à Gerda Munsinger, fille aux mœurs légères soupçonnée d'avoir fréquenté certains anciens ministres conservateurs du gouvernement de John Diefenbaker vers 1959 et d'avoir espionné pour le compte de l'Allemagne de l'Est.

Je mangeais mes bas[18] tous les étés quand je les voyais partir en vacances aux États-Unis. Des vrais millionnaires!

— Le bonhomme Roy devait faire des maudites bonnes payes! Ça prend des bidous[19] pour avoir un train de vie comme ça!

— Au moins, ma mère a pas été obligée de travailler en journée comme ma tante Doris. Elle disait que ça lui faisait passer le temps!

— Comme si on allait torcher le monde pour se désennuyer! Sais-tu si ton cousin reste encore chez sa mère?

— Oui, le beau Claude est encore accroché aux jupes de sa maman. Je le rencontre des fois à la quincaillerie et on jase un peu. C'est pas un mauvais diable.

— On avait pas mal de *fun* avec lui quand on était jeunes! Te rappelles-tu quand on allait sur le bord de la rivière où il y avait le petit pont?

— Oui, et je te dis qu'encore aujourd'hui, si c'était pas mon cousin…

Monique s'amusait bien en jasant avec sa cousine, mais elle n'avait pas oublié le but de son appel. Que Dominique se pavane ainsi au bras de son oncle Raoul la dérangeait énormément. Elle considérait que celle-ci avait eu sa part d'abondance dans la vie.

Il y avait déjà un petit moment qu'elle n'avait pas visité son oncle. Elle se promit qu'elle irait le chercher cette semaine pour l'emmener voir son père et qu'elle en profiterait pour essayer de lui tirer les vers du nez.

— Suzanne, si tu entends parler d'autre chose, hésite pas à venir me voir à la pharmacie ou à m'appeler. J'ai pas

---

18 Manger ses bas : s'énerver, se fâcher.
19 Bidous : dollars.

vraiment confiance dans cette cousine-là ! Il y a des gens qui ont aucun scrupule quand il est question d'argent !

— T'as bien raison, lui répondit la mégère. Si tout le monde était comme nous autres...

CHAPITRE 4

Les affaires des autres

(Printemps 2007)

En plus de l'entretien ménager, Doris avait toujours effectué des travaux de couture pour les femmes du village et Évelyne n'était jamais bien loin de sa mère quand elle la voyait préparer sa machine à coudre. Elle avait ainsi appris très vite les rudiments du métier.

Pour son huitième anniversaire de naissance, la fillette avait reçu en cadeau un coffret de couture de base. Il s'agissait de rouleaux de fil de différentes couleurs, d'aiguilles, d'épingles, d'un ruban à mesurer et d'une paire de ciseaux de taille intermédiaire. Naturellement, sa mère lui avait recommandé de les manipuler avec un très grand soin.

— J'avais ton âge quand j'ai commencé à coudre avec maman, mais j'étais obligée d'utiliser ses gros ciseaux que je trouvais pesants. J'avais de la difficulté à les utiliser avec mes petites mains.

— Je suis capable de les prendre, même s'ils sont gros, s'était défendue Évelyne, qui ne souhaitait pas être en reste.

— Je le sais, mais c'est beaucoup plus facile quand on a des outils adaptés à notre taille. Tout ce que je te demande, c'est de toujours ranger ceux-là dans ton coffre quand tu auras fini de t'en servir. Il faudrait pas qu'un enfant se blesse avec. C'est une responsabilité que je te donne, est-ce que tu comprends ce que ça veut dire ?

— Oui, maman, avait répondu Évelyne, persuadée que sa réponse mettrait fin aux recommandations.

— Explique-moi donc comment tu as saisi ce que je viens de te dire.

— C'est tout simplement que s'il arrive quelque chose à quelqu'un avec mes ciseaux, ça va être de ma faute et tu vas me chicaner. Tu vas aussi me les confisquer pour une bonne secousse.

Doris avait bien ri de l'interprétation qu'Évelyne avait faite de ses instructions. Il valait mieux prévenir que guérir, philosophait-elle souvent.

Pour faire plaisir à sa fille, elle lui avait également donné une grosse pile de retailles de tissus avec différents motifs. Évelyne avait ainsi pu laisser libre cours à son imagination. Elle avait fabriqué des oreillers et des couvertures pour ses poupées, un sac à main pour elle et un étui pour le paquet de cigarettes de son père.

Évelyne était encouragée par les commentaires de ses parents, qui s'amusaient bien de constater que leur fille cherchait toujours de nouveaux défis. Elle n'avait cependant accès qu'à de petites pièces de tissus. Elle avait alors décidé de faire preuve d'initiative. Elle avait pris une taie d'oreiller dans la lingerie de sa mère et confectionné un tablier qu'elle voulait lui offrir pour sa fête. Il était de couleur verte avec des fleurs multicolores ; la jeune fille avait même cousu une jolie poche rose découpée dans ses retailles. Elle avait travaillé très fort sur ce projet qu'elle avait élaboré toute seule dans sa chambre. Elle tenait à ce que ce soit une surprise.

Le matin de l'anniversaire de Doris, Évelyne voulait être

la première à lui remettre ce présent, qu'elle avait bien plié et emballé dans un papier brun, qu'on utilisait habituellement pour couvrir les livres scolaires. Elle avait également dessiné des fleurs et des cœurs sur le colis afin de l'enjoliver.

— Bonne fête, maman! lui avait-elle souhaité en lui tendant son précieux paquet.

Doris avait été très émue de voir que sa fille lui avait préparé un cadeau. En le tenant, elle avait été éblouie par tant de créativité chez une enfant de cet âge. Elle l'avait ouvert en prenant garde de ne pas déchirer le papier et Évelyne avait immédiatement remarqué que sa mère était très surprise.

— C'est toi qui as pris ma taie d'oreiller neuve? avait observé la mère de famille sur un ton résigné.

— C'est un tablier, maman. Je l'ai fait pour toi, avait répliqué la petite avec les larmes aux yeux. Tu l'aimes pas?

Marcel avait bien ri de voir Doris et leur fille habitées par des émotions aussi opposées. Doris avait plus tard expliqué à Évelyne qu'elle devait toujours demander la permission avant de s'approprier des choses qui appartenaient aux adultes.

Dominique en avait profité pour se moquer de sa sœur et la faire fâcher, mais bien qu'elle soit plus jeune de cinq ans, celle-ci savait très bien se défendre.

— Tu peux bien parler, toi! Maman a raconté qu'à l'école, à ton cours d'enseignement ménager, tu avais tricoté un foulard et que tu avais perdu assez de mailles qu'il y avait plus de trous que de laine! lui avait-elle balancé.

Les deux filles étaient très différentes. Au fil du temps, Doris leur avait expliqué qu'elles n'avaient pas à compétitionner, mais qu'elles devaient plutôt utiliser les forces de l'une et de l'autre.

Évelyne aimait beaucoup les travaux de couture et elle

avait même suivi, au cours des ans, quelques heures de formation. Après son mariage, durant ses congés de maternité, elle avait aidé sa mère lorsque celle-ci avait été trop débordée et dernièrement, Doris avait complètement abandonné le métier, refilant à sa cadette ses fidèles clientes.

— Tu devrais conserver quelques habituées, lui conseilla sa fille. Ce serait juste un passe-temps et ça arrondirait tes fins de mois.

— Je commence à faire de l'arthrose et j'ai une misère du diable quand je dois enfiler les aiguilles. Mes yeux sont pas trop bons non plus. Je pense donc que c'est un signe que je dois prendre ma retraite.

— Tu garderas même pas madame Poulin? Elle t'aime tellement.

— Je vais rester amie avec elle, mais je veux plus avoir besoin de travailler pour les autres. La seule et unique personne pour qui je vais encore faire du raccommodage, c'est ta sœur Dominique. Rendue à son âge, elle est pas capable de coudre un bouton. Je sais pas où je l'ai prise, celle-là!

— C'est drôle! Dominique pourrait lire un livre de 500 pages dans une journée, mais elle est trop nulle pour faire le bord d'un pantalon. Je suis au courant parce qu'elle m'en apporte aussi et elle va parfois pour certaines réparations chez une dame de Sainte-Thérèse. À la longue, ça doit lui coûter une petite fortune.

— Ça prend toutes sortes de monde pour faire un monde, philosopha Doris.

— Avant de partir, je voulais te dire que je suis allée porter des plants de tomates que j'avais semés à mon oncle Hector cette semaine. J'ai attendu une éternité sur la galerie pour qu'il me réponde. Je commençais à m'inquiéter.

— Il était peut-être couché, ou bien il a pas entendu la sonnette.

— Non, il était dans la cave en train de fouiller dans des boîtes. Je trouve parfois qu'il fait pitié tout seul dans sa maison. Il reste pourtant à deux pas de chez vous et il vient presque jamais te voir.

— Ça date de longtemps. Il s'accordait pas une miette avec ton père. Si un disait blanc, tu pouvais être certaine que l'autre disait noir. En réalité, il était jaloux de Marcel, qui travaillait en dehors et qui gagnait un bon salaire. Ça fait 13 ans que je suis veuve, et je peux compter sur les doigts de ma main le nombre de fois qu'il est arrêté pour me voir.

— Il est peut-être mal à l'aise.

— C'est possible. Sa femme, la commère, avait parti la rumeur que mon mari était un courailleux. Ma fille, les fois où ton père est pas rentré, c'était parce qu'il faisait de l'*overtime*.

— C'est méchant de dire des affaires de même!

— Je peux te dire qu'au moment où c'est venu à mes oreilles, je me suis rendue chez eux et j'ai pas mis des gants blancs pour y faire savoir ma façon de penser. C'est à partir de ce moment-là qu'Hector a pris ses distances.

— C'est de valeur d'agir de même. Moi, j'aurais bien de la misère à pas voir Claude ou Dominique.

— Y a pas deux personnes réellement pareilles. J'ai deux frères et c'est le jour et la nuit, mais je les aime autant l'un que l'autre. Hector a toujours eu un caractère très spécial. Il s'enfermait dans son atelier pendant de longues journées et sa femme chialait qu'il était jamais là, exactement comme pâpâ.

— Moi, je le trouve un peu sournois, mon oncle Hector.

On dirait parfois qu'il prépare quelque chose par en dessous. Monique, sa fille, est pareille.

— Maman est morte des suites d'une pneumonie trois semaines après ta naissance et tout de suite après, il a commencé à tourner autour de pâpâ pour s'occuper de lui. Moins de deux mois plus tard, il achetait sa maison sans que personne connaisse les conditions. Ça avait fait une méchante chicane avec Marcel, qui souhaitait que je me mette le nez là-dedans pour avoir ma part, mais j'ai toujours refusé de m'en mêler.

— Penses-tu que pépère avait de l'argent pour la peine?

— Je le sais pas et je veux pas le savoir! J'ai pour mon dire que si Hector a pas été honnête avec son propre père, il sera pas chanceux dans la vie. C'est mon idée.

— D'après toi, est-ce qu'il a pris soin de lui par exemple? Ma tante Jacqueline vivait encore dans ces années-là, non?

— Je peux pas t'en dire plus, parce que pâpâ se plaignait jamais. Quand j'allais le chercher pour l'emmener ici, il aimait bien ça et je peux te dire qu'il mangeait comme un défoncé. Heureusement, il est parti vite et a pas vécu trop longtemps aux crochets de son fils.

— Comme tu l'as toujours dit, il est probablement mort de tristesse, lui qui adorait mémère Léontine. On dirait que ces vieux-là s'aimaient plus que nous autres et qu'ils pouvaient pas vivre séparés.

— Tu as bien raison. Ils avaient passé à travers beaucoup d'épreuves. Quand on gravit une montagne à deux, on est plus résistants à la fatigue. Tu verras avec les années.

Évelyne se faisait de la peine avec tout. Quand elle savait que sa mère était triste, elle pleurait et si un de ses enfants faisait de la fièvre, il n'était pas rare qu'elle en fasse également. C'était une bonne personne, mais trop sensible.

Malgré tout ce que l'on disait à propos d'Hector, elle décida de s'en occuper un peu, afin de s'assurer que son oncle ne manque pas de l'essentiel. Après tout, il ne demeurait pas très loin de chez elle. Depuis que sa cousine Monique s'était installée à Sainte-Agathe-des-Monts, elle savait que celle-ci venait voir son père moins souvent, même si ce n'était qu'à cinq minutes en auto.

Évelyne se trouverait des raisons pour lui rendre visite, mais elle ferait cependant attention à ce que Monique ne se sente pas menacée. Elle ne voulait pas être perçue comme une intruse et créer de la bisbille dans la famille.

Quelques jours plus tard, elle se présenta chez son oncle avec une petite chaise berçante qui avait besoin de réparation. Elle frappa à la porte à quelques reprises, mais il n'y avait toujours pas de réponse. Elle se rendit donc à l'arrière de la maison, où elle le trouva agenouillé, en train de travailler dans son jardin.

Afin de ne pas lui faire peur, la nièce simula une légère toux pour s'annoncer, ce qui eut pour effet de faire se retourner le vieil homme.

— Doris, qu'est-ce que tu fais icitte à matin?

— Vous vous trompez de nom, mon oncle. C'est Évelyne, la plus jeune des filles de Doris.

— Oui, oui. Qu'est-ce qui t'amène aujourd'hui?

— C'est vous le meilleur pour réparer les meubles dans le village. Tout le monde le dit. J'ai la petite chaise berçante des enfants qui est décollée. J'ai bien demandé à mon Xavier d'y voir, mais la dernière fois que je lui en ai parlé, il m'a répondu «oui» et il l'a rangée en dessous de l'escalier sans que je m'en aperçoive. Je l'ai trouvée, cette semaine, en faisant le ménage du sous-sol.

— Ça va me faire plaisir de te la réparer. Tu peux la

laisser dans la maison. Je vais t'organiser ça aussitôt que j'aurai deux minutes.

— C'est pas une urgence, vous êtes pas mal occupé! C'est pas trop dur pour vous de faire un si grand jardin?

— Non, je sais pas ce que je ferais si j'avais pas ça. Je viens icitte le matin, parce qu'il fait moins chaud, et l'après-midi, je bardasse en dedans.

— C'est une bonne idée, ça. J'en ai profité pour vous apporter de la soupe bœuf et orge pour votre dîner. Vous devriez aimer ça, j'ai la même recette que mémère Moreau. Si vous voulez, je vais vous la déposer dans la maison et je vais vous laisser travailler.

— T'es ben gentille, ma fille. Passe par la porte d'en arrière, c'est ouvert. Je garde toujours la porte d'en avant barrée parce que Monique m'a expliqué que c'était plus prudent. Tu diras bonjour à ta mère pour moi!

Hector semblait très bien ce matin. N'eût été qu'il ait utilisé le prénom de sa sœur pour s'adresser à sa nièce, il n'y aurait eu aucun problème.

Évelyne entra donc dans la maison et elle alla déposer le bol de soupe dans le réfrigérateur. Elle fut surprise de constater le lot de plats qu'il contenait. Probablement que Monique lui en apportait à l'occasion, songea-t-elle. Finalement, elle avait peut-être mal jugé sa cousine.

Ce n'était sûrement pas facile pour une fille d'être seule pour s'occuper d'un parent vieillissant, réfléchit-elle. Le frère jumeau de Monique, Jean-Guy, n'était pas un méchant garçon, mais il demeurait trop loin pour rendre ces petits services au quotidien.

En allant faire ses courses, elle ferait un détour par la pharmacie afin de croiser sa cousine. Elle l'interrogerait

subrepticement sur l'état de santé de son père. Elle connaî-
trait par le fait même son point de vue.

— De quoi tu te mêles? me dirait sûrement Xavier,
pensa Évelyne tout haut en revenant à la maison. C'est plus
fort que toi, faut que tu te mettes le nez dans les affaires des
autres!

Avait-elle raison de s'inquiéter ou était-ce seulement
qu'elle souhaitait prendre sa cousine en défaut ou se donner
une certaine importance?

Peut-être aussi voulait-elle se valoriser auprès de la
famille, dans laquelle c'était habituellement Dominique qui
avait le beau rôle?

—

En entrant dans la maison, Patrick trouva Dominique
agenouillée dans la salle de bain avec une petite brosse à
la main.

— Veux-tu bien me dire ce que tu fais là?

— J'ai acheté un nouveau produit pour nettoyer les
joints de céramique, répondit-elle tout bonnement.

— Tu trouves pas que t'exagères un peu? On est juste
deux dans la maison, tu passes la balayeuse tous les matins
et c'est rendu que tu frottes le plancher avec une brosse à
dents!

— Si je t'écoutais, je ferais jamais de ménage! rétorqua-
t-elle sur la défensive. Et puis, tu pourrais dire bonjour en
entrant plutôt que de me sermonner!

— C'est plaisant de finir plus de bonne heure pour faire
une surprise à sa femme et se faire recevoir comme un chien

dans un jeu de quilles! tonna Patrick, qui tourna les talons et se réfugia dans son garage.

Le couple n'avait pas l'habitude de se chamailler, mais la propension de Dominique à nettoyer à outrance revenait souvent dans les discussions. Depuis qu'elle avait pris sa retraite, il semblait à Patrick qu'elle était encore plus perfectionniste.

Dominique termina rapidement son travail, ramassa son seau et ses guenilles, et elle prit quelques minutes pour se refaire une beauté. Très attristée, elle souhaitait régler ce malentendu le plus tôt possible.

Elle savait que Patrick ne ferait pas les premiers pas, mais elle n'avait pas de scrupule à briser la glace.

— Patrick, je m'excuse si je t'ai froissé!

— Perds pas de temps, t'as sûrement d'autres ménages à faire dans la maison. C'est tellement sale chez nous!

— Arrête, mon bébé! On se chicane pour des niaiseries.

— T'appelles ça des niaiseries, toi? Moi je te dis que t'es après me rendre fou. Je suis plus capable de sentir l'eau de Javel et tous tes produits chimiques. On dirait qu'on reste dans un laboratoire!

— Pourquoi t'as fini aussi tôt aujourd'hui? demanda-t-elle pour détourner la conversation.

— Pour ça, expliqua-t-il en lui tendant une revue d'agence de voyages. Ça va être notre 25ᵉ anniversaire de mariage le 29 mai et je voulais qu'on aille fêter l'événement à Paris, mais je te dis que tu m'as coupé le sifflet[20].

— Tu voudrais aller là ce printemps? interrogea-t-elle avec un air désappointé.

— T'as l'air excitée, c'est effrayant!

---

20 Couper le sifflet: laisser coi, empêcher l'autre de s'exprimer.

— C'est que j'ai des rendez-vous pour mon oncle Raoul et je me suis engagée à y aller.

— Ton oncle Raoul est pas à l'article de la mort. Y a pas personne qui peut y aller avec lui, à ses rendez-vous? Qu'est-ce qu'il faisait avant que tu commences à en prendre soin?

— Patrick, t'es de mauvaise foi! As-tu déjà pensé qu'on a pas d'enfant et qu'un jour on aimerait peut-être ça qu'un neveu ou une nièce nous rende des services?

— Oui, t'as raison, mais on peut pas arrêter de vivre, non plus. Je travaille 50 heures par semaine et là, je me faisais une joie de partir en voyage avec ma femme! Je pense que c'est légitime que je sois déçu.

— Pourquoi on rentrerait pas dans la maison pour se préparer un petit apéro, suggéra Dominique en flattant le bras de son mari. On pourrait sûrement trouver un terrain d'entente.

— De toute façon, j'ai plus le goût d'aller à Paris! Oublie ça! ragea Patrick en jetant la revue dans la poubelle du garage.

— Patrick, t'agis comme un enfant! Aussitôt qu'on te refuse quelque chose, tu boudes!

— Non, je boude pas. La preuve, va t'habiller et je t'emmène souper à la Cage aux sports.

Dominique était déboussolée! Elle croyait devoir argumenter durant toute l'heure du repas alors qu'il l'invitait à sortir.

— Parfait! lança-t-elle. Ça sera pas long, tu vas voir! Je me laverai même pas! ajouta-t-elle, complice, en lui décochant un clin d'œil.

Patrick sourit faiblement. Il semblait avoir plié l'échine, mais il avait plutôt utilisé un subterfuge. Il préférait aller prendre un repas dans un endroit public où il se distrairait avec les nombreux écrans de télévision plutôt que d'avoir un souper en tête à tête avec sa femme, qu'il ne reconnaissait plus.

CHAPITRE 5

Retour au bercail

(Printemps 2007)

L'année scolaire tirait à sa fin et les écoliers étaient plutôt turbulents. Différentes sorties étaient organisées. Bruno se préparait ce matin pour aller aux glissades d'eau et sa mère était aussi nerveuse que s'il partait faire le tour du monde en bateau.

— Je t'ai mis de la crème solaire, mais oublie pas d'en remettre toutes les deux heures!

— Ça fait déjà trois fois que tu me le dis, maman, rétorqua l'enfant avec son air coquin. Connais-tu l'histoire de «pète pis répète»?

— Toi, mon clown! Je sais que je me répète, mais tu te souviens du petit Chalifoux qui avait pris un méchant coup de soleil l'année passée? On peut plus se fier aux professeurs et aux bénévoles. On dirait que le monde est pas aussi responsable que dans notre temps.

— Tout était si parfait dans votre temps! intervint Noémie, qui avait peine à laisser passer une réplique cinglante.

— Assez parfait pour qu'on sache écrire correctement en

septième année, lui répliqua sa mère, qui en avait assez de se faire rabrouer.

— À quoi ça te sert de savoir écrire pour faire de la couture pis du ménage?

— Noémie, à matin tu dépasses les bornes. Déjà qu'hier soir tu étais en punition, là, tu en rajoutes. J'en ai assez!

— Pfff… soupira la jeune fille pour signifier son indifférence aux propos de sa mère.

— Noémie, t'auras pas besoin de te presser pour partir, avança calmement Évelyne. Je viens de décider que tu passerais la journée avec moi.

— Y en est pas question! Aujourd'hui, on s'en va à La Ronde, se renfrogna l'adolescente, soudainement inquiète.

— Peut-être tes amies, mais pas toi. J'en ai assez de ton petit caractère de chien. Je suis peut-être pas instruite, mais je sais au moins ce que c'est que le respect.

— Tu peux pas me faire ça! Mon voyage est payé, il faut que j'y aille!

— Maman, intervint Bruno attristé par la peine de sa sœur, laisse-la aller à sa sortie et tu la chicaneras en revenant à soir.

— C'est entre ta sœur et moi, jeune homme! Mêle-toi pas de ça! Noémie, j'ai dit que tu restais avec moi et tu me feras pas changer d'idée!

— Je vais appeler mon père, d'abord! argumenta la jeune fille en saisissant le combiné téléphonique. Lui, y va comprendre!

— Ce qui se passe, c'est entre toi et moi! répliqua la mère en lui retirant l'appareil des mains. C'est pas la première fois que t'agis de la sorte et là, j'en ai ma claque! Retourne dans ta chambre et profites-en pour faire du ménage!

Noémie se retourna en pleurs et elle claqua la porte de toutes ses forces.

Bruno se retira dans sa chambre avec son sac à dos. Il souhaitait maintenant rester lui aussi à la maison.

La journée débutait très mal pour Évelyne, mais elle en avait assez de se faire mépriser. Elle avait remarqué que sa fille profitait souvent de l'absence de son père pour attiser sa colère.

— Bruno! appela-t-elle, ton copain vient d'arriver!

— J'ai mal au ventre, maman. J'aimerais mieux rester ici, mentit l'enfant.

— Non, mon garçon! Je sais que tu as de la peine pour ta sœur, mais elle mérite pas sa sortie. Toi aussi, t'as déjà eu des punitions, tu sais ce que c'est!

— Oui, mais pas aller à La Ronde, c'en est toute une!

Évelyne ne put faire autrement que sourire. Elle fit un gros câlin à son fils et le rassura en lui disant qu'elle en profiterait pour passer une belle journée mère-fille. Elle lui promit aussi que Noémie aurait la chance, un autre jour, de retourner au parc d'attractions!

———

Doris avait eu de bons enfants, mais aucun d'entre eux n'avait aspiré à faire de longues études. Ses deux filles avaient connu du succès dans leur parcours scolaire et elles avaient obtenu leur diplôme d'études secondaires. Elles avaient décroché un emploi peu de temps après la fin de leurs classes.

Le chemin avait été plus laborieux pour Claude, qui considérait l'école comme un calvaire. Il ne se sentait pas bien dans cet environnement de groupe où il n'avait jamais réussi à s'adapter. Il était doué, mais il n'avait pas ou peu d'amis. Il était rapidement devenu le bouc émissaire des mauvais garçons. Ce qui semblait être de simples boutades s'était vite transformé en provocation.

Au primaire, il simulait différents malaises pour que sa mère le garde à la maison, bien qu'elle ne lui rendît pas la vie facile pour autant. Il lui était interdit de regarder la télévision ou d'aller dehors durant les heures de classe. Il s'occupait de sa sœur Évelyne, qui avait sept ans de moins que lui, et Doris en profitait alors pour s'acquitter des travaux qu'elle n'aurait pu effectuer si elle avait été seule avec la petite. Avec le temps, elle avait vu clair dans le jeu de son fils et elle s'était faite plus sévère afin qu'il manque le moins de jours de classe possible.

Une fois qu'il fut rendu au secondaire, le quotidien du jeune homme était devenu encore plus lourd. Claude avait reçu des coups, à quelques occasions. On lui avait volé des objets et on l'avait menacé, mais jamais il n'aurait voulu que son père l'apprenne. Jamais il n'aurait avoué qu'il était victime de taxage et d'intimidation. C'était l'orgueil qui lui permettait de garder la tête haute!

Claude avait plutôt développé des stratégies pour éviter les gens qui lui cherchaient noise. Bien qu'il n'eût aucune forme de malice, il mentait à l'occasion à sa mère en prétextant qu'il était exempté de certains cours et il en profitait tout simplement pour faire l'école buissonnière.

Il répétait toutefois qu'il avait hâte de travailler pour gagner sa vie. S'il n'avait pas d'ami de garçon, il avait plus d'affinités avec les filles, qui en faisaient facilement leur confident.

Dès l'âge de 13 ans, il avait commencé à livrer le journal et à exécuter de menues corvées pour les voisins. C'est ainsi qu'il avait établi au fil des ans une belle clientèle pour la tonte de la pelouse, le pelletage des entrées, l'entretien des arbustes et des plantes, et toutes les autres tâches qu'on lui demandait d'accomplir à l'extérieur de la maison. Il adorait vivre dehors et c'est la raison pour laquelle il avait décroché de l'école une fois sa quatrième secondaire terminée. Il avait postulé pour un emploi chez le marchand de matériaux du village.

Avant de se rendre à son entrevue, il avait sollicité sa sœur Dominique pour qu'elle l'aide à préparer son curriculum vitæ.

— J'ai bien essayé de taper mon CV avec la dactylo, mais j'y arrive pas. J'ai recommencé au moins 10 fois et je pense que j'ai fait des fautes de frappe sur chaque ligne. Pourrais-tu le faire pour moi?

— T'es drôle, Claude! T'as les doigts trop gros pour faire un travail de secrétaire et t'as surtout les jambes un peu trop poilues.

— Ris pas de moi en plus! J'ai un rendez-vous avec le gérant du magasin demain matin à 9 heures. J'ai pas de temps à perdre!

— Assis-toi et on va le faire ensemble.

Claude avait donc eu le document nécessaire à présenter le jour venu. Sa sœur lui avait même conseillé d'en conserver une photocopie dans un dossier personnel. L'outil pourrait lui servir plus tard, lui avait-elle expliqué.

En entrevue, le jeune homme avait spécifié qu'il adorait le plein air et que les temps froids ou la pluie ne lui faisaient pas peur. Il espérait obtenir du travail dans la cour à bois ou avec le camion de livraison, mais il accepterait l'emploi, même si les tâches à effectuer devaient l'être à l'intérieur.

On l'avait donc embauché pour sa franchise et sa

détermination. De plus, il était plutôt grand pour son âge et assez fort physiquement, ce qui serait un atout de taille.

Après peu de temps, il connaissait déjà une bonne partie des matériaux en stock et la majorité des articles de quincaillerie usuels. Il acceptait toutes les heures disponibles et il apprenait très vite. On lui montra à faire des commandes de marchandises, des suivis de garanties et on lui demanda de seconder l'employé responsable de la cour arrière. Il devint rapidement une ressource clé pour l'entreprise toujours florissante.

Claude avait gardé quelques clients pour l'entretien des pelouses et l'enlèvement de la neige. Il profitait de ses journées de congé pour aller accomplir ces tâches. C'est ainsi qu'il rencontra Patricia, la femme qu'il allait épouser.

Elle était la fille de monsieur Dupuis, un homme d'affaires de Laval, qui possédait une maison de campagne à Val-David et pour qui Claude travaillait depuis près de cinq ans. C'était un de ses très bons clients, car il lui laissait toujours une liste de corvées à effectuer à sa discrétion. Travaux de peinture, coupe d'arbre ou déneigement de toiture: Claude ne refusait jamais rien et il était très responsable.

Au moment de son bal de finissants, Patricia lui avait demandé s'il accepterait de l'accompagner à cette fête et il avait accepté. Les jeunes avaient alors commencé à se fréquenter sur une base régulière, en considérant que Patricia habitait à Laval la semaine et ne venait dans le Nord que les fins de semaine.

Les loisirs pratiqués par Claude se limitaient au ski de fond l'hiver et à la natation et la bicyclette durant l'été, mais le travail demeurait son plus beau passe-temps.

Contrairement aux garçons de son âge, il n'aimait pas vraiment aller dans les bars.

Pour sa part, son amie n'était pas sportive et préférait les soupers dans les restaurants. Elle sortait aussi avec un groupe de filles à l'occasion, particulièrement pour aller danser.

— Tu devrais venir avec nous autres, lui avait-elle demandé une fois.

— Moi, de la musique à tue-tête, ça me tape sur les nerfs. Toi tu peux aimer ça, par exemple, et je t'empêche pas d'y aller, s'était excusé le jeune homme. Je préfère cent fois mieux rester à la maison et écouter une partie de hockey.

Claude et Patricia avaient donc des goûts différents, mais ils profitaient de bons moments ensemble, bien que leurs fins de semaine eussent été très routinières. Patricia arrivait toujours le vendredi en fin d'après-midi et ils allaient manger au restaurant avant de se rendre au cinéma.

Le samedi, Claude travaillait au commerce et il passait la veillée chez lui, alors que Patricia allait courir les magasins dans la journée et sortait avec ses amies le soir.

Le dimanche, il dînait régulièrement avec sa belle-famille et les Dupuis repartaient pour la ville tôt après le souper.

Cette routine perdurait depuis le début des fréquentations des tourtereaux et Doris se demandait bien ce qui unissait ce couple.

— C'est pas une fille pour lui, avait-elle confié un jour à Évelyne. Ton frère est trop un bon gars et j'ai peur qu'il se fasse manger la laine sur le dos.

— De toute façon, je pense qu'il sort avec elle pour pas avoir à s'en chercher une autre. Comme il parle pas, ou très peu, on peut rien savoir.

— Ça va peut-être changer prochainement parce que les Dupuis sont censés venir s'installer à Val-David à temps plein. Ils ont vendu leur grosse maison à Laval et doivent entreprendre des modifications majeures dans leur résidence secondaire.

On apprenait au printemps 1978 que Patricia avait obtenu son diplôme d'études collégiales en technique d'hygiène dentaire. Elle avait décroché un emploi à Sainte-Adèle, où elle avait fait son stage.

— Sa patronne a aimé sa façon de s'adapter au personnel en place, avait confié Claude à sa sœur avec entrain. Et comme elle avait de bonnes notes, elle l'a engagée aussitôt qu'elle est sortie de l'école. C'est toute une chance!

— Elle va donc déménager au chalet à temps plein? avait répliqué Évelyne sur un ton qui laissait percevoir sa déception.

— Pourquoi tu réagis de même? J'étais content de t'annoncer que ma blonde s'en venait s'installer dans le Nord, mais là, tu pètes ma balloune[21].

— J'avais toujours espoir que tu te trouverais une fille qui aurait plus d'affinités avec toi.

— Des affinités avec moi ou avec vous autres? On dirait que vous l'avez jamais aimée, Patricia. C'est une bonne personne et c'est pas parce que ses parents ont de l'argent qu'il faut lui en vouloir.

— C'est pas une question de sous, lui avait calmement répondu Évelyne, c'en est plutôt une d'attitude. Ta Patricia est spéciale, c'est comme si elle avait deux personnalités. Des fois, elle est super gentille et d'autres fois, on dirait qu'elle nous ignore ou nous regarde de haut.

— C'est des idées que vous vous faites. Je pense que vous êtes un peu jalouses d'elle! En tout cas, vous m'empêcherez pas de faire ma vie!

21 Péter la balloune: briser les espoirs de quelqu'un.

— Choque-toi pas, Claude! Je m'excuse de t'avoir parlé comme ça. Tu as bien raison, on a pas à se mêler de tes amours. Tout ce que je veux, c'est que tu sois heureux!

Les enfants de Doris étaient très unis et la mère n'avait jamais toléré que subsiste un froid entre eux. Elle leur avait enseigné qu'ils devaient toujours régler les conflits, si petits soient-ils.

Claude avait dès lors entrevu la possibilité de former un couple *steady* avec Patricia, qu'il considérait depuis un bon moment comme la femme idéale. Il avait donc commencé à aller la visiter plusieurs fois par semaine. Ils soupaient tous les deux seuls à la maison et ils passaient la soirée ensemble. Claude ne quittait jamais les lieux tardivement, afin d'éviter que les voisins n'alimentent des ragots à leur sujet.

Après quelques mois, il avait décidé de faire une surprise à Patricia et il s'était présenté chez elle avec un énorme bouquet de fleurs.

— Qu'est-ce qui t'arrive? lui avait-elle demandé, nullement habituée à ce genre d'attention de la part de son copain.

— C'est parce que c'est spécial à soir, avait-il coquinement répondu. Ça fait plusieurs années qu'on se connaît, je dirais même que tu avais quasiment la couche aux fesses la première fois que je t'ai vue.

— Tu exagères pas à peu près, Claude! J'avais 11 ans, et toi 13. Selon moi, j'étais plus dégourdie que toi parce que j'avais déjà eu un chum à Laval.

— Oui, le petit gars de la voisine qui s'occupait de vous autres, je m'en souviens. On appelle pas ça un chum, plutôt un ami de garderie.

— Peut-être, mais j'ai pas attendu quatre ans pour l'embrasser!

— On dirait que tu veux jouer dur, ma belle. C'est vrai que j'ai toujours été plutôt réservé, mais comme je travaillais pour ton père, j'aurais jamais souhaité qu'il me prenne en grippe[22]. Ça fait juste quelques mois que t'es à Val-David à temps plein et y a plus rien de pareil. J'ai jamais envie de partir le soir. J'aurais le goût de pouvoir rester avec toi toute la nuit.

— C'est toute une déclaration que tu me fais là! On croirait que tu sors de ta coquille. C'est vrai que t'es pas le même quand on est tout seuls ici.

— Qu'est-ce que tu dirais si on se louait un beau petit logement?

— T'es complètement malade! Jamais mon père permettra que j'aille demeurer avec un homme sans être mariée.

— Il se doute bien qu'on couche ensemble. Il en a vu d'autres.

— Oui, mais on le fait pas quand mes parents sont là et c'est toute la différence. Il est au courant qu'on le fait, mais il veut pas que tout le monde le sache.

— T'as probablement raison, mais je trouve que ça fait vieux jeu. Si c'est ce que tu souhaites, on va se marier. Moi ça me dérange pas, avait-il offert sur un ton neutre, voire teinté de nonchalance.

— T'as l'air enthousiaste, c'est effrayant!

— C'est pas ça, mais moi, j'aurais pas eu besoin d'une cérémonie à l'église pour être bien et vivre avec toi. Je me suis tout simplement mal exprimé.

— Quand je vais me marier, papa a dit qu'il voulait qu'on fasse ça en grand parce que je suis sa seule fille. Il est orgueilleux comme un paon! Ça va nous prendre au

---

22 Prendre en grippe: éprouver une certaine antipathie à l'égard de quelqu'un.

moins un an pour tout organiser. Il va falloir magasiner pour acheter ma robe, celles de mes demoiselles d'honneur, réserver une salle, trouver un traiteur et choisir un gâteau et les fleurs.

— Arrête! l'avait interrompue Claude, qui avait le souffle coupé. Tu sais pourtant que je préfère garder les choses simples.

— On se marie pas tous les jours et pour les filles, ça doit être un jour de rêve.

La discussion avait continué durant toute la soirée et, deux semaines plus tard, Claude avait demandé la main de Patricia à son père. La cérémonie avait eu lieu en grande pompe le printemps suivant.

À partir du tout premier jour de ses amours avec Patricia, Claude avait souhaité fonder une famille, comme l'avaient fait ses parents avant lui. Pour sa part, son épouse voulait attendre quelques années afin de profiter de sa jeunesse avant d'assumer les responsabilités d'une mère. Elle avait donc veillé à prendre ses pilules contraceptives chaque jour, remettant toujours à plus tard la conception d'un enfant. De plus, son travail et sa vie sociale occupaient la grande majorité de son temps.

Tout de suite après le mariage, ils avaient emménagé dans un petit chalet, qu'ils avaient loué à quelques minutes du village. Pendant quelques années, ils avaient filé le parfait bonheur, mais rapidement, Patricia avait souhaité avoir sa propre résidence, habituée qu'elle était de vivre dans un plus grand confort matériel.

— Tu sais, bébé, la maison verte est à vendre sur le bord du lac, avait-elle dit pour enjôler son mari, un jour. Ce sont des Français qui restaient là et il semble qu'ils soient retournés dans leur pays dernièrement.

— Est-ce que tu parles de celle que tu m'as montrée une fois sur le chemin du Tour-du-Lac? C'est pas vraiment dans nos moyens!

— Tu connais pas encore le prix et tu te lamentes que c'est trop cher! Je vais en discuter avec mon père en fin de semaine et on va voir.

— On devrait peut-être pas le mêler à nos histoires, avait rétorqué Claude, quelque peu blessé dans son orgueil. On est assez vieux pour faire nos affaires tout seuls.

— Tu as bien raison, avait répondu Patricia, câline, on a besoin de personne. On va leur montrer que j'ai épousé un homme débrouillard et ambitieux!

En le vantant de la sorte, elle savait qu'elle mettait toutes les chances de son côté.

Patricia s'était informée et elle avait emmené son mari visiter la maison tant convoitée. Ils avaient fait une offre et l'avaient acquise. Patricia avait entrepris année après année de faire faire des rénovations pour moderniser la résidence relativement désuète, afin de lui conférer un aspect plus contemporain. Elle dépensait beaucoup, mais son père était très généreux et il gâtait sa fille unique. Il n'était pas rare qu'il paie de grosses factures pour le couple. C'était sa façon à lui de s'assurer qu'elle ne manque de rien.

Depuis qu'il avait commencé à travailler, Claude avait coutume de gérer sainement son argent, de sorte qu'il pouvait compter sur un beau compte en banque quand il s'était marié. Il acceptait cependant difficilement que son beau-père s'ingère dans leurs affaires. Il avait ainsi dilapidé rapidement ses économies en déboursant des sommes plus importantes que son budget le lui permettait.

Et puis, les troubles financiers et les demandes incessantes de son épouse s'étaient mis à miner son moral. Claude avait commencé à vivre des périodes de dépression mineure que ses proches n'avaient pas immédiatement remarquées. Il se repliait sur lui-même et ne sortait que pour travailler.

De son côté, Patricia avait le vent dans les voiles et des projets plein la tête. Elle aimait suivre les tendances de la mode et elle n'hésitait jamais à teindre ses cheveux de différentes couleurs ou à les couper de façon bizarre. Au début, à la blague, Claude disait qu'il couchait avec une fille différente chaque fois, mais parfois, il était plutôt gêné de l'allure que Patricia adoptait. Il lui semblait que sa femme ne vieillirait jamais ou plutôt qu'elle s'infantilisait.

Pour lui, chaque période dépressive semblait plus intense que la précédente et son niveau de confiance en lui s'atténuait considérablement. Des problèmes de sommeil et d'appétit s'ajoutaient à ses symptômes, mais il persistait à continuer à se rendre à l'ouvrage tous les jours. C'était ce qui le maintenait en vie.

Patricia travaillait de plus en plus et elle trouvait toujours de nouveaux prétextes pour sortir avec ses compagnes.

— Mon amie est toute seule pour aller en Floride et elle m'a offert de l'accompagner. Ça me coûtera pas très cher parce qu'on va rester chez ses parents, avait-elle annoncé à Claude un jour.

— Profites-en, ça va te faire du bien! avait reconnu le mari.

En fait, il plaisait à Claude que son épouse déserte les lieux à l'occasion. Il pouvait alors laisser libre cours à la tristesse que ses crises d'anxiété provoquaient dans ses périodes noires. Si c'était possible, il prenait des congés et il pouvait dormir pendant des jours, négligeant de manger et d'entretenir la maison. La veille du retour de sa femme, il avait fait un effort pour camoufler la semaine de dégringolade qu'il s'était permis de vivre et la routine s'était réinstallée comme si rien ne s'était passé.

Dans ses meilleurs moments, Claude se cherchait des motifs valables de continuer à vivre jour après jour.

Au début de leur union, il parlait souvent avec Patricia du moment où ils auraient des enfants, mais elle n'était jamais prête. Avec le temps, il avait cessé de la tourmenter avec ce projet. Il était maintenant convaincu d'être trop malade pour être un bon père de famille et il craignait que ses éventuels enfants soient atteints du même mal que lui.

Leur vie de couple s'était déroulée ainsi durant un bon moment et, un beau matin de printemps, alors que Claude vivait une période favorable, son épouse lui avait annoncé qu'elle partait en vacances et qu'elle souhaitait divorcer à son retour.

— J'attendais que tu sois mieux pour te le dire, mais je veux reprendre ma liberté.

Il avait reçu la nouvelle comme un coup de massue.

— Reprendre ta liberté, après 28 ans de mariage? T'es pas assez libre depuis que t'es avec moi? Trouves-en des femmes qui s'en vont dans le Sud l'hiver avec des amies de filles pendant que leur mari travaille ou qui vont passer des fins de semaine à Québec ou dans les Cantons-de-l'Est!

— Tu me rends malade! Je peux plus vivre aux côtés d'un homme qui a pas plus de colonne qu'un ver de terre!

— J'ai 51 ans et j'ai toujours occupé deux emplois pour que tu manques de rien. Tu voulais une maison et je l'ai achetée. On a dû remplacer les meubles au moins cinq fois en 20 ans et ça, c'est à part de la vaisselle et de toutes les bébelles que tu voulais. C'est pas encore assez pour te rendre heureuse?

— La mode, ça change. Il y a juste toi qui portes le même genre de bottines et de jeans depuis plus de 30 ans.

— Quand tu travailles dans un clos de bois, ça serait maudit de mettre des souliers de cuir verni. T'es rien qu'une ingrate! T'as pas le droit de balayer toutes ces années-là comme si de rien était!

— De toute façon, on a jamais eu de réelle vie de couple, toi et moi. On a tout le temps fait nos affaires chacun de notre côté.

— Moi, j'ai toujours été là pour toi, quand tu me le demandais. C'est toi qui semblais pas bien ici.

— Tu viens de le dire, je suis pas bien! Les années qu'il me reste à vivre, je veux en profiter en toute liberté. Je reviendrai dans une semaine et j'aimerais que tu sois déménagé à mon retour.

— Pourquoi je partirais? La maison est à nous deux!

— Est-ce que tu préfères avoir un papier d'avocat pour t'en aller? Je peux très bien l'obtenir aujourd'hui. Mais on pourrait aussi divorcer à l'amiable, ça coûterait moins cher. Je te veux pas de mal, mais je souhaite avoir ma part, tout simplement.

— Il y a quelqu'un d'autre, c'est sûr! Sinon, tu parlerais pas comme ça!

— De toute façon, ça a pas d'importance. Une chose est certaine, toi et moi, c'est fini!

Claude avait reçu cette dernière phrase comme un coup de poignard lui perforant le cœur. Bien sûr, il avait anticipé cet instant à maintes reprises, mais toujours il l'avait occulté, croyant qu'il fabulait.

Sans dire le moindre mot, le mari éconduit avait alors tourné le dos à son épouse et il était sorti de la maison avec nonchalance. Sa tête était habitée de mille et une pensées qui se disputaient. Il n'avait pas utilisé son véhicule, mais il avançait droit devant lui, là où ses pas le conduisaient. Il avait contourné le lac Doré, croisant des voisins, mais il s'était montré incapable de lever la main pour répondre à leurs salutations.

Instinctivement, il avait emprunté la piste cyclable du P'tit Train du Nord. Il avait longtemps marché, ses pas semblant connaître la destination à emprunter. Il était finalement arrivé au parc des Amoureux, où il s'était alors affalé sur le sol, à proximité des cascades de la rivière du Nord, et il s'était mis à pleurer.

Après quelques minutes, il s'était remémoré cette mélodie qu'il adorait et qui viendrait sûrement amoindrir sa peine.

À la claire fontaine,
M'en allant promener,
J'ai trouvé l'eau si belle,
Que je m'y suis baigné,
Il y a longtemps que je t'aime,
Jamais je ne t'oublierai.

Il l'avait chantée à maintes reprises dans son enfance et il savait qu'elle faisait partie intégrante de la légende d'Angéline et de Cerf agile[23]. C'est lui qui avait amené Patricia à découvrir cet endroit et ensemble ils avaient fredonné cet air.

Après un long moment, Claude était revenu chez lui et il avait trié ses affaires. Il avait préparé ses bagages, n'emportant que le strict nécessaire, et il était allé visiter sa maman,

---

23 Source de la légende : La société d'histoire et du patrimoine de Val-David –
M. Claude Proulx.

comme il le faisait régulièrement. Étant donné qu'elle était seule, il avait pu lui faire des confidences et elle lui avait gentiment offert le gîte et le couvert.

— Claude, ici ce sera toujours chez toi. Si ça te dit, tu peux venir t'installer et rester le temps que tu voudras.

— Ça a juste pas d'allure, à mon âge, de revenir vivre chez sa mère! Ça va faire jaser le monde!

— On s'en fout! Dans mon cœur, mes enfants ont jamais quitté la maison, ils ont tout simplement élu domicile ailleurs. Toujours ils auront un pied-à-terre là où ils ont grandi. Viens vivre avec moi, laisse-moi prendre soin de toi pour quelque temps.

C'est ainsi que le fils aîné avait emménagé avec Doris au moment de sa séparation et rapidement, il avait pu retrouver une certaine sérénité. Il s'était également confié à sa patronne, en qui il avait une confiance totale. Elle lui avait été de bon conseil et l'avait dirigé vers un avocat spécialisé, qui avait dès lors entrepris les démarches pour le divorce.

Quand sa femme était revenue de vacances, elle avait immédiatement reçu les documents officiels. Le couple avait vendu la maison dans le mois suivant le jugement du divorce. Les anciens amoureux avaient remboursé leur emprunt à la banque et divisé le profit restant en parts égales. Cela ne représentait qu'une somme d'environ 10 000 dollars chacun, puisqu'ils avaient à plusieurs reprises concilié des dettes qu'ils avaient réglées en renouvelant leur hypothèque à la hausse. Une fois les frais juridiques payés, il ne leur en était resté que très peu.

Durant toutes ces procédures, Claude n'avait pas voulu adresser la parole à Patricia, se limitant aux formalités. En quittant le parc des Amoureux, le jour où sa femme lui avait annoncé son intention de se séparer, il avait endossé une carapace qui le protégerait des souffrances qu'elle pourrait lui faire subir à nouveau.

Il était retourné chez sa mère, où il espérait recommencer sa vie. Il avait deux sœurs merveilleuses, deux beaux-frères, un neveu et une nièce. Ils seraient sa motivation.

Il lui fallait se trouver de nouveaux défis et croire qu'il avait droit à une deuxième chance.

Pourrait-il aimer quelqu'un d'autre ?

Hector s'ennuyait ce matin de sa sœur Doris. Étrange réflexion, lui qui ne s'était jamais gêné pour la critiquer.

Le rêve qu'il avait fait la nuit dernière était peut-être la cause de son désarroi.

Il s'était revu alors qu'il avait une douzaine d'années. Il portait une chemise de coton beige ainsi qu'un pantalon trop grand pour lui, que sa mère lui avait confectionnés dans un costume usagé de son père. Des bretelles ajustées faisaient en sorte que la culotte remontait exagérément au-dessus de la taille.

Sa sœur, Doris, qui n'avait que trois ans, était tout de blanc vêtue. Elle portait une magnifique robe avec un collet de dentelle, des collants et des souliers ornés d'une boucle de cuir. Il l'avait installée dans une brouette qu'il avait construite pour elle et dans laquelle il avait déposé un oreiller moelleux afin qu'elle soit confortablement assise.

L'enfant lui faisait de beaux sourires et lui envoyait des baisers avec sa petite main potelée.

Il l'aimait depuis qu'elle était née, mais elle était

inaccessible tant Raoul et sa mère l'idolâtraient. Hector s'était toujours senti exclu. Jamais on ne lui avait demandé de la prendre ou de s'en occuper.

Il était heureux d'être enfin seul avec sa sœur. Il ne savait pas où étaient ses parents, son frère Raoul, ni même tout le monde du village.

Il avait marché durant une longue période, en sifflant des airs que Doris fredonnait. Il s'était arrêté pour cueillir quelques marguerites que la petite pourrait effeuiller, mais au moment de revenir vers elle, il avait vu le petit chariot rouler librement vers la plus grande côte du rang 1 Doncaster. Doris pleurait et le suppliait de venir la chercher, mais il était incapable de bouger ses pieds, soudainement paralysés.

Hector s'était réveillé en sueurs et s'était immédiatement souvenu de tout ce qu'il avait vécu en songe.

Il en voulait à son frère d'avoir pris toute la place auprès de son unique sœur. C'est également la raison pour laquelle il avait détesté son mari, Marcel, qui semblait la rendre heureuse. Mais la principale responsable de cet échec n'était nulle autre que la belle Jacqueline qu'il avait épousée. Elle l'avait isolé des siens en refusant de les recevoir chez elle et en privilégiant sa propre famille. Depuis le tout début de leurs fréquentations, elle avait raconté des mensonges à propos de Doris et il l'avait tout bêtement crue sans se donner la peine de vérifier ses dires.

— Hector Moreau, se semonça-t-il tout haut en se frappant la poitrine avec le poing droit, tu peux dire : « Par ma faute, par ma faute, par ma très grande faute ! »

Il sentait ce matin que ses facultés étaient intactes. Il prit le téléphone et composa le numéro de sa sœur.

— Allo, Doris, c'est Hector, commença-t-il, un peu gêné, comme un enfant qui a mal agi.

— Bonjour, mon frère, quelle belle surprise à matin! Si tu savais comme tu me fais plaisir!

— Moi aussi, je suis content. Tu vas bien?

— Comme à 20 ans! Qu'est-ce que tu fais de bon?

— Rien de spécial, mais j'avais le goût de te parler. Des fois, je trouve la maison pas mal grande.

— C'est comme ça quand les enfants partent. Il était une période où on avait pas le temps de rien faire et asteure, on s'ennuie!

— T'as bien raison! Je te laisse, je voulais juste savoir que t'étais ben correcte! Bonne journée!

— Bonne journée, Hector. Je t'aime!

— Moi aussi, répondit-il tout bas avant de mettre fin à l'appel.

Il était satisfait de ce qu'il venait de faire, même si c'était peu. Il n'aurait pas pu franchement confier à Doris qu'il l'aimait, mais elle lui avait ouvert la porte et son «moi aussi» était rempli de sincérité!

Il n'en parlerait pas à Monique, car en peu de mots, elle ternirait son bonheur!

CHAPITRE 6

La technologie dérange

(Printemps 2007)

Ces temps-ci, Raoul se sentait beaucoup plus serein. Il lui semblait qu'il dormait un peu mieux et que les journées étaient moins longues. Depuis qu'il avait croisé Dominique chez sa sœur à la fin de l'hiver, il l'avait vue à quelques reprises et elle l'appelait à l'occasion pour prendre de ses nouvelles.

Il aimait cette jeune femme, qui le sécurisait par ses propos et son attitude positive. Jusqu'à maintenant, elle l'avait accompagné à tous ses rendez-vous pour son nouvel appareil auditif, dont le jour où on le lui avait installé pour la première fois. Le personnel de la clinique lui avait alors donné tous les conseils pour l'entretien du dispositif et le remplacement de la batterie.

Raoul n'aurait pas voulu faire de la peine à sa nièce en lui en parlant, mais il n'aimait pas vraiment porter ce bidule, qu'il avait de la difficulté à insérer dans son oreille.

Aujourd'hui, elle était arrivée alors qu'il ne l'attendait pas du tout. Elle avait frappé à la porte d'entrée principale à maintes reprises, mais il n'avait pas répondu. Elle s'était donc rendue à l'arrière de la maison, où elle l'avait vu dans la cuisine. Il l'avait aperçue et était allé lui ouvrir.

— Comment ça se fait que tu passes par la cour? D'habitude, tu rentres par en avant!

— J'ai sonné, mais vous m'avez pas entendue. Vous avez pas mis votre appareil?

— Non! répondit-il sèchement. Ça marchait pas à matin. Quand on est vieux, il y a des journées plus difficiles que d'autres.

— Avec le temps, mon oncle, vous allez voir que ça ira mieux, mais il vous faut continuer à le porter tous les jours.

— Quand t'es obligé de te regarder dans le miroir pour t'installer un morceau de plastique dans l'oreille, c'est tout un aria[24]! Hier, ça m'a pris au moins une demi-heure pour en venir à bout.

— L'important, c'est de persévérer! Ça va devenir une habitude, comme de lacer vos souliers.

— T'es trop comique, toi! Je pense que je suis trop vieux pour apprendre des nouvelles affaires de même.

— Vous êtes surtout trop intelligent pour pas le faire, insista-t-elle. Il suffit de prendre le temps et de regarder votre appareil avant de vouloir l'installer. Examinez attentivement dans quel sens il doit aller et tout va bien se passer.

Contre toute attente, Raoul y parvint du premier coup. Quand Dominique était avec lui, il n'était plus le même homme, elle lui apportait une telle confiance!

Il devrait cependant se rendre à l'évidence que le réconfort que lui procurait sa nièce n'était probablement que temporaire. Dès que son problème de santé serait réglé, elle retournerait sûrement à sa vie de tous les jours et il ne la

---

24 C'est tout un aria: c'est compliqué.

verrait plus. Au mieux, il la croiserait à l'occasion quand il irait chez sa sœur Doris. Un sentiment de morosité l'habita, juste au fait d'y penser.

— Mon oncle, j'ai autre chose à vous proposer, l'informa sa filleule avec un petit sourire en coin. Après notre visite chez l'audioprothésiste, j'ai reçu de la documentation d'un organisme que je connaissais pas, c'est le CRDP Le Bouclier.

— Veux-tu bien me dire ce que ça mange en hiver, un CR quelque chose? répondit le vieil homme, curieux et inquiet à la fois de ce qu'elle allait lui offrir. Il savait que sa nièce était une femme d'exception, mais il se demandait si elle n'allait pas trop vite en affaires.

Dominique se doutait bien que la prochaine étape à franchir n'était pas gagnée d'avance. Elle avait recueilli beaucoup d'information avant de venir encourager son oncle à aller de l'avant.

— C'est un organisme gouvernemental mis sur pied expressément pour des gens comme vous qui ont une déficience auditive.

— J'ai de la misère à croire que le premier ministre Charest pourrait faire quelque chose pour moi sans que ça me coûte une beurrée! Quand je pense que le monde a encore voté pour lui le mois passé. Ils sont pas tannés de se faire voler?

— Vous portez pas les libéraux dans votre cœur, à ce que je peux voir!

— Non, je te dis qu'eux autres, je les ai de travers!

Dès qu'on faisait mention du gouvernement, le vieil homme avait tendance à devenir colérique.

— Montez pas sur vos grands chevaux, mon oncle!

Il faut pas mêler la politique avec ce que je vous propose aujourd'hui. Il faut avant tout penser à vos besoins.

— Je m'excuse, ma belle, si j'ai haussé le ton. Depuis le temps, on est habitués de se faire manipuler par les politiciens et on a la mèche plutôt courte. C'est ça, la vieillesse, on devient chialeux et malendurant!

— Ce que j'ai trouvé, c'est une agence qui vous fournirait gratuitement des appareils pour faciliter votre vie de tous les jours. Le gars doit venir nous rencontrer cet après-midi. Je voulais pas vous énerver avec ça. C'est pour ça que je suis passée vous voir aujourd'hui sans vous avoir prévenu avant.

— T'as bien fait de rien me dire. Quand quelque chose me tracasse, c'est immanquable, je dors pas de la nuit!

— Je le sais, maman est pareille quand elle a un rendez-vous. On pourrait croire qu'en vieillissant, vous avez tellement de temps pour jongler que vous oubliez combien le sommeil est important.

— Dis-moi donc, qu'est-ce qu'il va venir faire ici, ce gars-là?

— Pour commencer, il va vous apporter un nouveau téléphone avec des chiffres plus gros. Ça sera pas un luxe, on en a acheté un à maman pour les Fêtes. Je vais également vous programmer les numéros que vous utilisez le plus souvent.

— Depuis qu'Irène est morte, c'est rare que je reçoive des appels. Quand on est seul, on a pas mal moins d'amis.

— On va tout de même mettre celui de maman, de mon oncle Hector et d'Évelyne, mais pas le mien, parce que ça serait un interurbain. S'il y a quoi que ce soit, vous demanderez à Évelyne de me joindre et je vous rappellerai tout de suite.

— T'es fine de penser à tout ça.

— Je vais aussi programmer le numéro du cellulaire de mon frère Claude, au cas où vous auriez besoin d'un homme pour faire un petit travail. Il est plutôt habile de ses mains et surtout très avenant.

— J'ai pas l'habitude de déranger le monde. J'ai toujours fait mes affaires tout seul, mais tu peux le mettre quand même.

— Eh bien, en prenant de l'âge, vous aurez pas le choix de demander de l'aide à l'occasion. Vous avez soutenu un paquet de gens pendant toutes ces années et aujourd'hui, c'est aux autres d'être là pour vous.

Le bruit de la cloche d'entrée se fit entendre. L'oncle Raoul fit un saut et se couvrit l'oreille de sa main gauche.

— Comment ça se fait que ça sonne aussi fort? ronchonna le vieil homme, dont la contrariété se manifestait rapidement quand il était inquiet.

— C'est que maintenant, vous portez votre appareil, répondit Dominique d'une voix remplie de douceur. On peut cependant baisser un peu la tonalité si ça vous dérange.

Dominique ouvrit la porte à l'individu qui s'avéra être le représentant de l'organisation en question. Elle se présenta courtoisement et fit de même pour son oncle, qui courbait les épaules, laissant entendre qu'il était plutôt rébarbatif à ce qu'on allait lui proposer.

Le jeune homme était habitué à rencontrer des personnes âgées et il savait les mettre à l'aise. Il était cependant heureux qu'un autre membre de la famille soit présent pour écouter les explications qu'il lui donnerait.

Ainsi que Dominique s'était informée, il lui confirma qu'il s'agissait d'un prêt d'équipement qui se terminerait quand l'usager n'en aurait plus besoin ou que tout simplement, il n'en voudrait plus.

En raison du handicap du client, le technicien avait prévu d'installer des avertisseurs lumineux qui scintilleraient chaque fois que le téléphone sonnerait ou lorsque quelqu'un activerait la sonnette de la porte d'entrée. Ces dispositifs se présentaient sous la forme d'une pyramide en cristal. Dès qu'ils captaient un signal, ils diffusaient des rayons sur une très grande surface.

Ainsi donc, si l'oncle Raoul ne portait pas son appareil pour une raison ou une autre, son attention serait attirée et il saurait quand même s'il y avait quelqu'un à l'entrée ou s'il recevait un appel téléphonique. Quatre de ces précieux bibelots seraient placés stratégiquement dans les pièces principales de la résidence.

Le jeune homme brancha les premiers équipements sous le regard suspicieux de Raoul et il compléta rapidement l'installation.

— Maintenant qu'on a réglé le cas des portes et du téléphone, il nous reste à poser les détecteurs de fumée.

— J'ai déjà un extincteur de feu, je fume pas et puis j'allume jamais de chandelle dans la maison. Asteure qu'on a le courant partout, on a plus besoin de ça! se défendit Raoul.

— C'est bien, mais nos appareils sont très sensibles et ils peuvent déceler une source de chaleur avant que vous vous en aperceviez. Je comptais également en insérer un sous votre matelas.

Dominique regarda la figure de son oncle, qui venait de virer au rouge.

— Vous allez toujours bien pas me *ploguer* une bébelle électrique dans mon lit? C'est beau d'être moderne, mais faut pas charrier! Quand je me couche, c'est pour dormir!

— Monsieur Moreau, quand on est malentendant, il est possible que durant un sommeil profond, on perçoive pas une sonnerie d'alarme. Le dispositif que je mettrais sous votre matelas ferait alors une vibration telle que vous sauriez qu'il se passe quelque chose d'inhabituel dans la maison. Vous auriez ainsi le temps de vous lever et de quitter la maison en toute sécurité. Ça pourrait être une question de vie ou de mort !

— Rendu à 88 ans, il serait peut-être normal que je parte s'il y avait le feu. Ça prend quelque chose pour crever de toute façon !

— Mon oncle, si vous le voulez bien, on va mettre les contacts sur les portes et sur le téléphone. On parlera ensuite des autres suggestions de monsieur.

Dominique sentait que c'était beaucoup de changements pour le vieil homme. Toute cette technologie lui faisait réaliser qu'il était d'une génération antérieure. Il préférait penser aux soirées qu'il passait à jouer aux cartes, éclairé avec une simple lampe à l'huile. La vie lui semblait plus belle à cette époque.

Il se retrouverait maintenant à la merci d'autrui pour faire fonctionner tous ces appareils.

— Fais pour le mieux, Dominique, je vais aller m'étendre sur mon divan, dit Raoul, exténué par toutes ces discussions. De toute façon, ajouta-t-il d'une voix douce, je sais que tu vas prendre les bonnes décisions.

— Pas de problème, reposez-vous, mon oncle. Et si ça vous tente, après, on ira faire un petit tour chez maman pour la pause-café. Ça vous changera les idées et vous pourrez lui raconter tout ce qui vous arrive ces jours-ci !

— T'es fine, ma belle Dominique. On croirait des fois que tu peux lire dans mes pensées. Tu me comprends avant que je te dise quoi que ce soit! Excuse-moi pour mon mauvais caractère. Tu sais que ça fait longtemps que je suis tout seul dans ma cage!

— Inquiétez-vous pas pour votre tempérament de Moreau. Quand vous verrez mon Patrick, vous lui demanderez comment je suis lorsque je me fais réveiller trop tôt par un colporteur ou, pire, par un témoin de Jéhovah!

Et c'est en souriant que l'homme se dirigea vers le salon pour savourer une sieste bien méritée.

———

Évelyne profitait de cet après-midi pour venir teindre les cheveux de sa mère. Elle ne voulait en aucun cas que celle-ci affiche un air négligé.

— Va bien falloir qu'un jour, vous acceptiez que j'ai la tête blanche!

— Pourquoi? On t'a toujours connue avec les cheveux châtain pâle. Puis, de toute façon, c'est pas très long à faire.

— J'haïs ça être obligée de vous déranger pour toutes ces affaires-là! T'as pourtant assez d'ouvrage de même!

— C'est du bon temps qu'on passe ensemble, maman. Prends-le comme ça! Changement de discours, trouves-tu que mon oncle Raoul en a perdu beaucoup depuis l'automne dernier? On dirait qu'il a vieilli tout d'un coup.

— Oui, t'as bien raison. Depuis qu'Irène est partie, il a plus jamais été le même homme.

— Mais ça fait déjà plus de 10 ans de ça! Il faudrait qu'il fasse son deuil une fois pour toutes!

— Tu parles de même parce que t'as pas passé par là. Quand ton père nous a quittés, j'aurais aimé mourir avec lui. Ça faisait si mal ! se plaignit Doris en croisant ses mains sur sa poitrine. Avec le temps, c'est moins douloureux, mais c'est une blessure qui guérit jamais au complet.

— Je voulais pas te faire de peine, maman, s'excusa Évelyne en lui faisant un câlin.

— La peine, ça fait partie de la vie, mais il faut en parler pour pas s'empoisonner par en dedans.

— Je trouvais qu'il faisait un beau couple avec ma tante Irène.

— C'était pas vraiment votre tante, mais elle aimait ça quand vous l'appeliez comme ça. Je te dis qu'elle avait le tour avec son Raoul. Elle lui demandait d'aller magasiner et elle l'amenait toujours dans des boutiques différentes, à Rosemère, à Saint-Sauveur, à Saint-Jovite et ils revenaient jamais avec les mains vides. Ils étaient habillés comme des cartes de mode[25].

— Je me souviens en particulier d'une fois où on l'avait croisé ici pour une fête ; ça devait être au jour de l'An. Xavier m'avait fait remarquer combien mon oncle était élégant avec son costume, son paletot, son chapeau et ses gants assortis. Un vrai mannequin !

— Je crois bien qu'il s'est rien acheté de nouveau depuis ce temps-là. Quand il lui manque quelque chose, il va au Wal-Mart ou au Tigre Géant et achète ce qu'il y a de moins cher. As-tu vu les vieux souliers qu'il porte ? Les lacets sont trop longs et il les attache autour de sa cheville. Les enfants se moquent de lui !

— C'est triste de dégringoler comme ça. Je sais pas comment Dominique va accepter de sortir avec mon oncle s'il

---

25 Être habillé comme une carte de mode : être habillé de façon impeccable.

s'habille pas mieux que ça. Tu la connais, elle va nulle part si elle est pas sur son trente-six.

— Ça m'inquiète pas, je connais mon frère! Raoul est pas fou non plus. Il va sûrement mettre ce qu'il a de plus beau dans la garde-robe. Ça sera peut-être pas de la dernière mode, mais ça va être correct.

— Il y a au moins une bonne chose, c'est que maintenant, il va avoir la joie d'entendre ce que les gens lui racontent. Le spécialiste a expliqué à Dominique que les personnes sourdes avaient tendance à se replier sur elles-mêmes et je crois ça!

— Oui, pour un commis-voyageur qui a été habitué avec le monde, il avait pas mal changé. Maintenant, on va avoir plus de plaisir à jaser. Je suis contente qu'il reste proche de moi. Comme ça, il peut venir plus souvent.

— Est-ce qu'il va voir mon oncle Hector des fois?

— Pas beaucoup! Ces deux-là, ça a jamais tellement marché. On aurait dit qu'ils étaient toujours en compétition. Hector était du bord du père et Raoul tenait plus du côté de maman.

— En tout cas, nous, on aimait pas plus leurs femmes. Ma tante Jacqueline et ma tante Yvette étaient aussi détestables l'une que l'autre. Je me souviens de la fois que tu m'avais envoyée lui livrer des plats de bleuets que vous aviez rapportés d'un voyage au lac Saint-Jean.

— Je l'avais oubliée, celle-là! répondit Doris avec un large sourire.

— Ma tante Yvette m'avait virée de bord en disant qu'elle avait pas besoin de la charité et la Jacqueline avait fait exprès de renverser tous les bleuets sur la galerie. Pourquoi tu ris autant?

— Monique tient pas des voisins!

— Est aussi méchante que la bonne femme de Marie-Lise Pilote à la télé!

Les deux femmes continuèrent à discuter en attendant que la sonnerie du poêle avertisse Évelyne qu'il était temps de rincer les cheveux de sa mère.

Doris lui expliqua qu'elle essayait de rester neutre dans la bisbille qui persistait entre ses deux frères, mais elle reconnaissait avoir plus d'affinités avec Raoul. Même s'il ne la visitait que rarement, elle appelait Hector au moins une fois par semaine, pour avoir des nouvelles. Ces derniers temps, elle trouvait qu'il avait à l'occasion des propos incohérents, mais elle le sentait moins méfiant à son endroit.

— J'espère qu'il fera pas de l'Alzheimer, s'inquiéta-t-elle. Pépère Moreau a troublé[26] à la fin de sa vie. Il reconnaissait même plus sa femme.

— C'est prouvé que c'est héréditaire cette maladie-là, mais aujourd'hui, il y a de la médication. C'est Monique qui s'en occupe, elle doit bien aller voir le docteur avec lui de temps en temps.

— Je l'appelle parfois quand ça répond pas chez Hector.

— Comment tu t'arranges avec elle?

— C'est jamais pareil. Des fois, elle a de la jasette sans bon sens et d'autres fois, elle me coupe ça court. Ça me dérange pas. Tout ce que je veux, c'est d'avoir des nouvelles de mon frère.

— On les a jamais trop fréquentés, les enfants de mon oncle Hector. On aurait dit qu'ils vivaient dans un autre monde ou plutôt qu'ils souhaitaient pas faire partie de notre gang.

— Ils étaient beaucoup plus près de leur famille

---

26 Troubler: perdre la raison.

maternelle. Leur mère, votre tante Jacqueline, venait de l'Abitibi, et quand elle est arrivée par ici, on aurait cru qu'elle débarquait directement de Westmount. Avec son bec en cul de poule[27], j'avais de la misère à la blairer et Monique est son portrait tout craché.

— Jean-Guy est mieux, selon moi. Je me souviens d'une fois, dans le temps des Fêtes, chez grand-maman Moreau. J'avais reçu une musique à bouche en cadeau et il essayait de me montrer à en jouer. On avait ri comme des malades.

— Il reste à Labelle maintenant qu'il est divorcé. Il a rencontré une gentille fille qui avait un restaurant et une maison par là. Ils se sont fréquentés pendant quelques mois et après, il a déménagé. Comme Hector, il est très habile en menuiserie.

— Il travaillait pas comme facteur ou quelque chose de semblable?

— Oui, mais il est retraité depuis déjà un moment. Il a l'air de bien aller, mais il reste pas suffisamment proche pour prendre soin de son père. On parle, on parle, mais il me semble que ça fait une éternité que tu m'as mis ce *stuff*-là sur la tête. Arrange-toi pas pour manquer ton coup!

— Panique pas, maman! Encore une petite minute et on rince. J'espère juste que j'me suis pas trompé de numéro de teinture!

— Toi, ma vlimeuse[28]! gronda gentiment Doris en se tournant vers sa fille.

— Ben non, ben non, mais avoue que ça serait une bonne blague à te faire!

---

27 Bec en cul de poule : moue qu'une personne fait en resserrant les lèvres, dénotant un caractère guindé.
28 Personne vlimeuse : personne détestable. Le mot est parfois utilisé au sens humoristique.

— Au revoir, madame Roy! Hésitez pas à communiquer avec nous si vous avez des questions.

— C'est moi qui vous remercie! Monsieur Moreau sera maintenant plus en sécurité chez lui grâce à vous.

Raoul avait ouvert les yeux en entendant ces mots : «... plus en sécurité chez lui ». Qu'est-ce qu'ils avaient donc fait, les deux ratoureux, pendant qu'il sommeillait?

— Vous êtes réveillé, mon oncle? J'espère qu'on a pas fait trop de bruit!

— Non, c'était l'heure de me lever, de toute façon, si je veux pouvoir dormir à soir.

— Inquiétez-vous pas, on a rien changé de majeur dans votre maison. L'installateur vient juste de partir. Venez, je vais maintenant vous montrer où sont posés les détecteurs et comment ça fonctionne.

Raoul écouta le résumé que sa nièce lui faisait et il réalisa qu'il ne lui faudrait pas d'enseignement exhaustif.

— Je m'excuse encore pour l'attitude que j'ai eue tantôt. Dans l'énervement, j'oublie parfois mon savoir-vivre.

— Vous avez pas été déplaisant, tout au plus contrarié. C'est normal que vous vous sentiez dérangé par toutes ces modifications. Depuis qu'on est allés chez le docteur, je vous ai brassé de tous les côtés. On me reproche souvent d'être trop vite en affaires.

— Non, ma belle fille, change pas ta manière d'être. C'est grâce à ça que t'as réussi ta vie. Tu m'avais parlé d'aller prendre un café chez Doris; est-ce que ça te le dit encore?

— Oui, surtout que je sais qu'elle a cuisiné des tartes ce matin!

En arrivant au domicile de sa sœur, Raoul se dépêcha à enlever son manteau et il s'installa à la table de cuisine, aux côtés d'elle. Pour une fois qu'il avait de la nouveauté chez lui, il voulait être le premier à l'annoncer.

— Doris, il va falloir que tu viennes faire un tour chez nous! lança le frère avec grand enthousiasme.

— Tu sais que c'est plus facile pour toi de te déplacer. Moi, j'ai toujours de la visite. Justement, Évelyne vient juste de partir, vous l'avez manquée. Elle est venue faire ma teinture et me coiffer. Tu me trouves-tu belle, mon frère?

— T'es toujours belle, confirma Raoul, mais tu vas quand même être obligée de venir chez nous! Ta fille m'a inscrit dans une affaire pour les sourds et ils sont passés aujourd'hui pour m'installer des lumières qui brillent dans la maison quand le téléphone ou la porte d'entrée sonne. Il y a aussi de quoi pour prévenir en cas d'incendie. Je te dis que c'est moderne en mautadit!

— J'ai bien hâte de voir ça. Veux-tu bien me dire où t'as déniché ça, ma vlimeuse de belette?

— J'ai pas de mérite, à part être curieuse. C'est un feuillet que j'ai pris chez «le gars des oreilles» comme l'appelle mon oncle. J'ai téléphoné et ils m'ont expliqué ce qu'ils proposaient aux gens qui souffrent de surdité.

— Quand il y a quelque chose de nouveau, on dirait que t'es au courant avant les autres! ajouta sa mère, qui admirait la débrouillardise de sa fille.

— Je passe mon temps à lire tout ce qui me tombe sous la main. C'est bien normal que j'en apprenne un peu chaque jour. Si j'avais pu, j'aurais été à l'école jusqu'à 40 ans, j'adorais ça!

— Tu devrais faire comme Pauline Marois et te présenter en politique, proposa l'oncle Raoul, qui écoutait toujours sa nièce avec une grande fierté. Elle a monté les marches du pouvoir une par une jusqu'à devenir vice-première ministre du Québec et voilà qu'elle vient d'être nommée chef du Parti Québécois. On a besoin des femmes de tête comme elle si on veut aller de l'avant!

— Je pensais pas que vous étiez un péquiste! se surprit Dominique. C'est Patrick qui aimerait parler de politique avec vous.

— Je suis pas un fervent séparatiste comme dans le temps du RIN, mais quand je vois des bons coups, comme l'élection d'une femme à un poste aussi élevé, ça me réjouit!

— Ton oncle Raoul a toujours été assez avant-gardiste, même plus que ton père et moi. Il nous a souvent expliqué ses positions par rapport à un parti ou un autre et on avait des discussions très animées! C'est souvent parce qu'on comprend pas quelque chose qu'on le craint, expliqua Doris.

— J'apprends à vous connaître jour après jour, cher parrain. Jusqu'à maintenant, ce sont juste de bonnes choses qu'on me dit à votre sujet, mais j'ai hâte qu'on me parle aussi de vos mauvais coups. Ça me permettra de vous étriver un peu!

— C'est pas moi qui vais te les raconter et j'espère que ta mère fera pas la bavarde! Sinon, je t'avertis, Doris, c'est un petit jeu qui se joue à deux! prévint l'oncle Raoul avec un air espiègle.

— C'est plaisant de voir la sœur et le frère ensemble à se taquiner. Je voudrais pouvoir en faire autant avec Évelyne et Claude quand je serai plus âgée.

— Vous êtes mieux de vous aimer parce qu'en vieillissant, c'est là qu'on a besoin les uns des autres.

Sur cette réflexion, Raoul sentit son cœur se serrer. Il repensait encore que s'il avait eu des enfants quand il était marié, tout serait différent aujourd'hui. Yvette n'était pas la femme idéale pour la maternité. Il n'avait pas décelé la personnalité secrète qui se cachait derrière son masque de vierge effarouchée. Ils s'étaient pourtant fréquentés pendant deux ans avant de s'épouser. Si ça s'était passé de nos jours, il aurait lui aussi divorcé et trouvé l'amour, le vrai. Yvette n'avait pas été honnête avec lui et elle lui avait volé 45 ans de sa vie !

Il ne pouvait revenir en arrière, mais au moins, il profitait ces temps-ci des bons moments que sa nièce lui offrait. Il ferait ainsi des réserves de bonheur pour être prêt à partir quand l'heure serait venue.

Cela ne tarderait sûrement pas, il aurait 89 ans en octobre prochain.

CHAPITRE 7

Méli-mélo

(Été 2007)

Le propriétaire d'Hugo Fréchette lui avait demandé de quitter son logement avant la fin de la semaine, mais il ne lui avait remis aucun document officiel. Les voisins se plaignaient du bruit qui provenait de chez lui jusqu'à tard dans la nuit et la police était intervenue à quelques reprises. Il devait absolument se faire oublier pour quelque temps.

Le jeune homme décida donc d'aller passer quelques jours dans la région de Val-David, où il avait encore des connaissances. Il essaierait d'obtenir quelques jours de travail chez le fleuriste, où il avait remplacé un de ses amis durant la fin de semaine de Pâques.

Hugo adorait les plantes et le jardinage. C'est un secteur d'activité dans lequel il aurait aimé évoluer, mais il arrivait toujours à saboter les belles choses qui lui arrivaient. Durant tout un été, il avait occupé un emploi dans une serre à Saint-Canut, mais ses nombreux retards et son attitude arrogante avaient fait en sorte qu'il avait été congédié.

Il lui arrivait de penser qu'il aurait été heureux s'il avait pu vivre avec Raoul Moreau, celui qu'il appelait «mon oncle».

Dans ses souvenirs d'enfant, il conservait de beaux moments passés avec cet homme, qui s'était montré d'une grande générosité à son égard. Les sorties qu'ils faisaient ensemble en voiture, les petits repas qu'ils prenaient dans les «*stands* à patates frites», comme il disait, la bicyclette verte qu'il lui avait offerte et tous les autres cadeaux reçus lors de ses anniversaires ou à Noël adoucissaient ses pensées relatives à son enfance par ailleurs difficile. Quand il jonglait de la sorte, Hugo accusait son père d'avoir gâché sa vie. Pourquoi n'avait-il pas eu le droit d'avoir quelqu'un comme Raoul comme figure paternelle au lieu de cet individu handicapé et alcoolique?

Hugo ne pouvait plus revenir en arrière, bien sûr, mais peut-être pourrait-il se rapprocher de son bienfaiteur d'autrefois et s'en occuper pendant ses vieux jours? Il réalisait cependant que celui-ci le craignait un peu. Il savait très bien qu'il n'avait pas toujours été honnête avec lui, mais il pourrait peut-être se faire repentant?

Il lui fallait absolument réussir à passer du temps avec Raoul, mais dernièrement, il n'était jamais chez lui ou alors il recevait la visite de sa nièce Dominique.

D'ailleurs, qui était ce garçon qui s'était présenté là dans une camionnette il y a quelque temps? Il avait sorti quelques petites boîtes de son véhicule et il était resté chez Raoul pendant plus d'une heure.

Était-il trop tard pour qu'Hugo prenne sa place auprès du vieil homme?

Ce matin-là, Hector s'était réveillé avec l'impression d'avoir dormi pendant des jours. Il avait mal dans le cou, dans le bas du dos et un pansement bandait sa main droite. Il n'avait cependant aucun souvenir de ce qu'il avait bien pu faire la veille.

Il lui arrivait de plus en plus souvent de se rappeler ses actions passées, mais il ne comprenait pas réellement ce qui lui arrivait. Il savait pourtant que ce n'était pas normal de se réveiller tout habillé ou de trouver une serre à bois ou une boîte de biscuits dans sa garde-robe de chambre.

Le vieil homme ne se souvenait pas qu'hier, il avait travaillé durant de longues heures dans son jardin, même s'il faisait une chaleur intense pour la période de l'année. Il avait mangé quelques bonbons qu'il avait trouvés dans ses poches et il avait bu de l'eau directement au boyau d'arrosage, mais il ne s'était pas arrêté pour dîner, n'y pensant pas tout simplement.

En fin d'après-midi, quand il avait finalement décidé de rentrer, il avait perdu pied dans l'escalier et il était tombé sur la rampe pourrie qui avait cédé sous son poids. Il n'avait pas chuté de haut, mais suffisamment pour avoir des courbatures.

Il était entré dans la maison et, sans même enlever ses bottes pleines de terre, il s'était rendu à grand-peine au salon pour s'affaler dans son fauteuil préféré. En peu de temps, il avait sombré dans un profond sommeil et il n'avait pas entendu le téléphone sonner un peu plus tard dans la soirée.

Depuis quelque temps, Monique avait pris l'habitude d'appeler son père à différentes heures de la journée pour s'assurer que tout allait bien. Il n'était pas rare qu'il ne réponde pas. Elle se disait alors qu'il était peut-être à la salle de bain, qu'il s'affairait à sortir les vidanges ou qu'il était simplement parti à la boîte aux lettres. Elle essayait plus tard et quand elle entendait sa voix, elle se sentait mieux. Elle s'efforçait de ne pas trop s'inquiéter, mais elle réalisait que l'attitude du vieil homme avait beaucoup changé dernièrement.

Ce soir-là, après plusieurs vaines tentatives pour joindre son paternel, Monique décida de se rendre chez lui. Il était à peine 7 heures et pourtant, aucune lueur n'éclairait la cuisine. Cette pièce de la maison était toujours très sombre à cause d'une grande galerie arrière, dont le toit masquait considérablement la clarté du jour. Dès 4 heures de l'après-midi, Hector avait pris l'habitude d'allumer les lumières du coin-repas et il ne les fermait qu'à l'heure d'aller au lit.

— Papa! cria la fille inquiète en entrant. Papa…

En avançant dans le salon, elle vit rapidement que son père dormait dans son fauteuil. Elle l'entendit ronfler et poussa un soupir de soulagement. Il était toujours en vie.

— S'il fallait que je le trouve mort dans la maison, je crois que je pourrais plus jamais y remettre les pieds! avait-elle plus tard avoué à son frère.

— Pourquoi tu demanderais pas à un voisin d'y aller avec toi? lui avait gentiment suggéré Jean-Guy.

— Penses-tu que je vais achaler tout le monde alentour chaque fois que je veux rentrer chez mon père? Ce que je te raconte, c'est juste pour te faire comprendre que c'est pas facile quand on s'inquiète pour quelqu'un. Toi, tu sais pas ce que c'est. Tu es déménagé assez loin pour pas t'en occuper!

— C'est pas parce qu'on reste à distance qu'on est pas tourmenté pour les nôtres! Tu me radotes toujours la même affaire!

Jean-Guy ne poursuivait jamais la conversation avec sa sœur très longtemps. Il avait tout juste 20 ans quand il avait quitté Val-David pour aller travailler à l'extérieur et, depuis, la vie l'avait conduit ailleurs.

Monique décida de laisser dormir son père pendant qu'elle ferait le tour des lieux pour s'assurer que tout était normal. En regardant dans le réfrigérateur, elle remarqua beaucoup de plats et entreprit de vérifier si des aliments étaient périmés, comme elle le faisait à l'occasion quand elle avait quelques minutes devant elle.

Un beau contenant Tupperware attira son attention. C'était sûrement la tante Doris qui le lui avait apporté. Elle l'ouvrit et découvrit une soupe bœuf et orge. Elle la mit dans une casserole pour la faire réchauffer, se doutant bien que son père n'avait pas encore soupé.

Elle jetterait tous les aliments qui n'étaient plus comestibles avant qu'il se réveille, sinon, elle savait qu'il l'en empêcherait ou lui signifierait clairement son désaccord.

Monique remplit donc un gros sac avec les victuailles défraîchies et, en voulant aller le porter dans la poubelle, elle s'aperçut que la rampe d'escalier était brisée et que différents outils de jardinage étaient dispersés par terre. Son père était probablement tombé, pensa-t-elle. Elle devait dès maintenant vérifier s'il s'était blessé.

Elle se rendit près de lui et l'examina sommairement avant de le réveiller. Un peu de sang avait séché sur sa main droite. Son pantalon à la hauteur des genoux était encrassé de terre, de même que ses bottes, ce qui expliquait qu'il avait bel et bien travaillé à l'extérieur. Monique tira délicatement son père de son sommeil, en caressant un peu son épaule.

— Papa, c'est Monique, il faut que tu te lèves. C'est pas encore la nuit et t'es couché dans ton fauteuil.

Le vieil homme ouvrit ses yeux et fixa sa fille, avec le regard quelque peu hagard.

— Pourquoi vous êtes là?

— Papa, c'est moi, Monique!

— Oui, qu'est-ce que tu fais ici?

— J'essayais de t'appeler, mais tu répondais pas au téléphone. J'avais peur qu'il te soit arrivé quelque chose. Es-tu tombé? Ton pantalon est donc ben sale!

— Non, tenta-t-il, loin d'être certain de sa réponse. Je pense pas.

— La rampe d'escalier est brisée en arrière de la maison!

— C'est pas moi! se défendit le vieil homme.

— C'est pas grave, le réconforta sa fille. Mais je voudrais savoir si t'as mal quelque part. Lève-toi pour marcher un peu.

Hector s'extirpa difficilement de son fauteuil, mais il ne semblait pas avoir subi de blessure importante. Instinctivement, il avança en direction de l'escalier qui conduisait à sa chambre à coucher.

— Attends, papa. Tu vas pas aller te mettre au lit tout de suite. Il faut que tu manges quelque chose. Je t'ai fait chauffer un bol de soupe, comme celle que mémère Moreau nous préparait.

— La soupe de maman, murmura le vieil homme avec un certain intérêt.

Comme Monique le lui demandait, Hector se dirigea vers la cuisine. La démarche de l'aîné était sûre, mais sa fille lui trouva le dos plus courbé qu'à l'habitude. Il ne se plaignait cependant aucunement.

— Ça doit être ma tante Doris qui te l'a préparée,

suggéra-t-elle alors qu'elle installait un bout de nappe devant lui.

Depuis qu'il vivait en solitaire à la maison, Hector ne couvrait plus jamais la table au complet, se contentant d'un petit espace devant lui.

Monique lui servit donc son repas bien chaud avec une grosse tranche de pain de ménage. Elle sortit également la mélasse en sachant fort bien que son père finissait souvent son repas par une beurrée de ce liquide sucré.

Hector ne disait pas un mot. Il mangeait avidement, mais semblait se trouver dans une bulle. Sa fille l'avait réveillé, mais on aurait cru qu'une partie de lui-même essayait de demeurer au pays des songes.

Monique continuait de discourir de tout et de rien afin de chasser la nervosité qui l'habitait.

Après un bon moment, son père prit soudain la parole.

— T'as pas faim, toi? C'est-tu parce qu'il en reste pas assez pour les enfants? interrogea-t-il, se remémorant le temps où Jacqueline, sa femme, avait l'habitude de se priver pour que ses marmots puissent se nourrir correctement.

— Non, papa, il y en a en masse, mais j'ai déjà soupé, répondit Monique, mal à l'aise. Il lui semblait que l'état de santé de son père avait chuté drastiquement depuis sa dernière visite.

Elle se dit qu'il lui faudrait être plus à l'écoute et surtout plus présente dans les prochaines semaines, ce qui ne lui plaisait pas nécessairement.

— Si au moins Jean-Guy venait faire son tour lui aussi! souhaita Monique à voix haute.

— C'est un bon gars, Jean-Guy, reconnut Hector. Quand il va avoir le temps, il va passer me chercher, il me l'a promis.

— Je pense que je sais quand est-ce qu'on va le voir !

Hector regarda sa fille avec un certain intérêt et un léger sourire en coin et elle ajouta :

— Tu peux attendre ton Jean-Guy dans la semaine des quatre jeudis !

— J'espère qu'il va avoir de la belle température, renchérit le vieil homme, qui n'avait pas saisi l'ironie. Ça m'inquiète quand il est sur la route.

—⁓—

Le lendemain de sa chute, Hector se leva donc avec des courbatures, mais sans aucun souvenir de ce qui lui était arrivé.

Il s'assit à la table de cuisine pour déjeuner et, comme par hasard, le téléphone sonna. C'était son fils Jean-Guy, qui était nerveux depuis qu'il avait reçu l'appel de sa sœur la veille.

— Bonjour, papa, comment tu vas ce matin ?

— Bien ! J'ai dormi comme une marmotte. Toi, qu'est-ce que tu fais de bon ?

— Je travaille fort au restaurant de ma blonde. Ici, la fin de semaine, ça marche en fou avec les touristes qui arrivent pour l'ouverture de leurs chalets. On veut prendre tout ce qui passe. On a fait pas mal de dépenses avec les rénovations. Mais inquiétez-vous pas, je vais aller vous voir au début de la semaine prochaine.

— C'est ça, tu viendras ! répondit simplement Hector, qui accordait maintenant très peu d'intérêt aux conversations.

— Monique m'a raconté que tu étais tombé hier. As-tu

mal quelque part à matin? demanda Jean-Guy, sans être certain que son père lui dirait la vérité.

— Ta sœur peut dire n'importe quoi. Je suis pas tombé, j'ai juste trop dormi, c'est pour ça que je suis courbaturé.

— Qu'est-ce que tu vas faire aujourd'hui?

— Je vais travailler dans mon jardin. Asteure que les gelées sont passées, on peut semer les légumes qui poussent en dehors de la terre, comme les tomates, les piments, les petites fèves.

— Je me souviens de ça, papa!

Et le fils entreprit de prononcer ce que son père se préparait à ajouter:

— Ça fait déjà une escousse que t'as planté tes patates pis tes carottes. Car même si on a du gel, c'est pas grave. La plante est à l'abri dans le sol.

Il y avait de ces textes programmés dans le cerveau qui semblaient ne jamais s'effacer. Bien malheureusement, de simples prénoms, voire des figures s'apprêtaient à disparaître lentement de la mémoire de l'homme.

Jean-Guy était tout aussi inquiet que sa sœur à propos de l'état de leur père, mais la distance l'empêchait d'être là quand il arrivait quelque chose. Dès lundi ou au plus tard mardi prochain, il descendrait faire un tour à Val-David et il irait voir Monique afin de lui parler de la situation.

Était-il prudent que leur père reste seul dans sa maison?

Pourquoi la tante Doris ne le prendrait-elle pas avec elle? C'était peut-être la solution!

CHAPITRE 8

Inquiétude malsaine

(Août 2007)

Il avait fait chaud la nuit dernière et Doris n'avait pas bien dormi. Elle s'était relevée à quelques reprises pour s'asseoir à la table de la cuisine, où elle avait relu le *Journal de Montréal* de la veille.

Depuis plus de 15 ans, son fils lui offrait en cadeau de fête un abonnement annuel à ce quotidien. La mère de famille n'avait pas toujours le temps de le lire en entier le jour même et elle accumulait parfois quatre ou cinq jours de retard dans ses nouvelles. Elle refusait qu'on les jette tant qu'elle ne les avait pas feuilletés au complet.

Claude partait tôt le matin pour le travail et il déjeunait au restaurant. Avant de quitter la maison, il allait ramasser le précieux paquet et le laissait sur la table de cuisine. Dès qu'elle se levait, Doris se préparait un café et elle lisait les gros titres des deux ou trois premières pages. Elle consultait ensuite dans l'ordre la chronique nécrologique, l'horoscope et le courrier de Louise Deschâtelets. Après, elle se préparait à déjeuner et, quand elle avait un moment libre, elle reprenait sa lecture du quotidien depuis le début.

Dans le cadre d'un devoir scolaire, son petit-fils Bruno

avait dû apporter une photo d'un membre de sa famille et la décrire en quelques phrases. Sans hésitation, il avait choisi sa grand-mère. Il l'avait décrite ainsi :

— Ma mamie s'appelle Doris. Elle fait les meilleurs *milk shakes* au monde. Son passe-temps préféré, c'est de découper les journaux et de tricoter. Je l'aime autant que ma mère.

Évelyne avait bien ri quand elle avait vu le travail que son garçon avait rapporté à la maison. Elle avait donné celui-ci à sa mère, qui avait été très émue que son petit-fils ait pensé à elle. Ses petits-enfants étaient sa joie de vivre.

Ce matin du 2 août 2007, contrairement à son habitude, Évelyne se réveilla en sursaut à 10 heures. Elle avait si mal dormi, bougeant sans arrêt, qu'au milieu de la nuit, Xavier avait déserté son lit pour aller se coucher sur le divan.

— Je dois partir tôt, lui avait-il expliqué, et tu tournailles[29] comme une toupie !

Xavier était technicien en informatique dans une entreprise de Mirabel et des changements majeurs au sein de la compagnie l'obligeaient à faire de longues heures de travail.

Évelyne ne s'était assoupie qu'au moment où le jour se levait. Elle s'était donc réveillée plus tard qu'à l'habitude.

Son mari était déjà parti, mais il avait tout de même pris le temps de lui laisser un mot sur la table.

Il est 6 h 30 – Je vais déjeuner au resto. Les enfants dorment et mon amour aussi. Xavier ♥♥♥

---

29 Tournailler : tourner d'un bord et de l'autre.

Le premier réflexe d'Évelyne fut d'aller voir dans la chambre de Bruno, mais il n'y était pas. Il était sûrement allé retrouver sa sœur au sous-sol. Leur père leur disait souvent qu'ils ne devaient pas réveiller leur mère le matin, qu'ils étaient assez grands pour se préparer à déjeuner. Ils connaissaient donc le refrain.

À la grande surprise de la maman, les enfants ne se trouvaient pas en bas non plus. Évelyne se mit alors à crier leurs noms dans la maison. Elle regarda dans toutes les pièces pour s'apercevoir qu'il n'y avait personne. Elle ne trouva aucune trace de vaisselle sale dans l'évier ni rien d'autre que le mémo laissé sur la table par son mari.

La mère de famille paniqua sérieusement. Elle tenta de joindre son époux à son travail, sans succès.

Elle s'habilla en vitesse et sortit de la maison pour remarquer que les vélos des enfants n'étaient pas à leur place. Elle espérait qu'ils ne seraient pas partis chacun de son côté et elle priait qu'ils n'aient pas emprunté la piste cyclable si tôt le matin, alors que peu de gens y circulaient. Il lui fallait à tout prix les localiser. Elle prit donc sa voiture et décida d'arrêter chez sa mère afin de savoir si elle les avait vus.

En arrivant chez celle-ci, elle eut la surprise de constater que ses deux jeunes étaient assis à la table de cuisine. Bruno avait la bouche remplie de pain doré et du sirop d'érable lui coulait sur le menton. Évelyne aurait voulu crier, mais aucun son ne sortait de sa gorge nouée.

Quand elle aperçut sa fille dans l'entrée, Doris craignit que celle-ci ne vienne leur apprendre une mauvaise nouvelle. Les enfants étaient figés de voir leur maman démolie de la sorte. Elle n'était pas peignée, elle avait les traits du visage creusés par la fatigue et ses yeux étaient à la fois tristes et enragés.

— Vous pouviez pas me le dire? finit-elle par récriminer en s'écrasant dans la chaise berçante en sanglotant.

— Dire quoi? demanda Noémie, croyant que sa mère exagérait.

— Évelyne! Vas-tu nous expliquer ce qui se passe? cria Doris, souhaitant voir sa fille se ressaisir.

— Je vous cherchais partout! geignit-elle en s'adressant à ses deux enfants, ses yeux laissant s'écouler les larmes d'angoisse qui s'étaient accumulées depuis le moment où elle avait imaginé qu'elle les avait perdus.

— Maman, tenta de la réconforter Bruno d'une toute petite voix, en allant la prendre par le cou, on est chez notre mamie. T'as pas besoin de t'énerver comme ça! continua-t-il en retenant difficilement ses pleurs. Arrête de t'en faire, on est là!

Doris comprit maintenant ce que sa fille avait pu ressentir. Elle lui prépara un café dans lequel elle ajouta un soupçon de cognac et elle en versa également dans le sien.

— Viens t'asseoir, Évelyne, on va en parler. T'as pas à t'en vouloir d'avoir agi de la sorte et les enfants sont pas coupables non plus. Raconte-nous ce qui t'est arrivé.

Les jeunes écoutaient leur grand-mère avec beaucoup d'attention.

— Depuis deux jours, je suis tout à l'envers. Je pense tout le temps à la pauvre petite Cédrika qui a été enlevée mardi soir. Je me demande où elle peut être, si elle a froid ou si on lui a fait du mal. Qui peut être assez méchant pour s'en prendre à une enfant de neuf ans?

— Je sais, ma belle fille, moi aussi ça me tourmente, mais on doit se faire une raison. Bien sûr, Noémie et Bruno auraient pu t'écrire un mot avant de partir, mais je reste tout juste à un coin de rue de chez toi.

— Maman, on a jamais laissé des notes quand on venait chez mamie, observa Noémie.

— J'ai passé une nuit blanche[30] avec l'histoire de l'enlèvement! précisa Évelyne pour démontrer son niveau d'inquiétude.

— Quand je dors pas, moi je me lève et je fais quelque chose plutôt que de jongler dans mon lit. Le petit hamster qui nous trotte toujours dans la tête, il faut l'arrêter des fois, répondit sagement Doris.

Bruno était stupéfait!

— Mamie, t'as un hamster dans ta tête? Ça se peut pas! Tu racontes encore des blagues, hein?

Évelyne et Doris n'eurent d'autre choix que d'éclater de rire et Noémie leur sourit.

— C'est une expression, mon grand, mentionna Doris. Ça doit t'arriver de réfléchir à toutes sortes d'affaires et d'imaginer comment les choses pourraient se dérouler.

— Ma tante Dominique dirait se faire des scénarios, ajouta Noémie pour démontrer qu'elle avait bien saisi le sens de sa phrase.

— Oui, c'est ça! Toi, est-ce que tu comprends, Bruno?

— Oui, c'est comme avant le premier jour d'école chaque année!

— À quoi tu penses dans ce temps-là?

— Je me pose des questions comme si Marie-Belle va être dans la même classe que moi et quel professeur je vais avoir. Comme l'année prochaine, je voudrais pas me retrouver avec monsieur Pilon.

— Pourquoi? demanda sa mère, encore une fois inquiète.

---

30 Passer une nuit blanche: Ne pas dormir de la nuit.

— Parce que les gars ont dit qu'il donnait beaucoup de devoirs. Il est supposé d'être gentil et drôle, mais…

— Faut pas toujours croire ce que les autres racontent, lui conseilla sa mamie. Il vaut mieux se faire sa propre opinion des gens.

Évelyne et Doris parlèrent ensuite avec les enfants de l'enlèvement de la petite Cédrika et elles leur prodiguèrent des consignes de sécurité à respecter.

— Surtout, faites jamais confiance à des étrangers. Il me semble que le monde est plus méchant aujourd'hui. On voyait pas ça dans notre temps!

Toute la famille retrouva ses esprits et, après que les émotions furent calmées, Doris prépara un petit déjeuner à sa fille.

— J'ai encore faim! se plaignit Bruno. Est-ce que je pourrais avoir du pain doré?

— Avec plaisir, mon beau garçon. Comme ça, tu vas pouvoir accompagner ta mère. C'est plate de manger toute seule!

Dans les journaux, à la radio et à la télévision, on faisait grand cas de cette petite fille de neuf ans, Cédrika Provencher, qui avait été enlevée le mardi soir 31 juillet 2007, à Trois-Rivières. Des dizaines de policiers et quelques centaines de bénévoles participaient activement aux recherches pour la retrouver.

La photo de la gamine était affichée partout. C'était une jolie brunette avec des cheveux tressés, des yeux vifs à la forme et à la couleur des noisettes et de mignonnes taches de rousseur sur le nez. Autour de son cou, un foulard aux teintes de bleu, de vert et de jaune était noué selon les consignes de son groupe de louveteaux.

En regardant les nouvelles à la télévision, des milliers de

gens s'étaient demandé comment ils réagiraient si une telle situation arrivait à l'un de leurs enfants ou petits-enfants. Comme Évelyne et Doris, plusieurs vivaient dans l'inquiétude, de petits hamsters trottant allègrement dans leur tête.

——

Claude n'avait pas toujours le goût de rentrer à la maison à la fin de la journée. Il aurait bien aimé avoir une place bien à lui, se sentant chez sa mère confiné dans une seule pièce, sa chambre d'adolescent. Il aurait bientôt 52 ans et il veillait encore au salon avec sa maman.

Cet intermède lui avait cependant été bénéfique et il n'avait jamais été aussi bien mentalement, mais il était temps qu'il passe à autre chose. Il commençait à se sentir étouffé par sa mère, qui le surprotégeait comme s'il était encore un gamin.

Depuis qu'il restait avec elle, il avait économisé une grosse somme. Doris n'avait pas voulu qu'il lui verse une pension, alors il réglait des comptes à son insu. Quand le courrier arrivait, il subtilisait les factures d'électricité et de téléphone, et il se rendait à la banque pour les payer. Il avait aussi acheté des matériaux et il avait fait l'entretien de toutes les galeries et des fenêtres extérieures.

Quand il avait finalisé son divorce, il avait utilisé la somme qui lui était revenue, une fois les frais acquittés, et il avait acquis un terrain qu'il convoitait depuis longtemps. Il s'était ainsi accroché au fait qu'il avait encore une place bien à lui.

C'était décidé, il se trouverait un beau modèle de maison et il se construirait un nouveau nid.

Doris serait triste quand il partirait, mais Claude était convaincu qu'elle le comprendrait. Il ferait des compromis et lui promettrait de l'inviter chez lui, ce qui n'était pas arrivé souvent durant son mariage avec Patricia.

En pensant à son ex-femme, le divorcé se demanda comment elle réagirait quand elle apprendrait qu'il se construisait une maison neuve. Il savait que ça avait été son plus grand rêve!

CHAPITRE 9

La grande demande

(Septembre 2007)

Les vacances d'été étaient maintenant terminées et les enfants d'Évelyne venaient de retourner en classe. La mère profiterait de ses moments libres pour ôter les mauvaises herbes de son jardin et aménager ses platebandes de fleurs qu'elle agrandissait chaque printemps. C'était son passe-temps favori et lorsqu'elle avait fini chez elle, elle se permettait d'aller aider sa mère à faire ce genre de besogne saisonnière.

Cette semaine, d'autres occupations l'avaient accaparée. Elle s'était engagée à organiser une fête surprise pour sa sœur Dominique, qui célébrerait ses 50 ans le dimanche suivant. De connivence avec son beau-frère Patrick, ils avaient planifié de réunir toute la famille pour un dîner.

— Comme prévu, lui expliqua Doris, Patrick m'a appelée mercredi soir et il m'a dit qu'il m'invitait pour un brunch à l'Auberge du Vieux Foyer. Il a mentionné qu'il passerait me chercher vers 11 h 30.

— Es-tu certaine que Dominique se doute de rien ?

— J'en suis convaincue ! Imagine-toi donc qu'elle a suggéré à Patrick de demander à Raoul de venir avec nous.

Depuis qu'elle est allée chez le médecin avec lui ce printemps, je sais qu'elle lui téléphone et qu'elle est allée lui rendre visite à quelques reprises durant l'été.

— Mon oncle doit être content! C'est sûrement pas facile de vieillir quand on est tout seul! Remarque bien qu'on pourrait aller faire un tour de temps en temps nous autres aussi, mais on a pas été habitués à le voisiner quand on était jeunes.

— De toute façon, du temps où il était avec la belle Yvette, c'était pas le même homme. Je te dis qu'en mettant le grappin sur mon frère, elle lui a fait endurer tout un calvaire!

— C'était quoi, son problème à elle? J'ai toujours pensé qu'il y avait un mystère autour d'elle et personne voulait dire quoi que ce soit à son propos.

— C'est un peu la vérité. J'espérais qu'un jour le chat sortirait du sac[31], mais Raoul est tellement réservé qu'il aborde jamais ce sujet-là. Une chose est certaine, c'est qu'il a été plus heureux après sa mort. Le plus beau cadeau que la vie lui a fait, c'est quand il a mis Irène sur sa route. Une vraie soie, cette femme-là! S'il avait arrêté de penser aux qu'en-dira-t-on, il aurait pu la marier et vivre chez lui ou chez elle plutôt que de se promener d'une maison à l'autre.

— Il voulait sûrement préserver les apparences. Celle qu'on appelait ma tante Irène avait tout de même des enfants. Ça aurait pu compliquer les affaires.

— En tout cas, il a au moins vécu des belles années avec elle. Je raconterais pas ça à n'importe qui, mais il a pas pleuré une seule larme quand sa première femme est morte.

— C'est drôle que tu en parles parce que moi je me

---

31 Que le chat sorte du sac: qu'un secret soit découvert.

souviens d'avoir senti qu'il était tout à coup libéré, sans réaliser pourquoi.

— Et c'était le cas! Il a recommencé à nous visiter tout de suite après. Quand il s'est mis à fréquenter Irène, il est venu ici avec elle pour savoir comment j'allais réagir.

— Et puis? Qu'est-ce que tu as fait? demanda Évelyne, qui était la plus curieuse de la famille.

— Je l'ai reçue comme une grande amie! De toute manière, je la connaissais depuis plusieurs années. On était toutes les deux membres des Filles d'Isabelle.

— Ils étaient si beaux à voir ensemble. Je me souviens que mon oncle était abattu quand elle est décédée. Il faisait pitié aux funérailles.

— C'est ça la vie! Il semble qu'il y ait pas de bonheur sur cette Terre. Quand ton père nous a quittés, moi aussi j'ai quasiment perdu les pédales. Même s'il me tapait sur les nerfs dans la maison, depuis qu'il avait pris sa retraite, il y a bien des matins où j'aurais voulu faire marche arrière.

— Qu'est-ce qu'il faisait pour t'achaler autant que ça? Il me semble que papa avait pas un si mauvais caractère.

— Il était toujours assis devant la télévision! Ben des fois, il s'endormait là, dans son La-Z-Boy, comme s'il avait les fesses collées avec de la *Krazy Glue*.

— T'as raison! Chaque fois qu'on arrivait, il écoutait un programme de sport ou des nouvelles. On aurait dit qu'on le dérangeait quand on entrait dans le salon.

— Tout l'intéressait, surtout depuis qu'on avait le câble avec tous ces postes. C'est pour ça que j'avais un appareil juste pour moi dans la cuisine parce que sinon j'aurais jamais pu suivre mes émissions.

— Vous sortiez quand même souvent, tous les deux, et

vous avez même pris de belles vacances avec vos amis du Bas-du-Fleuve.

— Oui, et ça me manque beaucoup. Depuis que je suis toute seule, je suis plutôt renfermée dans ma maison. Heureusement que j'ai un peu de visite.

— Un peu, tu dis? Il y a des commerces qui aimeraient bien avoir ton achalandage!

— Tu as bien raison, je suis privilégiée. Pour en revenir au brunch de dimanche, Dominique m'a appelée pour m'aviser qu'on passerait chercher Raoul chez lui avant de nous rendre à l'auberge.

— Elle va être surprise quand elle va réaliser qu'on est tous là! J'ai réussi à joindre sa grande amie d'école, Solange Dubois. Elles ont fait tout leur secondaire ensemble et au fil du temps, elles se sont perdues de vue.

— Je pense qu'on va bien s'amuser! Quand Patrick et Xavier sont de la fête, c'est certain qu'on rit tout le temps. Est-ce qu'on va être plusieurs?

— On devrait être une vingtaine au moins.

— Elle le mérite bien et puis on a pas 50 ans tous les jours!

— J'ai pas hâte d'arriver là, se plaignit Évelyne, qui avait eu beaucoup de difficulté à accepter la transition vers la quarantaine.

— On passe tous par là de toute façon. La seule manière de rester en vie, c'est de vieillir!

— Ça paraît que tu te tiens avec la madame de la bibliothèque! Tu commences à nous sortir des drôles de phrases!

Raoul avait été très surpris quand il avait reçu l'appel téléphonique du mari de Dominique. Il connaissait peu Patrick, mais lui vouait une grande estime. Chaque fois que Doris parlait de son gendre, c'était dans des termes élogieux et il savait qu'il était bon pour elle.

Il avait donc accepté l'invitation et avait offert de se rendre sur les lieux avec son propre véhicule.

— Laissez faire, mon oncle, s'était opposé Patrick. On va aller vous chercher à la porte. De toute façon, je passe prendre ma belle-mère. Ça va être le même prix pour deux clients que pour un seul!

— Inquiète-toi pas, je vais être prêt quand vous allez arriver. J'ai pas l'habitude d'être en retard, tu peux demander à ta femme.

— Je sais tout ça. Dominique m'a dit que son grand-père Moreau tolérait pas les retardataires. Il semble que vous ayez manqué quelques repas pour pas avoir été ponctuel dans votre jeune temps.

— Oui, c'est bien vrai. Il y a même une fois où j'ai dû assister à trois messes en ligne pour être arrivé quelques minutes après le début d'une cérémonie.

— C'était sévère, dans ce temps-là. Si quelqu'un avait dit qu'un jour les gens travailleraient sur des horaires variables, il aurait fait rire de lui. En tout cas, attendez-nous dimanche matin aux alentours de 11 h 30.

Claude, Évelyne et sa famille étaient tous réunis avec les amis dans une salle et ils attendaient l'arrivée de Dominique depuis 11 heures. L'ambiance était à la fête et quelques bouquets de ballons roses, avec le nombre 50 imprimé dessus, étaient répartis sur les tables. Tout le monde avait eu comme directive de porter un petit quelque chose dans les teintes de rosé, la couleur préférée de la fêtée. On pouvait donc remarquer des rubans dans les cheveux des filles, des foulards autour du cou, des boucles d'oreilles, des mouchoirs dans les poches de vestons, des chemises et autres atours roses. Chacun avait participé selon son degré d'exubérance ou de folie.

Dominique entra la première de son petit groupe dans la salle en marchant d'un bon pas. C'était dans sa nature de prendre les devants. Elle voulait réserver une place avec une belle luminosité pour son oncle et sa mère. Elle savait que les personnes âgées détestaient les endroits sombres où ils ne voyaient rien dans leurs assiettes.

Ce qu'elle aperçut en premier, ce fut les ballons. Elle se dit alors que c'était sûrement l'anniversaire de quelqu'un né le même jour qu'elle. Elle ne se doutait pas qu'on la fêterait, elle, car la veille, son époux l'avait emmenée dans un grand restaurant de Laval, où il avait réuni quelques amis pour souligner l'événement.

Ce matin, quand elle était arrivée chez sa mère, celle-ci lui avait donné sa carte de souhaits, comme elle le faisait tous les ans. Elle avait déposé à l'intérieur quelques billets de loterie que Dominique devrait gratter afin de savoir si elle avait gagné un lot. La femme haïssait ce genre de cadeau, mais ne l'avait jamais confié à sa mère, car elle ne voulait pas la peiner. Ainsi, année après année, Doris continuait de lui en offrir.

Ils s'étaient ensuite dirigés vers la maison de son oncle qui, comme promis, attendait patiemment son transport debout sur la galerie.

Elle ne pouvait donc pas imaginer qu'autre chose était prévu qu'un simple dîner. Les invités se mirent alors à lui chanter «Ma chère Dominique, c'est à ton tour, de te laisser parler d'amour...». Il n'en fallait pas plus pour que les larmes inondent ses yeux. Immédiatement, le petit Bruno accourut avec un papier-mouchoir, que sa mère lui avait demandé d'aller porter à sa tante, pendant qu'elle-même essuyait les siens.

Encore une fois, la famille Moreau était réunie pour un événement joyeux. Il n'était pas toujours facile de pouvoir compter sur la présence de tout le monde en même temps, mais sans que ce soit compliqué, on essayait de profiter au maximum de ces instants magiques.

Patrick était très heureux de constater le bonheur qui rayonnait dans les yeux de la femme qu'il adorait depuis le premier jour. Ils avaient vécu des périodes difficiles à une certaine époque de leur vie et il appréciait d'autant plus des journées comme celle-ci. Cette femme que tout le monde trouvait si forte avait eu des périodes de dépression très intenses et il craignait toujours qu'elle fasse une rechute.

L'oncle Raoul fut accueilli par toute la famille avec beaucoup de plaisir. Il se sentait un peu maladroit quand il devait interagir avec un groupe de gens, mais comme il s'agissait en majorité de ses neveux et nièces, il s'acclimata rapidement. Pendant que Dominique faisait la tournée pour embrasser tout le monde, on le fit asseoir auprès de Doris, qui pourrait veiller à ce qu'il ne manque de rien et surtout qu'il soit à l'aise.

— Ici, Raoul, c'est un buffet, indiqua la sœur délicatement à l'oreille de son frère. Ils vont nous servir du café et ensuite, on ira se faire une assiette.

— J'ai jamais faim le midi. J'ai déjà mangé mes deux toasts en me levant ce matin.

— Oui, mais tu vas voir, l'appétit vient en mangeant. Ils ont le tour d'apprêter les mets différemment de nous autres. Si tu veux, on ira faire une tournée pour regarder ce qu'il y a sur les tables et après, on fera nos choix. Moi, c'est ce que je fais, quand je vais dans une nouvelle place : j'en prends juste un petit peu pour goûter. Si j'aime ça, j'y retourne.

— Je vais faire comme toi. Quand je sortais avec Irène, c'est elle qui s'occupait de m'expliquer toutes ces affaires-là. Il me semble que j'en ai perdu pas mal depuis qu'elle est partie. Vous, les femmes, si on ne vous avait pas !

— Oui, on dirait que les hommes sont déroutés quand ils tombent tout seuls, alors que nous, les filles, on est habituées à prendre soin des autres dès notre tout jeune âge.

— C'est un peu ingrat de notre part, tu penses pas ? En réalité, on profite de vous durant toute notre existence !

— À mon avis, c'est du *give and take*, comme répétait mon vieux Marcel. Tant que mon mari a vécu, j'ai jamais eu à me soucier d'aller gagner une cenne et j'ai toujours mangé trois repas par jour et des fois quatre. C'était notre équilibre, dans le temps. Aujourd'hui, je dois avouer que ça a pas mal changé, mais je suis pas certaine que ce soit pour le mieux.

Raoul vit là le moment qu'il attendait pour demander l'avis de sa sœur.

— En passant, est-ce que tu penses que ta fille Dominique accepterait de s'occuper de mes affaires personnelles ? Je commence à me faire vieux et j'ai des problèmes avec mes yeux, mes oreilles, sans parler du reste, expliqua-t-il en lui décochant un clin d'œil.

— Il faudrait que tu lui demandes directement. Je peux

pas répondre à sa place, mais je crois bien qu'elle va dire oui. C'est pas parce que c'est ma fille, mais Dominique a un sapré bon cœur.

— Comme sa maman! ajouta le frère affectueux, en lui faisant une légère accolade.

Cela faisait déjà un moment que Raoul songeait à faire «la grande demande» à Dominique, mais il remettait toujours la discussion à plus tard. Il voyait maintenant l'automne qui approchait à grands pas et il craignait de ne pas être en mesure de passer un autre hiver dans sa maison.

Le mois prochain, il aurait 89 ans et il sentait l'urgence de pouvoir compter sur une personne fiable pour prendre les décisions nécessaires à son bien-être.

———

Le repas d'anniversaire se déroula dans la gaieté. Alors que son entourage chantait encore bonne fête à Dominique, une serveuse lui apporta un immense gâteau blanc décoré de plusieurs chandelles. En voyant que le dessert était en forme de bouteille de Purell, tout le monde se mit à rire.

— Ma sœur est tellement obsédée par la propreté qu'elle possède des parts dans la compagnie Purell, qui a décidé cette année de lui offrir son gâteau d'anniversaire, railla Évelyne.

— T'es pas mal drôle, Évelyne, mais je suis pas si maniaque que ça! se défendit Dominique, pendant que son époux fouillait dans sa sacoche pour sortir une dizaine de contenants de ce fameux liquide désinfectant qu'il avait soigneusement dissimulés pendant le brunch.

L'ambiance était formidable. Les invités avaient été

prévenus de ne pas apporter de cadeau, mais pour l'occasion, Patrick avait mandaté Évelyne pour acheter une douzaine de roses rouges. Il avait aussi demandé à la jeune Noémie de les lui remettre, une tâche dont cette dernière s'acquitta avec beaucoup de classe!

Au milieu de l'après-midi, les gens rentrèrent tous chez eux. La fin de semaine avait été bien remplie pour la majorité des convives et ils devaient se préparer pour une autre semaine de travail.

Doris demanda à Patrick de la laisser chez elle en premier, afin que Raoul ait la chance de parler avec Dominique. Il valait mieux battre le fer pendant qu'il était chaud, lui avait-elle suggéré.

— Merci d'avoir pensé à moi pour cette occasion, fit Raoul, reconnaissant, en arrivant devant chez lui. Je suis privilégié d'avoir une famille si bien attentionnée.

— C'est à moi que vous avez fait plaisir, assura Dominique, qui avait été heureuse que son protégé fasse partie de la fête.

— J'avais quelque chose à te demander, Dominique, lança-t-il avant de sortir de la voiture.

— Oui, mon oncle. Qu'est-ce que vous voulez?

— Ça fait longtemps que je souhaitais t'en parler, mais je savais pas comment te le dire. Accepterais-tu de t'occuper de moi, de voir à mes papiers et de prendre les décisions à ma place quand le moment sera venu?

Dominique était très émue de cette requête. Quelle belle marque de confiance que d'offrir à une nièce de gérer ses biens!

— Oui, je le veux! répondit-elle en riant pour détendre l'atmosphère.

— Quand est-ce que ça ferait ton affaire qu'on en parle?

— Si vous avez le goût, je passerai un après-midi cette semaine et vous me direz ce que vous aimeriez que je fasse exactement.

— Là tu me fais plaisir et tu m'enlèves une épine du pied! Viens quand tu pourras, j'ai pas à sortir ces jours-icitte.

— Vous allez quand même pas rester à la maison pour m'attendre, mon oncle. Mardi matin, est-ce que ça vous conviendrait? Sinon, ça peut être un autre jour.

— C'est bien parfait. Je vais aller l'écrire sur mon calendrier du Sacré-Cœur aussitôt que je vais rentrer pour pas l'oublier. Je te remercierai jamais assez de ta grande générosité, et ça compte aussi pour toi, Patrick!

— Vous avez pas besoin de me remercier, voyons! Le temps qu'elle sera avec vous, ça va me permettre de respirer un peu! lança-t-il à la blague.

Raoul entra chez lui, nota son rendez-vous et alla s'étendre sur son vieux divan afin de laisser décanter ses idées. Il commença alors à dire son chapelet et s'endormit en pleurant.

Maintenant, il n'était plus seul, il venait de gagner une fille. Il savait qu'il avait fait le bon choix, car s'il avait eu un enfant, il aurait voulu qu'elle soit exactement comme Dominique.

Les problèmes d'argent ne seraient dorénavant plus les siens. Quelqu'un d'autre allait gérer le petit magot qu'il avait amassé sou par sou pendant de longues années.

Monique était responsable du même mandat vis-à-vis de son père depuis que les premiers signes de la maladie d'Alzheimer étaient apparus chez lui, un an auparavant. L'intervenante du Centre de santé et de services sociaux lui avait bien expliqué ses engagements lorsqu'elle l'avait rencontrée.

— Vous savez, madame Moreau, qu'il vous incombe à vous et à votre frère de prendre soin de lui. Sinon, le Curateur public du Québec s'impliquera dans le dossier et le prendra en charge.

— Oui, mais c'est toujours moi qui fais tout! Jean-Guy se mêle jamais de rien. Il vient voir papa à sa fête, à la fête des Pères et à Noël ou au jour de l'An. Jamais aux deux! Il est pas trop porté sur la famille.

— Je peux pas juger de ce que l'un ou l'autre fait pour son parent. Tout ce que je vous explique, c'est que votre père a le droit de pouvoir compter sur quelqu'un qui veille à son bien-être. Si vous le désirez, je peux organiser une rencontre avec vous trois. On analysera la situation et on pourra discuter de différentes avenues qui s'offrent à vous. Chacun pourrait aussi donner son opinion.

Cette rencontre avait donc eu lieu et à la suite de celle-ci, Jean-Guy s'était complètement désisté, laissant toute la latitude à Monique pour s'occuper d'Hector. Quelques semaines plus tard, la femme s'était rendue chez le notaire avec son père et des documents avaient été rédigés en ce sens.

Une matinée de septembre, Jean-Guy passa à la pharmacie où sa sœur travaillait.

— J'arrive de Saint-Jérôme et j'ai décidé de faire un petit détour pour venir te voir.

— Un peu plus et je te reconnaissais pas. Tu as des nouvelles lunettes et on dirait qu'elles sont encore plus épaisses que les anciennes. Si ça continue, tu vas avoir des fonds de bouteilles à la place des verres. Ça te change en pas pour rire!

— Tout un accueil que tu me fais là, la sœur! Pas vraiment sympathique! jeta-t-il, frustré par les propos méprisants de sa jumelle.

— Excuse-moi, j'ai les nerfs en boule ce matin. Je sors du bureau du gérant qui m'a encore achalée avec ses recommandations. On croirait parfois qu'il nous prend pour des enfants d'école!

— Moi, j'ai jamais eu de problème avec ça!

— C'est bien certain, tu étais syndiqué! Si j'avais un contrat de travail comme les facteurs, avec les uniformes fournis, trois, quatre semaines de vacances par année et un gros salaire, moi non plus, je chialerais pas.

Jean-Guy avait entendu ces critiques de sa sœur à plusieurs reprises et il ne voulait pas mordre à l'hameçon.

— Est-ce que tu peux sortir pour le dîner?

— J'ai tout mon temps! J'étais censée m'occuper de la caisse cet après-midi, mais le gérant m'a dit qu'il avait suffisamment d'employés aujourd'hui et m'a offert de travailler à soir pour en remplacer une qui s'est déclarée malade pour la veillée.

— Est-ce qu'il te fait ça souvent? C'est pas évident d'avoir des heures coupées comme ça!

— Pas vraiment, mais pour une fois, ça m'arrangeait. Je vais en profiter pour aller régler des affaires pour papa.

— Si tu veux, je vais te laisser terminer et je vais aller t'attendre Chez Lafantaisie. On parlera de tout ça. Et en passant, c'est moi qui t'invite!

— Tu viens pas souvent à Sainte-Agathe, le frère! Le restaurant s'appelle Marie-Soleil depuis déjà belle lurette!

— Je le sais, j'arrête régulièrement là avec ma femme. Mais quelque part, dans mon cœur, ça restera toujours Chez Lafantaisie, le casse-croûte de mon adolescence. Val-David est juste à sept ou huit kilomètres de Sainte-Agathe, mais dès qu'on a commencé le secondaire, on aimait plus être là que dans notre petit village. Et puis peu importe le nom du restaurant, est-ce que tu acceptes mon offre?

— Je peux pas dire non! Et prépare-toi parce que j'ai une faim de loup!

Au début de l'année, quand Jean-Guy avait dit à sa sœur qu'il ne voulait pas prendre le mandat de s'occuper de son père, il était sincère. Cependant, il souhaitait tout de même rester au courant de ce qui se passait et il n'hésiterait pas à l'aider. Il demeurait à près d'une heure de Val-David, plus au nord, mais il pouvait très bien se déplacer si Monique avait besoin de lui. Il espérait que pour une fois, ils pourraient s'entendre.

Jean-Guy adorait son nouveau lieu de résidence et le commerce de sa conjointe fonctionnait à merveille. Pour la première fois dans sa vie, il se sentait réellement heureux. La seule ombre au tableau était le vieillissement de son père et l'inquiétude que cette situation engendrait. Rien dans l'existence ne nous préparait à vivre ces instants.

— Qu'est-ce que tu faisais dans le coin ce matin? lui demanda sa sœur, surprise qu'il soit dans la région en pleine semaine.

— Je suis allé faire des achats pour le restaurant. Quand on a besoin d'équipement spécialisé, on a pas vraiment le choix, parce que par catalogue, c'est parfois difficile. J'aurais pu aller à Mont-Laurier, mais je voulais profiter de l'occasion pour venir vous visiter, papa et toi.

— Essaie pas de me faire accroire que tu t'ennuyais de nous autres!

— On est-tu obligés d'être comme chien et chat chaque fois qu'on se rencontre ou qu'on se parle? Toi t'es jamais montée à Labelle depuis que je suis déménagé. T'as jamais vu notre restaurant!

— Penses-tu que j'ai rien que ça à faire, moi, me promener? Je m'occupe de papa depuis un an puis je suis toute seule pour gagner ma vie. J'ai pas de chum qui me fait vivre, moi!

— Monique, je veux pas me chicaner avec toi. On est rien que deux dans la famille, on devrait pouvoir s'entendre. Si je suis venu te voir, c'est justement à propos de lui. Je trouve que dernièrement, il en perd beaucoup. L'autre soir, je l'ai appelé et après lui avoir parlé, j'ai eu de la misère à m'endormir.

— Est-ce que tu penses que je dors bien toutes les nuits, moi? Il y a des journées où papa est moins bien, alors j'essaie de passer chez lui le plus souvent possible, mais je peux pas rester avec lui du matin au soir!

— Je te fais pas de reproche, la sœur. Il faudrait peut-être lui suggérer d'aller vivre dans une résidence. C'est pas vraiment prudent qu'il habite tout seul comme ça dans sa maison.

— J'ai commencé des démarches, mais c'est long. Il faut prendre des rendez-vous et aller visiter les foyers. Il faut aussi négocier les prix et c'est pas donné, je t'en passe un papier!

— Papa a-tu les moyens d'aller dans une résidence comme ça?

— Il aura pas le choix. Ça peut plus continuer! Il oublie de plus en plus de choses. Cette semaine, je suis arrivée chez lui au début de la soirée et il y avait un chaudron sur le poêle avec des fèves au lard dedans. Ça avait brûlé dans le fond et j'ai jamais pu le nettoyer au complet. J'ai dû tout jeter à la poubelle, même le plat.

— Il va finir par passer au feu si ça continue !

— Il faudrait que je vérifie s'il a payé ses assurances cette année. Il y a rien de moins sûr ! Il va falloir que je fasse le ménage dans ses papiers et tout examiner. C'est pas évident quand tu te mets le nez dans les affaires des autres.

— Si tu trouvais une bonne place pour papa, tu pourrais vendre la maison, proposa Jean-Guy, et on pourrait se servir de cet argent-là pour subvenir à ses besoins.

Monique tenta de ne pas montrer sa surprise face à la proposition de son frère. Jamais elle n'avait cru qu'il lui parlerait d'une telle éventualité, surtout pas maintenant, alors que son père vivait encore chez lui. Elle reprit son souffle et répondit calmement :

— Non, pour l'instant, je la louerais. Je connais bien des gens dans le village. Ça paierait les frais d'entretien et plus tard, on aviserait.

— Tu penses pas que ça te causerait trop d'ennuis ? Tu sais que pour une femme, c'est pas facile quand il y a des travaux à faire et la main-d'œuvre est rare et dispendieuse. Ce serait plus simple de la vendre pendant qu'elle est encore dans un état satisfaisant.

— Inquiète-toi pas pour moi. J'ai l'habitude de régler mes problèmes. L'année passée, tu m'as laissé la charge de papa et je vais m'en occuper jusqu'au bout !

— T'es pas obligée de me répondre sur ce ton-là ! J'ai jamais dit que je t'aiderais pas quand ce serait le moment.

— Non, mais tu serais prêt à vendre la maison au premier venu ! Moi, ça me ferait trop de peine, soupira

Monique avec de fausses larmes aux yeux. J'aurais l'impression de pousser mon papa dans sa tombe avant le temps.

— Papa a jamais parlé de ce qu'il aimerait qu'on en fasse au moment où il sera trop vieux ou même quand il partira ?

— Pas à mon souvenir, répondit la sœur en se croisant les doigts derrière le dos, comme elle le faisait souvent quand elle mentait ouvertement.

Jean-Guy n'insista pas, se disant qu'au moment où son père entrerait en résidence, il ramènerait le sujet sur le tapis.

Ce qu'il ignorait, c'est qu'Hector avait déjà nommé Monique comme exécutrice testamentaire et qu'elle était avec lui quand il était allé rédiger ses dernières volontés. Elle l'avait suffisamment manipulé pour qu'il lui lègue sa maison.

— Vous savez, papa, que je suis célibataire et que je suis très attachée aux souvenirs de famille, tandis que Jean-Guy... avait-elle mentionné pour semer un doute dans l'esprit du vieil homme.

— C'est vrai que ton frère a déménagé assez souvent. On dirait qu'il a de la misère à s'enraciner, avait répondu Hector, qui souhaitait être juste avec ses enfants.

Afin de ne pas laisser le temps à son père de réfléchir trop longuement, elle avait renchéri.

— Après que maman est décédée, c'est moi qui suis allée à la maison pour vous aider à trier ses affaires. Vous vous rappelez sûrement combien j'étais émue de voir tout ce que vous aviez amassé au fil des années. Chaque bibelot avait une histoire, chaque foulard qu'elle avait reçu en cadeau, chaque carte. J'aurais de la peine que Jean-Guy ou plutôt une belle-sœur vienne faire une razzia dans vos biens. En plus de ça, mon frère reçoit une belle pension du gouvernement, tandis que moi, je vais être obligée de travailler jusqu'à ma mort comme c'est parti là. Nous autres, les femmes, on a toujours été défavorisées par rapport aux hommes, s'était-elle plainte, avec un léger trémolo dans la voix.

Hector n'y avait vu que du feu. Il avait été attendri par les propos de Monique, et dans le bureau du notaire Girouard, il avait spécifié que la maison reviendrait à sa fille au moment de son décès. Il avait par contre décidé que l'argent qui resterait dans son compte de banque et son assurance-vie seraient divisés en parts égales entre les deux enfants.

Durant toutes ses années de mariage, Hector s'était fait mener par le bout du nez par sa femme et il semblait bien que sa fille était prête à prendre le relais.

— J'aimerais ça que tu donnes des souvenirs à ton frère, par exemple, avait-il mentionné en sortant du bureau, subitement mal à l'aise de l'injustice qu'il venait de commettre.

— Vous savez bien que c'est ce que je vais faire. On est des jumeaux après tout et on va s'arranger à l'amiable, avait-elle affirmé en lui flattant le bras pour le rassurer.

Une semaine plus tard, Monique détenait une procuration générale en main et elle avait déjà une très bonne idée de la façon dont elle gérerait le tout.

Monique et Dominique se voyaient donc responsables d'un mandat comparable. Leurs pères avaient sensiblement le même âge et ils s'apprêtaient à vivre de grands changements dans les prochaines années, voire les mois à venir.

Comment se dérouleraient les dernières années de leur vie ?

Pour ce faire, ils avaient remis leur sort entre les mains de gens qu'ils avaient choisis!

CHAPITRE 10

Mille et un papiers

(Septembre – octobre 2007)

C'est aujourd'hui que Dominique rendait visite à son oncle pour prendre connaissance des documents qu'il souhaitait lui confier.

Celui-ci s'était réveillé assez tôt, comme il en avait l'habitude, et après avoir pris son déjeuner et ses médicaments, il avait fait sa toilette et s'était habillé en revêtant son plus beau linge de semaine. Il avait pu ensuite s'étendre un peu sur son divan pour continuer la nuit de sommeil qu'il avait volontairement interrompue en attendant que le jour se lève pour lui apporter la quiétude. Dominique ne viendrait qu'à 10 heures. Il avait amplement le temps.

Une fois sa sieste terminée, il enfila ses vieux mocassins et s'installa à la table de la cuisine, où il sirota une tasse de café. Au moment où il vit la voiture de sa nièce pénétrer dans l'entrée de cour, il sentit son cœur battre plus fort. Il était tout simplement heureux de savoir qu'il passerait du temps avec elle.

— Entre, Dominique. T'arrives juste à temps pour que je te serve une bonne tasse de café ou de thé, comme ça te plaira.

— Je vous remercie, mon oncle, mais j'ai déjà pris mon quota! Si j'étais fine, il faudrait que j'arrête d'en boire autant. Je suis suffisamment excitée sans ça!

— Moi, j'en ai toujours avalé quatre ou cinq tasses chaque matin et j'approche de 89 ans. Ça doit pas être si mauvais pour la santé!

— Je devais avoir quatre ou cinq ans quand j'ai commencé à tremper mes lèvres dans la tasse de mon père. C'était naturellement à l'insu de ma mère! Je trouvais ça mauvais au début, mais à force d'en boire, j'ai développé le goût.

— C'était tout un homme, Marcel! Un gars qui parlait jamais contre les autres, un vrai gentleman! Je te dis que ma sœur Doris avait frappé le bon numéro. Ça a pas été mon cas!

— Vous vous êtes peut-être marié trop jeune?

— Trop innocent surtout! Si j'avais su dans quel bateau j'embarquais, j'aurais pris mon temps. Peut-être que dans la vie, on a juste ce qu'on mérite!

— Pourquoi vous parlez comme ça? Je trouve que vous êtes un bon diable! Maman m'a raconté combien vous aviez été généreux avec elle et aussi avec vos parents. Vous leur avez payé une pension jusqu'à leur mort, même si vous demeuriez plus avec eux.

— Ils l'avaient pas eue facile et ils s'étaient privés pour nous faire instruire. La petite somme que je leur donnais tous les mois, ça leur permettait de se gâter un peu.

— Maman m'a dit aussi que c'est vous qui lui aviez offert plein d'articles pour son trousseau; des draps, des casseroles, un *set* de vaisselle, et vous lui avez fait cadeau de son premier aspirateur.

— Oui, c'était un démonstrateur de marque Filter

Queen, je m'en souviens comme si c'était hier. J'étais allé du côté de Montréal et j'avais rencontré un gars de la compagnie. On s'était mis à jaser et il m'avait dit qu'ils changeaient de modèle et qu'ils avaient une dizaine d'appareils légèrement usagés à vendre. C'est toute une *luck* que j'avais eue là et j'avais décidé d'en faire profiter ma petite sœur.

— Vous et maman, c'est particulier, surtout depuis que papa est parti. Je sais que vous êtes jamais loin quand elle a besoin de quelque chose.

— Quand ta mère est née, j'avais neuf ans et demi. Elle était assez belle, une vraie poupée! Elle souriait tout le temps et avait un bon caractère, contrairement à Hector, qui était plus difficile.

— Il y en a jamais deux pareils dans une famille!

— Hector s'enrageait pour rien. Il était susceptible au coton[32]! Pas moyen de le regarder qu'il pensait qu'on riait de lui. Quand il a rencontré sa femme, ça s'est aggravé. J'ai toujours dit qu'elle le crinquait[33] contre nous autres.

— Des fois, les conjoints, ça peut faire toute la différence, que ce soit pour le meilleur ou pour le pire.

— T'as bien raison! Hector en a choisi une qui le menait par le bout du nez et elle en avait juste pour les siens. Yvette me *drivait*[34] pas, mais on était comme des étrangers. Elle voulait rien savoir de ma famille et je t'avoue qu'avec le temps, j'ai fait la même chose pour la sienne.

— Un des frères de Patrick a monté ses sœurs contre moi en disant que j'allais manger tout son argent. La vérité, c'est que c'est moi qui ai commencé à le faire économiser. Il m'appelle pas Séraphine pour rien!

---

32 Au coton : beaucoup.
33 Crinquer : mettre en colère.
34 *Driver* : diriger, contrôler.

— Il y a des gens qui sont jaloux du bonheur des autres. Moi, au contraire, quand j'apprends que quelqu'un est heureux, ça me fait du bien!

— Maintenant qu'on a fait un peu nos mémères, avez-vous le goût qu'on trie vos papiers?

— Oui, si on veut passer au travers, aussi bien commencer tout de suite!

Raoul se dirigea vers l'arrière de la maison où se trouvait sa chambre à coucher. Il revint avec un coffre de métal muni d'une serrure et le déposa sur la table de cuisine, sur laquelle il avait pris soin d'étendre une nappe pour ne pas érafler le bois. Le vieil homme ouvrit ensuite une porte d'armoire où était rangé le service de vaisselle des grands jours. Il étira son bras droit, prit délicatement une soupière sur la plus haute tablette et plongea la main dedans pour en ressortir un petit trousseau contenant trois clés.

Dominique s'imaginait dans un film d'espionnage, où chaque geste était posé avec une grande minutie.

— Il aurait fallu que les voleurs fouillent pas mal pour les trouver, s'amusa-t-elle des agissements de son oncle.

— Elles ont toujours été là depuis 40 ans. Quand tu vieillis, tu essaies de pas changer les choses de place, c'est plus sûr.

— Je devrais commencer tout de suite parce que j'ai tendance à me chercher souvent et ça énerve mon mari!

— Il y a des grosses chances que ce soit de l'Alzheimer qu'il fasse, Hector. Et quand il y en a dans la lignée, on peut s'attendre à ce que ça nous arrive un jour. C'est une des raisons qui font que je t'ai demandé si tu acceptais de voir à mes affaires.

Dominique entreprit de faire le tri dans les papiers de son oncle. Elle y trouva des copies de comptes de taxes avec les reçus et les enveloppes de retour ainsi que ses déclarations de revenus des 10 dernières années. S'y trouvaient également ses factures de téléphone et d'électricité, avec les publicités, expédiées depuis trois ans. Tout était bien rangé selon les années et les compagnies. L'oncle Raoul était très méthodique.

— Me permettez-vous de déchirer et de jeter ce qui est plus bon?

— C'est toi qui sais ce qu'il faut faire. Je te donne carte blanche; moi, c'est pas mon fort, les papiers. C'est pour ça que j'en gardais plus que moins.

— Pour vos déclarations de revenus, c'est correct, précisa Dominique, mais pour les reçus comme pour les factures du téléphone ou du câble, vous pouvez conserver seulement les deux derniers. De toute façon, le solde indique que vous avez payé le compte précédent.

— Est-ce qu'on pourrait les garder pendant six mois plutôt que deux? demanda Raoul comme un enfant qui veut un privilège.

— Il y a aucun problème, c'est vous qui décidez. Quand on fera préparer votre prochaine déclaration, on pourra faire un autre petit ménage. Ainsi, vous en accumulerez plus jamais autant.

En moins d'une heure, elle avait trié la totalité des papiers.

La veille, Dominique avait prévu le coup et elle avait apporté des chemises de classement de différentes couleurs dans lesquelles elle avait placé les documents.

Raoul regardait chaque geste qu'elle posait et il était grandement impressionné. Sa nièce prenait la peine de lui donner des explications au fur et à mesure et jamais il n'avait été mal à l'aise avec ses décisions. Il ne s'était jamais senti aussi bien que ce matin.

— On a fini le ménage de ce coffre, confirma-t-elle avec un sourire rassurant. Avez-vous autre chose à me faire trier? J'ai tout mon temps aujourd'hui!

— Il est déjà 11 h 30. C'est l'heure où je dîne d'habitude. J'ai pas grand-chose de prêt, mais il me reste de la soupe au chou. J'ai juste à la réchauffer ou on peut se commander une pizza. Je sais que vous autres, les jeunes, vous adorez ça!

La mère de Dominique lui avait expliqué que Raoul avait la manie de laisser traîner de la nourriture à la température de la pièce. Il avait souvent des diarrhées et elle croyait que cette mauvaise habitude en était sûrement la cause. Elle ne souhaitait donc pas manger là.

— Ça nous ferait peut-être du bien de sortir un peu pour prendre l'air. Avez-vous le goût qu'on se rende à pied au restaurant du village? Ils ont toujours un plat mijoté au menu.

— Comme tu veux! se rangea Raoul pour plaire à sa nièce. À notre retour, j'aurais un autre dossier à te montrer. Celui de mes comptes de banque et de mes placements.

Raoul se sentait à l'aise avec Dominique et il était maintenant prêt à tout lui confier. Il vivait de grandes émotions en se livrant de la sorte, mais il était conscient que c'était une nécessité et qu'il ne lui fallait pas tarder.

— En revenant du restaurant, on pourrait téléphoner à mon notaire pour prendre un rendez-vous. Il y a des papiers à faire préparer pour toi.

— C'est une bonne idée.

L'oncle et sa nièce se dirigèrent donc vers le restaurant et, comme ils étaient les premiers clients pour le repas du midi, ils choisirent un emplacement le long des vitrines où la lumière était vive.

— J'ai pas besoin du menu, mentionna-t-il à la serveuse dès qu'elle se présenta à leur table. Moi, je voudrais la soupe du jour et une sandwich aux tomates toastée, salade, mayonnaise.

Dominique fut surprise d'entendre son oncle commander aussi rapidement.

— Alors moi, ajouta-t-elle, plutôt indécise, je vais prendre le potage aux carottes.

Lorsque la demoiselle fut partie, Raoul réalisa qu'il avait été impoli avec celle-ci et qu'il avait, par la même occasion, bousculé sa nièce.

— Je m'excuse si j'ai été si prompt à répondre. Tu aurais peut-être aimé mieux regarder le menu pour faire un choix?

— Il y a aucun problème. Vous saviez ce que vous vouliez, alors à quoi bon perdre du temps à décortiquer ces grands cartons remplis de dessins?

Dominique sentait que son oncle était malheureux d'avoir agi de la sorte et elle souhaitait dédramatiser la situation. Elle comprenait que les personnes âgées prenaient des habitudes au fil des années et elle ne désirait surtout pas l'embêter avec des choses aussi anodines qu'un menu de restaurant.

Raoul devait être franc avec elle et lui expliquer la raison de son comportement.

— J'ai de la difficulté à lire avec mes lunettes. Ça fait que j'aime autant manger la même chose chaque fois, c'est moins compliqué, avoua-t-il humblement.

— Quand est-ce que vous avez vu un optométriste la dernière fois?

— Quand j'ai été obligé d'y aller pour mon permis de conduire. Je dirais trois ou quatre ans.

— Vous devriez pas attendre. Les yeux, c'est très important. Voudriez-vous que je prenne un rendez-vous prochainement? demanda Dominique, qui constatait jour après jour que son oncle avait réellement besoin d'aide.

— T'es trop fine! Je me répète peut-être, mais si tu savais comment j'aurais aimé avoir une fille comme toi!

Raoul était ébranlé et son émotion toucha Dominique, qui souhaita partager avec lui ses propres impressions.

— De mon côté, j'ai plus mon père depuis déjà longtemps, mais j'ai un très bon parrain qui a la fibre paternelle aiguisée. Je serais bien folle de m'en passer! affirma-t-elle en lui prenant la main et en lui adressant un beau sourire.

— Qu'est-ce que ton mari va dire si je t'accapare trop souvent?

— Il va être très heureux que je m'occupe de vous, parce qu'il vous estime beaucoup. Et dans un couple, quand il y a du respect et de la confiance, on laisse l'autre libre de ses actes.

— Vous êtes des gens extraordinaires! Je regrette de pas vous avoir fréquentés plus tôt.

— On doit pas avoir de regrets, cher parrain, mais on doit cependant toujours avoir des projets.

~

Dans les premiers jours du mois d'octobre, Monique avait réussi à obtenir une place pour son père dans une résidence pour aînés autonomes. Il s'agissait en fait d'une maison privée qui avait été modifiée pour accueillir cinq personnes, en plus de la propriétaire, qui occupait le sous-sol du bâtiment avec son conjoint. C'était propre, mais sans plus. Dernièrement, un client de la pharmacie dont un parent avait déjà demeuré à cet endroit lui en avait glissé un mot.

Monique avait donc appelé et pris un rendez-vous avec la propriétaire. Lorsqu'elle se présenta sur les lieux, il n'y avait que trois locataires. Elle remarqua un homme d'environ 70 ans qui se berçait au salon en regardant la télévision et une dame qui travaillait dans la cuisine. On informa Monique qu'une autre résidente séjournait également à la maison, mais qu'elle était présentement dans ses appartements pour une sieste. Tout le monde avait l'air bien disposé, mais l'austérité était palpable.

Élizabeth Bisaillon, la propriétaire, lui fit visiter les lieux. Elle demanda au préalable à Rita Blanchard, la femme qui essuyait la vaisselle dans la cuisine, si elle pouvait montrer sa chambre.

— Faites comme chez vous, offrit celle-ci. Je sais que ça paraît mieux quand une pièce est toute décorée que lorsqu'il y a juste un lit et un bureau.

— Merci à vous, se réjouit Monique, reconnaissante, qui trouvait la dame fort gentille. Si son père emménageait ici, elle souhaitait que les gens s'entendent bien avec lui, qui était plutôt démuni.

La visite des lieux ne fut pas très longue à effectuer. Effectivement, l'appartement de Rita Blanchard était aménagé avec goût, mais aussi avec excès. On avait peine à voir la couleur des espaces tant de nombreux cadres de toutes sortes remplissaient les murs.

Pour les deux chambres qui étaient disponibles, Monique eut l'impression d'entrer dans de grands placards dans lesquels on aurait installé un lit à une place au fond de la pièce. Comment réagirait son père en pénétrant dans un tel endroit?

— Il y a pas de salle de bain dans ces chambres? remarqua Monique.

— Non, répondit madame Bisaillon, mais il y en a une tout juste au bout du couloir. Inquiétez-vous pas : on laisse toujours une lumière allumée dans le passage la nuit.

— Vous avez cinq résidents et une seule salle de bain?

— On a une chambre dans laquelle il y a une toilette, mais malheureusement, elle est déjà louée.

— Ça vous cause pas de problème? Il me semble qu'à un certain âge, il est difficile de se retenir quand l'envie nous prend.

— Oui, mais les gens peuvent se procurer à leurs frais une chaise d'aisance qu'ils mettent dans leur chambre et qu'ils utilisent pour la nuit ou pour les fois où ils peuvent pas attendre que la toilette soit libre.

Monique connut un instant de désolation. Elle se disait qu'elle ne voudrait pas vivre dans un endroit comme celui-là, mais en même temps, ce n'étaient pas toutes les résidences qui acceptaient des personnes en perte d'autonomie comme son paternel.

Elle en avait visité d'autres qui offraient plus de confort, mais elles étaient aussi beaucoup plus dispendieuses. Et pour ce qui était du réseau public, les délais d'attente étaient plutôt longs. Monique ne souhaitait pas non plus que son père s'installe dans une résidence trop éloignée de chez elle, car il était clair qu'elle devrait régulièrement aller lui porter les articles dont il aurait besoin.

— Est-il possible d'avoir une période d'essai? demanda-t-elle à la propriétaire.

— Il faudrait que j'en parle à mon conjoint. Vous

comprendrez qu'on a de lourdes responsabilités financières et qu'on peut pas se permettre de perdre des mois de revenus.

Monique regretta d'être seule pour prendre cette décision, mais c'était son choix. Elle ne souhaitait pas que son frère soit au courant des finances de son père. Elle lui dirait ce qu'elle voulait qu'il sache, un point c'est tout.

— J'ai une proposition à vous faire. Je vous signe un bail d'un an, mais dans les 30 premiers jours, si je suis pas satisfaite des services que mon père reçoit, je vous paie deux mois de dédommagement et on résilie le contrat.

— Je serais d'accord avec trois mois de dédommagement, négocia madame Bisaillon.

— C'est bien. Vous pouvez préparer les documents. Dites-moi, à quel moment mon père pourrait emménager ?

— Monsieur Moreau peut venir coucher ici dès ce soir, lança précipitamment la propriétaire, qui voulait sauter sur l'occasion de louer une chambre qui était libre depuis plusieurs mois. La vétusté et la grandeur des lieux n'étaient pas un atout pour attirer les candidats.

— Mais octobre est déjà entamé et il sera pas prêt à s'installer avant le début de novembre.

— Je peux pas vous promettre de garder la chambre si vous signez pas, mais on peut prendre un arrangement. Vous signez aujourd'hui et vous commencez à payer juste le 1er novembre. Vous me donnez cependant un dépôt d'un mois que je vous remettrai à la fin du bail.

Monique en avait assez de chercher une place pour Hector et elle jugea que, dans les circonstances, c'était ce qu'elle pouvait trouver de mieux. Elle aurait ainsi plus de temps pour annoncer la nouvelle à son père et le convaincre que la solution qu'elle préconisait était ce qu'il y avait de préférable pour lui.

— J'aimerais qu'il s'installe dans la chambre avec la fenêtre qui a une vue sur la cour et non celle d'où on voit l'arrière du cabanon du voisin. Elle est pas plus spacieuse, mais au moins il pourra regarder un peu de verdure.

— Aucun problème, ma petite dame. Vous savez qu'il est plus facile pour les gens comme votre papa de s'acclimater dans un espace plus restreint, ajouta-t-elle pour réconforter sa cliente.

— C'est certain qu'on est en sécurité quand on peut juste faire le tour de notre lit! répliqua ironiquement Monique.

Madame Bisaillon ne rétorqua rien, et elle se mordit l'intérieur de la joue pour s'assurer de ne pas parler. Elle avait horreur de se faire narguer, mais elle devait avant tout attendre que les papiers soient signés avant de riposter. Après, c'est elle qui aurait le gros bout du bâton.

La propriétaire s'empressa donc de sortir une copie de bail sur lequel plusieurs informations étaient déjà écrites. Il ne lui manquait que le nom du locataire et celui de son mandataire. Elle jasa de choses et d'autres avec Monique en remplissant les documents et omit volontairement d'inscrire la clause relativement à l'entente selon laquelle le contrat pourrait être résilié en cas de non-satisfaction. Au moment où elle présenta la dernière page à Monique, elle lui indiqua:

— C'est maintenant à vous de signer. J'ai fait le plus vite que j'ai pu. Je sais que vous êtes une femme très occupée. Si toutefois vous avez des questions, vous aurez juste à venir me rencontrer. Ma porte vous sera toujours ouverte!

Monique se sentit tout à coup flattée par les propos de la dame et elle parapha son nom sans prendre le temps de lire tout le feuillet. Elle avait hâte de quitter les lieux, où elle éprouvait maintenant un certain malaise. Elle anticipait déjà le moment où elle devrait y emmener son père. Elle avait donc la tête ailleurs au moment où elle avait accepté ce contrat d'une durée d'un an.

— Est-ce que quelqu'un va faire le ménage ou des travaux de peinture avant que mon père arrive? J'ai remarqué qu'il y a pas mal de trous sur les murs.

— Non, l'entretien a été fait quand le dernier locataire est parti. Vous avez tout le loisir de peinturer vous-même si le cœur vous en dit. Sinon, vous pourrez installer des cadres dans les trous qui sont déjà faits!

Madame Bisaillon se permettait une touche de sarcasme!

Monique prit la clé de la chambre et une copie du bail, et elle quitta les lieux sans ajouter un mot. Elle se consolait en pensant qu'au moins, ici, son père serait en sécurité.

En arrivant chez elle, elle téléphona à sa cousine Suzanne pour lui annoncer la nouvelle.

— Je te dis que j'y ai parlé, à la bonne femme Bisaillon, celle qui tient cette maison-là! Elle a tout de suite réalisé à qui elle avait affaire!

— Je suis pas inquiète pour toi! T'as pas l'habitude d'avoir la langue dans ta poche[35]!

— Elle a besoin de prendre soin de mon père, sinon elle va savoir comment je m'appelle!

— Et Jean-Guy, comment il a pris ça?

— Il est pas encore au courant. Je vais y téléphoner plus tard à soir. De toute manière, il était pas question que lui ou sa Mariette vienne se mettre le nez dans mes affaires!

Les deux femmes étaient amies depuis le secondaire

---

35 Ne pas avoir la langue dans sa poche : dire ce que l'on pense, sans retenue.

et elles avaient toujours gardé contact. Suzanne avait été mariée pendant une dizaine d'années, mais quand son époux l'avait quittée, elle s'était rapprochée davantage de Monique, qui avait écouté ses doléances. Elles étaient ainsi devenues des confidentes et elles prenaient un malin plaisir à critiquer les gens de leur entourage.

Plus tard dans la soirée, Monique téléphona à son frère. Elle n'avait pas réellement le goût de lui parler, mais elle savait qu'elle devait de toute manière lui annoncer la nouvelle et qu'elle aurait éventuellement besoin de lui.

— Bonsoir, Jean-Guy, comment ça va?

— Ça va, répondit ce dernier, soucieux. Est-ce que papa va bien?

— Oui, oui, inquiète-toi pas! J'appelle juste pour te mettre au courant que j'ai finalement trouvé une résidence pour lui.

Monique entendit Jean-Guy répéter à Mariette ce que sa sœur venait de lui dire. Elle devait être à ses côtés pour suivre la conversation, pensa-t-elle.

— Est-ce que tu m'écoutes ou tu parles à quelqu'un d'autre? lança-t-elle avec arrogance.

— Grimpe pas dans les rideaux [36]! rétorqua Jean-Guy. Je racontais à Mariette ce qui se passait.

— Toujours pas plus de colonne! Faut que tu te rapportes à ta blonde!

— Si tu m'appelles pour me chanter des bêtises, tu peux laisser faire! C'est où la résidence pour papa?

Monique songea qu'il était préférable qu'elle se calme.

— Le premier critère que j'ai pris en compte, c'est qu'il demeure dans la région immédiate. J'ai donc trouvé quelque

---

36 Grimper dans les rideaux: se fâcher.

chose à Sainte-Agathe-Sud, sur le chemin du Lac-à-la-Truite. C'est pas mal, mais j'anticipe déjà le moment où je vais lui annoncer.

— C'est certain qu'il va pas sauter au plafond !

— J'aurais vraiment besoin de toi en fin de semaine, est-ce que tu pourrais te libérer ? On pourrait en parler à papa ensemble et tu pourrais m'aider à déménager et installer quelques affaires dans sa nouvelle chambre. J'aimerais ça qu'on puisse mettre des cadres au mur, comme il en a présentement à la maison. Il se sentirait moins dépaysé quand il emménagera le 1er novembre.

— Tu me prends au dépourvu, ma sœur. Ça sera pas facile avec le restaurant ; ma femme compte sur moi. Je peux quand même vérifier avec elle et te rappeler.

— Comment ça, ta femme ? T'es-tu marié en cachette ?

— Pas besoin d'être marié pour dire que Mariette est ma femme ! On reste ensemble depuis plus de six mois et ça fait deux ans qu'on se connaît. Et puis, qu'est-ce que ça peut bien te faire ?

— Monte pas sur tes grands chevaux, c'est juste que je t'ai jamais entendu parler d'elle de cette façon-là. On l'a vue tout juste quatre ou cinq fois depuis que tu sors avec ! C'est normal que je sois surprise !

— On peut jamais discuter sans se chicaner ! Pourquoi tu me téléphones si c'est pour m'engueuler comme du poisson pourri ?

— Si je t'appelle à soir, c'est parce que c'est notre père à tous les deux et je pense que tu pourrais t'impliquer un peu. Mariette a pas d'affaire à ça ! Tu devrais pouvoir décider par toi-même.

— Monique, sois raisonnable pour une fois ! Tu me

prends les culottes à terre! On pourrait faire ça plus tard, comme au milieu de la semaine prochaine.

— Si ta femme détache ta chaîne, tu veux dire!

— Ça y est, tu recommences à cracher ton venin. Comme tu l'as fait avec mon ex! Cette fois-ci, je te permettrai pas de mettre du trouble dans mon ménage!

— Laisse donc faire, maudite mitaine pas de pouce[37]! Je vais m'arranger avec mes affaires, mais avise-toi pas de me demander quoi que ce soit!

Et Monique mit fin à la conversation avant que son frère ait eu le temps de répondre. Elle se rongeait les sangs.

Le téléphone sonna à nouveau, et ce, à quelques reprises, mais bien qu'elle fût très curieuse, elle ne répondit pas, de crainte que ce soit Jean-Guy qui essaie de rétablir le contact. Elle voulait le laisser réfléchir aux propos qu'il avait tenus à son égard.

Elle trouverait une solution pour le déménagement de son père. Chose certaine, ce ne serait pas elle qui transporterait les boîtes!

---

37 Être une mitaine pas de pouce: ne pas avoir de caractère, se laisser influencer facilement.

CHAPITRE 11

Rénovations

(Octobre 2007)

Depuis que les enfants étaient retournés en classe, Évelyne n'avait pas eu une minute à elle. Il lui semblait que les heures filaient à la vitesse de l'éclair. Son mari lui disait qu'elle entreprenait trop de projets à la fois, mais elle ne se gênait pas pour lui rappeler qu'il avait tendance à regarder passer le train et qu'il serait utile qu'il participe lui aussi à la vie de la maisonnée.

Durant l'été, elle avait eu de la difficulté avec Noémie, qui réclamait plus de liberté. Elle lui avait accordé certaines permissions, mais la jeune adolescente n'avait pas respecté les heures de couvre-feu, ce qui lui avait valu des soirées où elle avait été confinée dans sa chambre.

Évelyne aurait souhaité que son époux s'implique dans l'éducation des enfants, mais il ne le faisait que lorsque les parents se trouvaient dans une impasse.

— Xavier, notre fille traverse une période critique dans sa vie. Si on l'échappe maintenant, il pourrait être difficile de la rattraper!

— Toi et tes paraboles! Noémie est une adolescente comme les autres et c'est tout à fait normal qu'elle conteste l'autorité parentale. Tu t'en fais encore pour rien, on est tous passés par là !

— L'autorité parentale, est-ce que ça veut dire le père et la mère ? Parce qu'ici, c'est juste moi qui interviens quand quelque chose arrive. Tu as toujours le beau rôle, toi, et moi, je me fais haïr !

— On va pas se chicaner pour ça ! Si tu as besoin que je fasse ou dise quelque chose, demande-le.

— Pour l'encourager, j'aimerais ça qu'on redécore sa chambre. Elle a encore des murs roses et des princesses sur son couvre-lit. C'est normal qu'elle ait pas envie d'emmener ses amies ici.

— C'est une excellente idée. Tu pourrais lui en parler pour connaître ses goûts. Ça pourrait vous rapprocher un peu.

— C'est ce que je vais faire. Je commencerai par aller magasiner avec elle pour la literie et puis on ira chercher des échantillons de couleurs pour les murs.

— Tant qu'à faire, pourquoi on enlèverait pas le tapis dans sa chambre et dans celle de Bruno ? On respire beaucoup mieux depuis qu'on a fait ça dans la nôtre.

— C'est certain que ce serait un plus. Ça va nous faire un gros barda, mais on en aurait terminé avec ces ramasse-poussière. On mettrait du plancher flottant, ça s'entretient si bien !

— Appelle ton frère Claude et demande-lui de venir souper en fin de semaine. On pourra lui en parler.

— Quand tu veux, mon bel amour, tu es le meilleur mari !

— Tu as changé d'idée ? Tantôt, tu te préparais à me crucifier et voilà que tu me lances des fleurs !

— Je sais que je suis prompte, mais des fois, tu pourrais

être plus attentif. Dans tout ça, le principal, c'est qu'on réussit toujours à s'entendre.

___

Il y avait déjà un an que Claude était divorcé et il commençait à reprendre goût à la vie.

Au début, il avait dû faire le deuil de son couple. Ce n'était pas sa décision et il ne l'avait pas vue venir. Il avait vite réalisé qu'il avait été d'une grande naïveté. Son ex-épouse était partie non pas chez un collègue ou une connaissance, mais elle avait emménagé dans la maison de Carole, sa patronne, qui était dentiste et celle-là même qu'elle lui avait toujours présentée comme sa meilleure amie. En l'apprenant, il avait été choqué, mais par la suite, il s'était dit que ça avait sûrement été difficile pour elle de mener une double vie.

— T'as pas besoin de la prendre en pitié, lui conseilla sa mère. Tu lui as laissé suffisamment de liberté pour profiter de sa perversion.

— Maman, tu y vas fort! Je peux admettre aujourd'hui que Patricia est une lesbienne, tout simplement. C'est normal qu'elle vive sa vie. Quand on s'est mariés, je suis convaincu qu'elle croyait pouvoir m'aimer.

— Dans mon temps, on appelait ça une «femme aux femmes» et au moins, elles avaient la décence de rester vieilles filles. Heureusement que vous avez pas eu d'enfants!

— Qu'est-ce que ça aurait changé? Si j'avais eu des petits, je serais pas tout seul aujourd'hui!

— Nous autres, on est rien? Moi, tes sœurs, ton neveu, ta nièce, tu penses pas que c'est important?

— C'est pas ça que je veux dire, maman, s'excusa Claude en la prenant dans ses bras. Tu le sais que je t'aime, j'ai juste le motton[38] quand je jongle à ça.

— Je te comprends, mon fils, mais je suis convaincue que la vie te réserve des beaux moments.

— Tu jases trop avec Évelyne! Un peu plus et tu me dirais qu'il faut que je sois réceptif pour atteindre le bonheur, la taquina-t-il.

Claude parlait rarement de ses émotions, mais il était en train de lire un livre que sa patronne lui avait prêté, *Les cinq blessures qui empêchent d'être soi-même*, de Lise Bourbeau. Cette lecture lui faisait prendre conscience qu'il était en partie responsable de ce qui lui arrivait dans la vie. Il refusait de participer à des groupes de soutien ou de consulter une psychologue, mais il avait beaucoup cheminé durant la dernière année.

— Je veux pas faire ma curieuse, lança sa mère pour changer de sujet, mais c'est qui le gars qui est venu te rencontrer à matin? Je vous ai laissés tout seuls dans la cuisine pour discuter, mais tu pourrais peut-être m'en dire un peu plus?

— C'est Alain Savard, l'entrepreneur en construction. Il m'a approché dernièrement pour savoir si j'étais intéressé à m'associer avec lui.

— Tu vas pas investir tout ce que tu as dans la *business* de ce gars-là j'espère?

— Maman! À 52 ans, je suis assez vieux pour prendre mes décisions par moi-même. Ça fait cinq ans que je fais des jobines avec lui et on s'entend très bien. Il a beaucoup de contrats et il peut pas suffire à la demande.

---

38 Avoir le motton : avoir la gorge serrée par l'émotion.

Les conditions sont excellentes. J'ai demandé à Patrick de lire les documents de la transaction avant de signer et il m'a assuré que je faisais une bonne affaire. En plus, il m'a confirmé qu'Alain est un gars dont la solvabilité est supérieure à la moyenne.

— Vas-tu lâcher la quincaillerie?

— Oui, j'ai déjà donné ma démission la semaine passée. Ça faisait 34 ans que je travaillais là et j'avais plus de *challenges*. Ma *boss* est contente pour moi et on va rester amis.

— Je te dis que quand tu as des enfants, t'es inquiet toute ta vie. J'ai pas des cheveux blancs pour rien! ajouta Doris, atterrée que son fils ait laissé un emploi si lucratif.

— C'est pour ça que c'est pas normal de demeurer avec ses parents une fois qu'on est adulte. T'as pas à t'en faire pour moi! Toi, tu es juste censée cuisiner du pouding chômeur quand on te le demande. C'est pas plus compliqué que ça!

— Tu as toujours le mot pour rire! Je vais t'en faire un drette après-midi!

— Alors on va l'apporter chez Évelyne à soir. J'avais oublié de te le dire, mais elle nous a invités à souper.

Claude venait de réaliser qu'il avait pris la bonne décision lorsqu'il avait parlé avec Alain, son nouvel associé. Leur premier gros chantier serait la construction de sa maison. Il n'en dirait rien à sa mère pour le moment, mais il savait qu'au plus tard dans quelques mois, les travaux seraient achevés.

La semaine prochaine, on procéderait au creusage pour la fondation. Quand la structure serait montée et que la toiture serait installée, il y emmènerait sa maman pour lui faire la surprise. La joie qu'il éprouvait était proportionnelle à la peine que ressentirait celle-ci de le voir partir de la maison pour une deuxième fois. Depuis un an, elle dormait si bien en sachant que son grand garçon était dans sa chambre au sous-sol !

Quand il avait été question de refaire la chambre de Noémie, Xavier avait suggéré à sa femme d'en profiter pour faire quelques modifications à la maison. Il réalisait que sa fille traversait une période de sa vie particulièrement difficile. Le passage de l'école primaire à la polyvalente avait été éprouvant pour l'adolescente et ses notes avaient chuté de façon drastique.

Entre la mère et la fille, les discussions étaient plutôt intenses et se terminaient habituellement par des cris et des larmes.

— Quand tu m'as proposé de redécorer la chambre de Noémie, j'étais très enthousiaste, mais j'aimerais ajouter autre chose, lui avait dit son époux.

— Parle-moi plus de vendre la maison pour déménager dans une plus grande ! On est bien ici et j'ai pas le goût de recommencer à zéro. Elle est totalement payée et il nous reste juste à l'entretenir.

Xavier était habitué à ce que sa femme grimpe rapidement dans les rideaux et il lui laissa vider son sac avant de lui donner son avis.

— J'ai jamais pensé à vendre la maison, du moins pas ce matin ! J'ai cependant eu l'idée qu'on pourrait en profiter pour aménager le sous-sol afin d'y installer la chambre de Noémie, créer un grand salon et établir la fameuse chambre froide que tu me demandes depuis des années.

— Es-tu sérieux? Et qu'est-ce qu'on ferait avec la pièce du haut?

— J'avais pensé que tu pourrais t'organiser un endroit juste pour toi, pour le bricolage, la peinture et la couture. Tu t'installes toujours sur la table de cuisine quand tu fais ces travaux-là, ce serait beaucoup plus intéressant.

— Ça va coûter très cher, si on fait tout ça!

— Tu l'as dit tantôt. La maison est payée, mais si on veut conserver sa valeur marchande, il faut investir un peu et en ce qui a trait au sous-sol, ça sera pas vraiment un luxe.

Le couple avait donc élaboré un plan avant de rencontrer Claude pour évaluer le montant des rénovations qu'il projetait de réaliser. Évelyne et Xavier savaient qu'en grandissant, les enfants auraient besoin d'un coin à eux pour recevoir leurs amis.

Lorsque sa grand-mère et son oncle étaient venus souper, Noémie n'était pas à la maison. Les hôtes en avaient profité pour parler de la surprise qu'ils lui réservaient à propos de sa chambre à coucher.

Évelyne était allée magasiner avec sa fille afin de lui faire choisir elle-même son couvre-lit et elle lui avait promis que dès que son père aurait un samedi libre, ils enlèveraient le papier peint et effectueraient les travaux de peinture. Tout pourrait être réalisé dans l'espace d'une fin de semaine, mais il fallait y consacrer le temps.

Quand elle revint de l'école, le mercredi suivant, Noémie eut la surprise de voir sur le bord du trottoir des morceaux de tapis roulés et attachés avec des cordes de nylon jaune.

Un camion blanc lettré Réno 2000 était garé dans l'entrée de chez elle.

L'adolescente pénétra donc dans la maison en courant et elle se rendit directement vers sa chambre, où elle constata que tout avait été vidé. Plus aucun meuble ne se trouvait dans la pièce et son oncle Claude s'affairait à enlever le papier peint.

— Maman est pas ici?

— Elle fait du ménage dans les affaires de ton frère. Il semble que tu auras la même corvée à faire avec les tiennes qu'on a mises au sous-sol pour le temps des rénovations.

Évelyne avait hâte de voir la réaction de sa fille, mais elle ne s'attendait sûrement pas à ce que celle-ci soit fâchée. Elle s'avança dans le couloir, où elle vit Noémie s'approcher d'elle d'un pas assuré.

— Vous auriez pas pu le dire que vous étiez pour faire des travaux dans ma chambre? lança-t-elle sur un ton autoritaire.

— Les nerfs, pompon! répliqua Évelyne. Tu parles d'une manière de s'adresser à sa mère! Tu disais toujours que t'avais encore une chambre de bébé. On a voulu te faire une surprise!

— J'aime pas ça quand on fouille dans mes affaires!

— As-tu quelque chose à cacher? questionna Évelyne à brûle-pourpoint.

— Non, bredouilla la jeune fille d'une voix hésitante.

— Alors, change de ton au plus vite! rétorqua la mère, dont la patience était mise à rude épreuve.

Noémie savait qu'elle n'avait pas affiché la bonne attitude, mais elle se devait de reprendre contact avec sa mère avant que les conséquences ne soient trop graves.

— Est-ce que je vais pouvoir choisir la couleur pour la peinture? demanda-t-elle pour faire diversion.

— On verra plus tard. Je vais attendre que ton père arrive pour le souper et on en reparlera. Pour l'instant, tu as sûrement des devoirs à faire. Heureusement que Bruno a eu une réaction plus encourageante que la tienne! Il est déjà parti chez son ami pour lui raconter tout ce qui se passe ici!

Noémie crut bon de s'effacer et, comme d'habitude, elle descendit au sous-sol pour y parachever ses travaux scolaires. Sa première idée fut cependant de vérifier ce que sa mère et son oncle avaient fait de tout ce qui était dans sa chambre.

Elle remarqua qu'Évelyne et Claude avaient placé son lit dans un coin de la pièce, ainsi que son bureau, et qu'ils avaient accroché quelques vêtements sur une patère. Profitant du fait qu'elle était seule, Noémie ouvrit le tiroir de sa commode et fouilla à travers les chandails. Elle poussa un soupir de soulagement en trouvant le sac d'herbe qu'un garçon de son école lui avait demandé de garder pour lui pendant quelques jours.

— Je veux pas être mêlée à ça, s'était-elle défendu, au début.

— Tu dois me rendre ce service. Ça fait juste un an qu'on est déménagés dans le coin et j'ai pas vraiment d'ami ici, à la polyvalente. Toi et moi, on s'est tout de suite bien entendus. J'ai confiance en personne d'autre.

Élie était aux yeux de Noémie le plus beau garçon de l'école et elle était surprise qu'il s'intéresse maintenant à elle. Il était tout de même son aîné de deux ou trois ans.

— J'ai trop peur que ça m'apporte des troubles.

— Si tu m'aimes juste un peu, l'avait-il enjôlée, en caressant ses cheveux, tu vas faire ça pour moi.

— Mes parents vont me tuer s'ils trouvent du *pot* dans ma chambre, avait argumenté l'adolescente, sur la défensive.

— C'est pour quelques jours seulement. Inquiète-toi pas, ils s'apercevront de rien.

Il lui avait embrassé délicatement la joue en lui murmurant:

— T'es une fille super craquante, crois-moi! À côté de toi, les autres sont des sans-desseins.

Noémie s'était sentie tout à coup importante et, bien qu'elle sût qu'elle commettait une erreur, elle avait accepté la demande de son prétendu nouvel ami.

Elle éprouvait maintenant des regrets et souhaitait que le temps s'écoule rapidement afin qu'elle puisse rapporter le sac maudit à son propriétaire. Elle avait sûrement été crédule, songea-t-elle. Habituellement, le jeune garçon ne s'occupait pas d'elle et là, il avait commencé à lui faire les yeux doux pendant quelques jours dans le but très clair de l'utiliser.

— Élie Tremblay, tu vas te rappeler de moi, je t'en passe un papier, murmura-t-elle. Tu perds rien pour attendre!

Le matin où les travaux allaient débuter dans la maison familiale, les parents avaient attendu que les jeunes partent pour l'école pour déplacer les meubles. Xavier avait pris congé pour participer à la corvée. C'est lui qui avait déménagé le bureau de sa fille vers le sous-sol avec son beau-frère. En arrivant à l'endroit prévu, la commode chavira et le deuxième tiroir s'ouvrit, laissant tomber les vêtements de Noémie et le sac de marijuana.

— Ah ben la petite connasse! J'ai mon voyage! Si j'avais trouvé un joint, j'aurais peut-être pas sauté les plombs, mais as-tu vu la grosseur du sachet? Ma fille a tout juste 13 ans et elle *deale*[39] de la dope!

Xavier était ébranlé par la situation. Il ouvrit le sac pour s'assurer de ce qu'il contenait et servit une sévère mise en garde à Claude.

— Parle pas de ça à ta sœur! Des plans pour qu'elle appelle la police!

— Inquiète-toi pas, je suis muet comme une carpe. Je suis un peu dépassé par ces affaires-là, mais j'espère que la petite aura pas de problèmes.

— Dans mes bonnes années, moi aussi j'ai fait des pas de travers et je sais que c'est pas toujours les disputes qui solutionnent les conflits. Je vais réfléchir et tenter de régler ça au cours d'une rencontre père-fille.

— Je sais que tu vas faire pour le mieux. De toute façon, ça me concerne pas. Mais si je peux t'être d'une quelconque utilité, fais-moi signe.

Xavier replaça les vêtements dans le tiroir avec le fameux sac en souhaitant que sa fille ne s'aperçoive de rien.

Il devait maintenant retourner à l'étage du haut, d'où sa femme l'appelait depuis déjà un moment.

Quand Noémie arriva de l'école, Xavier travaillait dans la chambre de son fils. Il voulut lui laisser la chance de s'expliquer.

Il lui parlerait après le souper, pendant qu'Évelyne écouterait ses téléromans.

---

39 *Dealer*: revendre de la drogue.

Évelyne était allée chercher sa mère dans l'après-midi afin qu'elle voie le début des rénovations. Puis, une fois l'heure du souper arrivée, elle avait demandé à Claude de rester avec eux pour le repas, car il travaillait souvent tard dans la soirée pour que l'ouvrage avance plus rapidement.

Claude profitait du temps où le creusage des fondations de sa maison avait cours pour effectuer les travaux chez sa sœur. Il pourrait également se permettre de retarder son propre chantier si d'autres contrats se présentaient. Il était ambitieux et son partenaire d'affaires l'était tout autant.

— On va faire ça à la bonne franquette. À soir, ça va être des cuisses de poulet rôties avec des patates pilées et une bonne salade.

— Je dis toujours oui aux invitations, mentionna Doris. Mais tu vas me laisser t'aider à mettre la table et je peux aussi préparer un petit dessert en attendant que le plat principal soit chaud.

— Pas de problème, maman. As-tu montré à Bruno ce qu'on a acheté cet après-midi pour sa nouvelle chambre?

En entendant son nom, le jeune garçon s'était pointé dans la cuisine rapidement pour savoir de quoi il s'agissait.

— Il y a quelque chose pour moi? s'informa l'enfant, très excité par tout le chambardement vécu dans la maison.

— Va voir sur mon lit, j'ai mis un gros sac. Si t'es assez fort, apporte-le ici!

Bruno n'attendit pas qu'elle lui demande deux fois. Il courut et revint avec le paquet, qu'il traînait derrière lui.

— T'as même pas regardé ce qu'il y avait dedans! l'agaça sa mère. T'es pas très curieux!

Bruno ouvrit donc le sac et ne put retenir un cri de joie.

— Wow, c'est Flash McQueen! Comme sur le pyjama que mamie m'a donné pour ma fête!

— Oui, mon beau garçon. Et j'ai aussi déniché un tapis et des cadres de *Cars*, ton film préféré!

Noémie regardait son frère et se disait qu'elle aimerait bien avoir son âge et pouvoir se réjouir avec si peu de choses. Même si sa mère lui avait décroché la lune aujourd'hui, elle n'était pas d'humeur à rire. Elle avait hâte de se débarrasser du sachet encombrant qu'elle camouflait dans sa commode.

— Noémie, j'ai pas encore acheté la peinture parce que j'attendais que tu puisses venir avec moi. Tu décideras de ce que tu veux pour donner le ton à ta nouvelle chambre.

— OK, quand t'auras le temps, répondit doucement la jeune fille. C'était une attitude conciliante qui ne concordait pas avec l'entrée fracassante qu'elle avait faite durant l'après-midi.

— T'as pas l'air très enthousiaste! On pensait que tu serais contente d'avoir une pièce juste pour toi au sous-sol. Tu pourras recevoir tes amies, maintenant qu'on aura plus grand.

— Oui, je suis contente, répondit mielleusement l'adolescente avec un sourire forcé. C'est parce que je suis fatiguée aujourd'hui et il me reste beaucoup de devoirs à terminer. Est-ce que je peux y aller maintenant?

— D'accord, mais j'irai t'aider à faire ton lit tantôt. On a tout descendu ce matin, mais j'ai pas eu le temps de retourner en bas pour aller porter des couvertures. Ce sera peut-être un peu plus frais dans le sous-sol et je voudrais pas que tu prennes froid.

C'était l'occasion que Xavier attendait pour provoquer un tête-à-tête.

— Occupe-toi de ta visite et de la vaisselle, et donne-nous les draps. Je vais montrer à ma fille que j'ai des talents cachés.

— Très bien cachés, marmonna Évelyne, en faisant un clin d'œil à sa mère. Elle ne comprenait pas ce que son mari souhaitait lui prouver en agissant de la sorte.

Bruno aurait bien aimé les suivre, mais Xavier lui intima l'ordre de rester dans la cuisine avec sa mamie.

Noémie se demandait pourquoi son père venait se mêler d'affaires de filles. Elle était bien capable d'installer ses draps dans son lit toute seule.

— J'ai pas besoin de toi, le sermonna-t-elle doucement. Il y a rien que maman qui pense que j'ai encore la couche aux fesses.

— Je sais que tu es plutôt mature, mais je veux passer un peu de temps avec toi. J'ai appris à faire mon lit quand j'ai été dans l'armée!

— T'as jamais été dans l'armée, papa! Tu me niaises?

— Là tu te trompes, jeune fille! Je suis arrivé au Québec en 1987 et en France, le service militaire qu'on nommait alors service national était toujours en vigueur. Entre l'âge de 18 et 21 ans, on était appelés et on devait le faire.

— À quel âge t'es allé?

— J'avais 20 ans quand je me suis enrôlé et il fallait rester un an.

— Est-ce que les jeunes Français sont encore obligés de faire ce service-là?

— Non, ça a été aboli en 1996 par le président Jacques Chirac. Je suis quasiment en train de te donner un cours d'histoire!

— J'aime ça entendre raconter des choses qui sont vraies. Un jour, je pourrais faire une recherche là-dessus et tu pourrais m'aider.

— C'est une bonne idée. En attendant, si je suis descendu faire le lit avec toi, c'est parce que j'ai l'impression qu'il y a quelque chose qui te tracasse. Est-ce que je me trompe ?

— Non, tu te trompes pas. Ça va pas, à l'école. Les filles sont méchantes avec moi et j'ai presque plus d'amis.

— Serais-tu prête à faire n'importe quoi pour avoir des camarades de classe ?

— Qu'est-ce que tu veux dire ?

— Quand tu étais petite, on jouait à un jeu qu'on appelait le bien et le mal. On lisait des livres et on disait quand les personnages faisaient des gestes bien et d'autres qui étaient mal.

— Oui, je m'en souviens, répondit Noémie avec un trémolo dans la voix.

— Est-ce qu'il y a quelque chose qui te dérangerait présentement ? Et si oui, est-ce que tu as suffisamment confiance en moi pour m'en parler ?

Noémie se jeta dans les bras de son père et se mit à pleurer. Il la laissa se vider de ses larmes et en profita pour la serrer très fort contre lui. La jeune fille avait besoin de sentir qu'il l'aimait et qu'il ferait tout pour la protéger.

Elle décida alors de lui raconter ce qui était arrivé à l'école avec Élie Tremblay. Elle s'empara du sac de drogue, qu'elle remit à son père.

— Qu'est-ce que tu vas faire maintenant ? s'enquit-elle, inquiète de la réaction de son paternel.

— Est-ce que tu penses qu'on doit aider Élie ou qu'on doit tout simplement se venger de lui ?

— J'aurais le goût de me venger pour tout ce qu'il me fait subir, mais je sais que ce serait mieux de l'aider.

— Alors si tu le veux bien, on va aller chez lui et on va aller lui remettre ce qui lui appartient. Toi, tu seras libérée et lui devra régler ses affaires.

— Qu'est-ce que maman va dire? pleurnicha Noémie, qui redoutait la suite des événements.

— On est pas obligés de tout lui raconter à soir. Laissons retomber la poussière et plus tard, beaucoup plus tard, on lui expliquera comment on a solutionné un problème en ayant une discussion père-fille.

— Merci, papa. Tu m'as sauvé la vie! Je vais faire attention pour être moins chiante à l'avenir! Tu vois, j'apprends même tes expressions! ajouta-t-elle en riant.

— C'est une leçon de vie que tu as eue là, Noémie! Il te reste à continuer de grandir en pensant que tes parents veulent juste ton bien.

— C'est une promesse!

CHAPITRE 12

Anniversaire mémorable

(Octobre 2007)

Patrick occupait un poste de directeur de comptes dans une importante succursale d'une caisse populaire Desjardins. Il avait une clientèle particulièrement intéressante et il ne calculait pas les heures qu'il investissait dans sa carrière.

Depuis que des ennuis de santé avaient obligé son épouse à prendre sa retraite, il devait constamment la freiner dans ses envies de chercher une activité pour s'occuper.

— On a pas besoin d'un deuxième salaire pour vivre! avait-il assuré à sa femme. Je vois pas pourquoi tu te casses la tête avec ça. On a aucune dette et on a suffisamment d'argent de côté pour nos vieux jours.

— Qu'est-ce que je vais faire toute la journée quand tu vas être parti travailler?

— Tu vas m'attendre, avait-il répondu en riant, histoire de la faire fâcher. Je fais des *jokes*, mais t'as assez d'affaires à faire pour occuper ton temps. Puis, tu peux lire, suivre des ateliers de peinture ou des cours de chant.

— Il me semble que j'aurais de la misère à te regarder quitter la maison chaque matin alors que moi je demeurerais ici en pyjama!

— Tu resteras couchée, comme ça, tu me verras pas partir!

Patrick aimait rigoler et ne se prenait pas au sérieux. Avec lui, rien n'était jamais compliqué ou dramatique. Il trouvait toujours le tour d'adoucir chaque situation.

Au tout début, Dominique avait donné libre cours à sa manie de nettoyer. Elle avait récuré la maison de fond en comble, lavant les murs, les plafonds ainsi que chaque cadre ou bibelot. À cette période, elle avait apporté beaucoup d'articles chez sa sœur et sa mère, et elles avaient redécoré chaque pièce au goût du jour.

Durant quelques mois, elle avait suivi des ateliers de peinture, mais le fait d'être obligée de respecter un horaire toutes les semaines ne lui plaisait pas. Elle s'était alors inscrite dans un centre de conditionnement physique, où elle pouvait se rendre au moment qui lui convenait, et elle s'était impliquée comme bénévole auprès de la bibliothèque de sa municipalité.

Le temps passait et elle se demandait comment elle faisait auparavant pour aller travailler. Comme les livres avaient toujours été une passion pour elle, elle adorait partager ses nouvelles découvertes avec les abonnés.

Lors de son 50e anniversaire de naissance, son amie Solange lui avait offert un tout petit livre dont le titre était: *L'art de la simplicité*, de l'auteure Dominique Loreau. Elle en avait fait sa lecture de chevet et elle s'était rapidement sentie interpellée par cette approche d'un mode de vie zen issu de la culture japonaise.

Il n'en fallait pas plus pour qu'elle entreprenne un autre grand ménage de sa maison et qu'elle épure encore une fois chaque pièce. Son passage à la cinquantaine la bousculait et elle avait besoin de se trouver un nouveau défi.

La venue de l'oncle Raoul dans son existence était arrivée à point. Rapidement, Dominique s'était sentie responsable du vieil homme qui lui avait tendu la main. Elle l'avait d'emblée aimé, il lui faisait vraiment penser à son père. Elle était convaincue que leur attachement serait indéfectible.

Ce serait l'anniversaire de son oncle ce mois-ci et elle avait décidé de souligner l'événement. Elle se rendit donc chez sa mère, un après-midi, à l'heure de la pause-café, pour en discuter avec elle.

— Allo, Dominique, salua Doris qui ne se levait plus quand les visiteurs arrivaient.

Bien assise dans son fauteuil berçant ou à sa place à la table de la cuisine, elle attendait qu'ils viennent lui faire un câlin. Elle ménageait ainsi ses vieilles jambes endolories par de nombreuses varices qui la faisaient souffrir.

Dominique déposa ses paquets par terre, enleva ses bottes et retira son manteau, qu'elle étala sur le divan du salon. Il était maintenant temps d'aller bécoter sa mère et de lui jouer dans les cheveux, ce qu'elle détestait au plus haut point.

— C'est plus fort que toi, il faut que tu me dépeignes chaque fois! J'avais pris la peine de me faire des bouclettes avec des bobépines[40] hier soir et là, je vais avoir l'air d'un épouvantail à moineaux!

— Tu exagères, maman. T'es belle au naturel! Est-ce que tu trouves que je viens trop souvent maintenant que je m'occupe de ton frère?

— Je te verrai jamais trop et c'est la même chose pour tous mes enfants et mes petits-enfants. Je vous l'ai déjà dit et je vous le répète: ici, ce sera toujours votre maison.

---

40 Bobépine: pince à cheveux.

Bon, tu peux pas arriver une seule fois avec les mains vides. Qu'est-ce que tu m'as encore apporté?

— Pas grand-chose, rien que des petits lunchs pour les moments où tu te sentiras un peu paresseuse. Tu mettras les plats dans le four micro-ondes et tu penseras à moi. J'ai du pâté chinois, du macaroni à la viande et du piment farci. Quand je prépare mes repas, c'est pas plus long de prévoir quelques plats à congeler. Tu remarqueras que j'ai grossi les portions, étant donné que mon frère est souvent ici avec toi.

— Je commence à être pas mal gâtée! Ta sœur me prépare aussi des repas à l'occasion. Je l'attends justement cet après-midi, car elle devait aller chercher ses fruits et légumes chez Bourassa et d'habitude, elle vient m'en porter. Ils ont des quantités si importantes que je peux pas acheter là pour moi toute seule. De toute manière, j'ai moins le goût de faire la popote[41] maintenant.

— Je pense que c'est un peu normal. Si j'avais le choix, je suis pas certaine que j'en ferais autant. Quand on a marié un ogre, il est préférable d'avoir toujours de la bonne bouffe dans le frigo!

— Parle pas de Patrick comme ça! C'est un ange, ce gars-là! C'est pas tous les hommes qui endureraient qu'une femme les fasse se déshabiller dans le garage parce qu'ils viennent de couper le gazon.

— Si je faisais pas ça, se défendit Dominique, on ramasserait des brindilles partout dans la maison!

— Avoue que des fois, tu pousses un peu fort! Patrick, c'est un mautadit de bon diable! Et je me dis qu'il faudrait pas que tu lui en demandes trop. Un gars a ses limites!

— Tu as bien raison, maman, j'ai trouvé la perle rare,

41 Faire la popote: cuisiner.

mais je suis pas aussi emmerdante que tu le prétends. Mon homme en profite souvent pour raconter des histoires et se faire plaindre. Il aime bien ça! Je me fais une tisane, en veux-tu une?

— Non, rajoute seulement un peu d'eau chaude dans mon café, ça va être suffisant. Depuis quand tu bois de la tisane? Es-tu devenue granola?

— J'essaie de prendre soin de moi un peu. Quand je travaillais, je mangeais pas mal n'importe quoi, mais là, j'ai décidé de faire attention. Inquiète-toi pas, je partirai pas en peur!

— J'espère bien! Dis-moi donc ce qui t'amène aujourd'hui. D'habitude, tu as toujours des projets, surtout depuis que tu t'occupes de ton parrain.

— Justement, c'est à son sujet que j'aimerais te parler. Ça va être sa fête lundi prochain et j'avais pensé qu'on pourrait venir souper ici pour l'occasion. Il va avoir 89 ans et pendant qu'il est encore suffisamment en forme pour sortir, aussi bien en profiter.

— Je serais contente que tu organises une petite fête! Dis-moi ce que je peux faire pour t'aider.

— Rien, maman! Je vais juste utiliser ta maison. Je connais un traiteur qui va nous préparer un petit buffet, quelque chose de simple. Je songeais à en parler à Évelyne et à Claude et si ça leur tente, ils se joindraient à nous.

— C'est une bonne idée, mais comment tu vas le convaincre de souper ici un soir de semaine?

— J'ai déjà pensé à tout ça. Je vais lui faire croire qu'on a un rendez-vous pour signer des papiers à la banque et il se doutera de rien. J'irai le chercher plus tôt en prétextant vouloir venir prendre un café avec toi. Il y verra juste du feu!

— T'as vraiment le tour de t'occuper des gens.

Heureusement qu'il y en a qui pensent à toi de temps en temps. Je me demande bien ce que je pourrais lui acheter comme cadeau.

— Pourquoi pas un beau débardeur avec une chemise? Je pourrais magasiner pour toi dans mon coin et je te ferais un emballage cadeau.

— Veux-tu que je te donne de l'argent?

— On verra à ça plus tard.

C'est ainsi que le souper d'anniversaire de Raoul avait été planifié. Les choses se dérouleraient simplement, afin qu'il ne soit pas trop mal à l'aise.

Patrick avait eu une bonne idée pour le présent qu'il souhaitait offrir à son oncle par alliance. Ce dernier n'oublierait pas le jour de ses 89 ans.

Évelyne débarqua chez sa mère quelques minutes plus tard en transportant de nombreux sacs d'épicerie.

— On croirait voir arriver monsieur Lacasse avec ses fruits et légumes! lança Doris.

— De qui tu parles? demanda Évelyne.

— T'es trop jeune pour te souvenir de ça, répondit Dominique, qui était retournée loin dans ses souvenirs quand sa mère avait nommé cet individu. Pendant la période des récoltes, un cultivateur de Saint-Joseph-du-Lac, monsieur Lacasse, passait de maison en maison pour vendre ses produits maraîchers. Dans ce temps-là, la majorité des femmes étaient chez elles et elles sortaient faire leurs provisions de produits frais.

— Dominique et son amie Mireille étaient ses préférées.

— On avait l'habitude d'aller avec maman pour voir ce qu'il avait à offrir. C'était tout bien installé dans la boîte de son gros camion International rouge. Monsieur Lacasse nous donnait toujours une pomme. Une journée, on lui avait demandé si on pouvait l'aider en allant frapper aux portes des maisons à sa place. Il avait accepté qu'on fasse la ronde avec lui et je crois que ça le dépannait vraiment.

— C'est bien certain, ajouta Doris. Ça lui évitait de monter et descendre des dizaines d'escaliers et il avait tout le temps pour servir ses clientes.

— Quand on avait parcouru un petit bout, continua Dominique les yeux brillants à l'évocation de ces bons souvenirs, on s'assoyait derrière la boîte du camion, les jambes pendantes, et il roulait très lentement. Chaque fois qu'il arrêtait son véhicule, on sautait en bas et on recommençait à aller dire aux gens que le marchand de fruits et légumes était là. Après sa tournée, il nous ramenait devant chez nous et nous donnait à chacune un gros 25 cennes. On a fait ça pendant quelques semaines.

— C'était une belle époque! Aujourd'hui, il serait impensable de laisser partir deux petites filles d'une dizaine d'années avec un vendeur itinérant. C'est comme si la peur existait pas dans ce temps-là, soupira Doris, qui se demandait si elle avait été sage ou insouciante d'avoir laissé sa fille s'adonner à pareille tâche avec un étranger. Quand je pense à la petite Cédrika Provencher qui a pas encore été retrouvée. Ça me tord les tripes!

— Il faut croire qu'on a eu la chance d'avoir de bonnes personnes dans notre entourage, conclut Dominique.

Celle-ci expliqua à Évelyne le projet qu'elle avait élaboré pour le prochain lundi et la sœur accepta avec enthousiasme de participer à la fête, avec Xavier et les enfants. On tiendrait une belle rencontre familiale et Raoul apprécierait sûrement cette attention.

Sans en parler à qui que ce soit, Évelyne avait prévu faire une surprise à son oncle Raoul en invitant aussi son frère Hector pour la fête. Elle savait très bien qu'elle ne pouvait lui demander cette faveur d'avance, mais elle irait directement chez lui le lundi après-midi.

Ce jour-là, quand elle arriva, elle frappa à la porte, mais elle n'obtint pas de réponse. Elle était cependant au courant que la porte arrière était habituellement déverrouillée.

Elle pénétra donc dans la maison et trouva son oncle couché sur le divan pour sa sieste. Le téléviseur fonctionnait à tue-tête. Elle baissa le son, mais ne ferma pas l'appareil pour ne pas déranger son sommeil. Comme la vaisselle du dîner était restée sur la table, elle ne put résister à la tentation de faire un peu de ménage dans la cuisine. Elle avait l'impression que le vieil homme se porterait mieux quand les comptoirs seraient lavés à fond et que les poignées des portes d'armoires seraient essuyées.

Elle regretta cependant d'avoir passé son linge sur le premier panneau, car elle ne voyait pas où elle pourrait arrêter sa besogne tant la saleté était généralisée dans la pièce. Elle pensa alors à Xavier, qui lui adressait toujours le même reproche quand il la voyait faire le ménage.

— T'es bien mieux de jamais devenir aussi maniaque que ta sœur parce que je divorce! Moi, une maison qui sent le détergent à plein nez, ça me fout les boules[42]!

Évelyne vit soudain que le vieil homme se levait

---

42 Foutre les boules : énerver fortement.

lentement. Elle ne souhaitait pas lui faire peur et elle fredonna doucement en se dirigeant vers le salon.

— Bonjour, mon oncle. C'est moi, Évelyne.

— Oui, la reconnut-il avec le regard tout de même quelque peu hagard.

— Vous dormiez tellement bien que j'ai pas voulu vous réveiller. Vous ronronniez comme un petit chat. Comment ça va aujourd'hui?

— Bien! répondit-il soucieux. Pourquoi t'es ici, toi?

— Je suis la fille de Doris, votre sœur. Je suis venue vous chercher pour souper, parce qu'à soir, on souligne l'anniversaire de votre frère, Raoul.

— C'est sa fête? Je m'en souvenais pas. Je suis pas habillé pour sortir, avoua-t-il tout bonnement. Il faudrait que tu me laisses le temps de me passer une débarbouillette et de me changer.

— On est pas pressés. J'ai pris la liberté de laver votre vaisselle pendant que vous dormiez. J'espère que vous m'en voudrez pas.

— Tu peux venir quand ça te tentera pour ça. Moi, c'est quelque chose que j'ai toujours haï. Je mange souvent dans la même assiette pour m'en sauver un peu.

Hector se dirigea vers la salle de bain pour faire un brin de toilette. Il enfila ensuite des vêtements de semaine propres qui étaient accrochés derrière la porte.

— Ça vous va bien, ces couleurs-là, mon oncle!

— C'est Monique qui m'achète mon linge asteure. Et depuis une secousse, elle colle mon nom dans le collet avec un numéro. Quand je mets une chemise numéro 2, je dois choisir un pantalon numéro 2 pour aller avec. C'est plus facile de même. Il y a une femme qui vient chercher mon lavage le mercredi et elle le rapporte bien plié.

Évelyne était impressionnée autant par l'attitude du vieil homme que par celle de sa cousine, qui semblait bien s'occuper de lui. On avait peut-être été trop sévères à son endroit.

Elle tenta d'appeler Monique pour l'aviser de la surprise préparée pour leur oncle, mais n'obtint pas de réponse. Elle laissa un message à son attention à la pharmacie et elle lui écrivit un petit mot qu'elle déposa sur la table : « Emmené ton père chez maman pour la fête d'oncle Raoul. Évelyne ».

———

Ce matin, Raoul se leva encore une fois de très bonne heure. Il savait qu'il sortait avec sa nièce aujourd'hui et il ne voulait pas lui déplaire. Il utiliserait tout le temps qu'il fallait pour se préparer.

Il n'avait pas besoin de prendre son bain puisqu'il l'avait pris le samedi après-midi, comme il en avait l'habitude. Il ferait toutefois sa toilette à la débarbouillette et il enfilerait des sous-vêtements propres. Il était gêné quand il voyait combien ceux-ci étaient usés et élimés par endroits. Il lui faudrait aller magasiner pour s'en acheter d'autres, mais il ne savait plus vraiment où il trouverait ce type de combinaison. Tout changeait maintenant ! La majorité des jeunes ne portaient plus ces dessous, sauf pour faire du sport. Il demanderait à sa sœur Doris de vérifier dans le catalogue Sears. Si ce type de sous-vêtements était encore en vente, il lui demanderait de lui en commander deux ou trois paires.

Quand il eut finalement terminé de se préparer, il se fit un petit dîner et il se coucha sur le divan du salon pour faire une sieste. Il serait en grande forme au moment où Dominique passerait le chercher.

Il venait à peine de s'étendre qu'il eut la surprise de voir la porte d'entrée s'ouvrir. Il ne pouvait s'agir que de Dominique, qui avait la clé, mais elle ne devait être là que dans une demi-heure ou une heure.

— Vous barrez plus votre porte, mon oncle? interrogea Hugo Fréchette, qui arrivait avec un sac cadeau coloré.

— Hugo, qu'est-ce que tu fais dans le coin? rétorqua Raoul, étonné que le jeune homme ait pu pénétrer dans sa maison si facilement.

— Je me suis rappelé que c'était votre anniversaire aujourd'hui et j'ai pensé vous apporter un petit quelque chose.

C'était la première fois que le jeune homme venait le visiter le jour de sa fête depuis qu'il était adulte. Raoul était inquiet, car il était au courant que celui-ci avait eu des démêlés avec la police et il souhaitait avoir le moins de contacts possible avec lui. La confiance était bel et bien rompue entre eux.

— C'est gentil de ta part. Assis-toi, l'invita-t-il néanmoins, en lui désignant une place à la table de la cuisine.

Hugo remit le cadeau au vieil homme, qui était très mal à l'aise. Il ouvrit le sac pour découvrir une bouteille de 26 onces de gin.

— Je te remercie, mon garçon, mais tu sais que je bois pas beaucoup.

— Je me rappelais que des fois, vous preniez un petit verre avant le souper.

— Ça, c'était dans mes bonnes années. J'ai plus les mêmes capacités. Maintenant, je garde la boisson pour quand j'ai un gros rhume. Qu'est-ce qui t'amène à Val-David?

— Je suis venu pour votre fête et je vais en profiter pour visiter des logements dans le village ou à Sainte-Agathe-des-Monts. Je me trouve pas mal éloigné depuis que je reste dans le coin de Lachute. J'ai mon permis de conduire, mais j'ai pas d'auto. Ça fait que j'ai toujours besoin de demander des *lifts* à Pierre, Jean, Jacques[43]!

— As-tu de l'ouvrage de ce temps-là?

— Si je pouvais déménager dans la région, je pourrais travailler chez le fleuriste, mentit Hugo, en espérant que Raoul lui offre l'hospitalité. Vous vous prépariez pour sortir? s'enquit-il en voyant le manteau et le chapeau du vieil homme sur le dossier d'une chaise.

— J'attends Dominique, qui s'en vient me chercher pour faire des commissions, confirma Raoul, afin que le jeune ne s'incruste pas.

— Je pourrais y aller avec vous, si ça vous tente. Appelez-la pour *canceller*! l'enjoignit-il sur un ton autoritaire. Ça a pas d'allure pour elle de partir de la ville rien que pour du magasinage!

— Non, j'ai besoin que ce soit Dominique. Elle va arriver dans quelques minutes.

— On peut prendre votre *char*. Je vais vous servir de chauffeur, insista Hugo, qui se leva rapidement. Ses mouvements trahissaient une grande nervosité.

— C'est pas possible, Hugo. Il faut absolument que ce soit ma nièce qui m'accompagne parce que c'est elle qui prend soin de mes affaires depuis qu'elle est à la retraite.

— Pourquoi elle? s'emporta le jeune pour exprimer sa

---

43 À Pierre, Jean, Jacques : à tout le monde.

frustration. J'aurais pu m'occuper de vous, moi aussi. J'ai plus mes parents et je vous ai toujours considéré comme un père! Comme ça, vous avez pas confiance en moi?

Raoul était tout à coup intimidé par le ton que le jeune homme employait à son égard. Il regretta alors d'avoir mentionné le nom de Dominique.

— Son mari est un *boss* dans une caisse populaire, mentionna-t-il pour se sortir du pétrin, et elle pouvait facilement régler mes papiers. En plus, c'est une fille qui a toujours travaillé dans un bureau.

— Ça prend pas la tête à Papineau[44] pour s'occuper d'un compte de banque!

Alors que Raoul était à court d'arguments, il vit Dominique entrer, comme si le Bon Dieu l'avait envoyée à sa rescousse.

— Qu'est-ce qui se passe ici? J'entendais parler fort sans bon sens!

— Tu sais, expliqua Raoul d'un ton nerveux, quand j'ai mon appareil, je parle plus fort. Tu connais Hugo Fréchette, le petit voisin d'autrefois.

— C'est comme ça que vous parlez de moi! ragea Hugo. Comme d'un petit voisin? Moi, j'ai pas assez de classe pour vous! accusa-t-il en se levant promptement, nullement impressionné par l'arrivée de Dominique.

Son mouvement brusque eut pour effet de renverser la chaise sur laquelle il était assis.

— Prends pas ça comme ça! se défendit Raoul, qui craignait l'homme que le jeune était devenu.

Dominique n'aima pas ce qu'elle avait ressenti en mettant

---

44 Ne pas prendre la tête à Papineau: ne pas avoir besoin de quelqu'un de brillant, ne pas nécessiter de connaissances élaborées.

les pieds dans la maison. Elle connaissait peu le garçon, mais voulait lui faire comprendre qu'elle ne le laisserait pas intimider son protégé.

— Hugo, le semonça-t-elle d'un ton autoritaire. T'es ici chez mon oncle et jamais je permettrai que tu viennes y semer la pagaille!

— Tiens, la péteuse qui sort ses grands mots! Tu sauras que j'étais chez nous icitte quand j'étais jeune, rétorqua Hugo pour s'approprier un tant soit peu les lieux.

Raoul était complètement abasourdi et priait pour que cette discussion prenne fin. Il avait peur qu'Hugo s'en prenne physiquement à sa nièce.

— T'es peut-être resté icitte comme tu dis, mais c'était autrefois, ajouta Dominique en avançant vers lui. Maintenant, mon parrain demeure tout seul dans sa maison et il veut avoir la paix. Je te demanderais de quitter les lieux et de le laisser se reposer.

Hugo partit en invectivant Dominique et il claqua la porte violemment. En passant à côté de la voiture de la nièce de Raoul, il cracha sur le pare-brise.

Dominique songea qu'elle devrait faire attention et surtout protéger son oncle contre cet individu.

— Il était ici depuis longtemps?

— Je dirais une vingtaine de minutes. J'espère qu'il te fera pas de trouble. C'est de ma faute aussi! J'aurais pas dû lui dire que tu t'occupes de moi maintenant.

— Il l'aurait appris un jour ou l'autre! À mon avis, c'est un gars qui a de gros problèmes de consommation de drogue. Il avait les yeux anormalement rouges. Vous devriez pas répondre à la porte quand vous savez que c'est lui et que vous êtes seul.

— Je lui ai pas ouvert, il a dit que c'était débarré. Ça me surprend, mais je vais faire attention à l'avenir.

— On courra pas le risque. Je vais faire changer les serrures dès aujourd'hui. En allant à la banque tantôt, je vais arrêter voir Claude et lui demander de venir s'occuper de ça.

— Qu'est-ce que je ferais si je t'avais pas?

— Vous en auriez une autre!

Afin de s'éloigner du sujet litigieux, Dominique rappela à son parrain qu'il serait bien de communiquer avec son courtier d'assurances relativement à sa voiture qu'il avait remisée dans son garage pour l'hiver. Elle l'aida ensuite à ramasser les quelques morceaux de vaisselle qui traînaient sur le comptoir.

— Je vois que votre manteau est déjà sorti, vous étiez donc prêt à partir. Un vrai scout, mon oncle, toujours à l'heure et bien mis!

— T'aurais pas dit la même chose de ta tante Yvette, ma première femme. Elle me faisait attendre chaque fois qu'on sortait, si bien que je finissais par partir sans elle.

— Est-ce qu'elle s'est corrigée avec le temps?

— Non, c'était une incorrigible! Ou plutôt, je crois que ça faisait son affaire que je lui laisse sa liberté afin qu'elle puisse vivre sa vie comme elle le souhaitait.

— Difficile de vivre en couple quand on a cette philosophie!

— Tu l'as très bien dit; on était pas vraiment un couple. On était cependant unis par les liens du mariage et dans ces années-là, on pouvait pas penser à se séparer sans perdre la face.

— De tous les temps, il y a eu des gens malheureux en ménage. Je me considère très privilégiée d'avoir rencontré un homme comme Patrick.

— Et vous avez la chance de vivre ensemble sans être obligés de vous marier. Selon moi, ça fait une grande différence. Dans mon temps, il fallait passer devant monsieur le curé avant de pouvoir coucher avec une femme ou, du moins, c'était préférable. Après que c'était fait, il y avait pas de retour en arrière possible.

— Je me demande si mes parents étaient vraiment heureux. Je me souviens que c'était pas toujours de tout repos quand papa rentrait après deux ou trois jours de travail consécutifs.

Raoul trouvait que la discussion prenait une allure potentiellement contraignante et il décida de changer de sujet. Ce n'était pas sa journée pour les causeries.

— Tu as dit que ta mère nous attendait pour la pause-café? On serait bien mieux d'y aller. Je voudrais pas qu'on manque notre rendez-vous à la banque.

Doris avait demandé à Claude s'il souhaitait participer à cette petite fête pour leur oncle Raoul et il avait accepté. On attendrait donc à 18 heures pour servir le repas, afin de donner le temps à ceux qui travaillaient de pouvoir se changer et se joindre au groupe.

Quand Dominique arriva chez sa mère avec Raoul, Doris fit comme d'habitude et lui offrit un chocolat chaud ou une tasse de thé. Elle sortit également différentes sortes de biscuits. Elle avait toujours un bon assortiment à proposer et elle les déposait tous sur la table.

Raoul n'était pas très en forme, mais Dominique et lui

avaient convenu de ne pas parler de l'incident d'Hugo avec Doris. Ils ne voulaient pas l'inquiéter.

Doris commença à jaser de l'automne qui annonçait la froide saison et Raoul se sentit soudain plus triste. Entrevoir cette période était difficile pour lui. Dominique s'en aperçut et tenta de changer le cours de la conversation.

À 16 heures, Raoul s'informa auprès de sa filleule, à savoir s'il n'était pas l'heure d'aller à leur rendez-vous.

— Vous savez, quand le téléphone a sonné tantôt, c'était la conseillère qui me demandait de le remettre à une autre date. Je m'excuse! J'aurais dû vous le dire à ce moment-là. Il semble qu'elle ait eu un empêchement de dernière minute. C'est pas grave puisqu'on a passé du bon temps ensemble, expliqua Dominique.

— Comme ça, t'es montée dans le Nord pour rien? se découragea Raoul, malheureux d'avoir dérangé sa nièce encore une fois.

— Vous êtes pas content de m'avoir vue? plaisanta-t-elle en continuant de jouer le jeu.

— Oui, mais Patrick doit trouver que j'ambitionne. T'as sûrement autre chose à faire que de sortir avec un vieux *schnock*[45]!

— Mon oncle, je veux jamais vous entendre dire une affaire de même! Vous êtes mon parrain et ce que je fais pour vous, j'aurais aimé le faire pour mon père, mais il est parti trop tôt. Ça me fait toujours plaisir d'être en votre compagnie.

Raoul fut très ému de cette prise de position de sa nièce. Il savait que ses propos étaient d'une grande sincérité.

---

45 *Schnock*: du français argotique «chenoque», qui signifie «bête comme un chien».

Au même moment, Noémie et Bruno, les enfants d'Évelyne, arrivèrent sur la galerie avec des ballons soufflés à l'hélium. Ils entrèrent dans la maison en chantant.

— Bonne fête à vous, bonne fête à vous...

Raoul ne s'y attendait vraiment pas. Il y avait de nombreuses années qu'on n'avait pas souligné son anniversaire. Il ne put réprimer une grosse larme qui coula sur sa vieille joue fraîchement rasée pour cette sortie résolument mensongère.

Quand il vit Évelyne arriver avec Hector, Raoul se leva pour faire une accolade à son vieux frère. Doris vint les rejoindre et ils se serrèrent dans les bras tous les trois, sachant fort bien que des moments comme ceux-ci étaient très précieux.

Ce fut ensuite au tour de Patrick, Xavier et Claude de se pointer. Toute la famille de Doris y était et elle en était très fière. L'ambiance était à la fête et tout le monde parlait très fort. Doris, ses frères et les enfants s'étaient installés au salon, tandis que les femmes préparaient la table et que les hommes sirotaient une bière.

— Ça fait longtemps qu'on a pas été ensemble tous les trois, soupira Doris.

— Oui, et puis c'est de valeur. Il nous reste maintenant moins de temps en avant qu'en arrière, répliqua Raoul.

Hector était assis avec eux, mais il ne semblait pas à son aise. Chaque fois qu'il était venu chez sa sœur, ces dernières années, c'était en compagnie de Monique. Il craignait qu'elle ne soit fâchée qu'il soit sorti seul. Il se demandait même si c'était correct qu'il soit là, avec tous ces gens.

— Hector, as-tu avalé ta langue? T'as pas dit un mot depuis que t'es arrivé ici. Tu devrais venir me voir plus souvent, lui suggéra Doris.

— Monique sera pas contente, répondit le vieil homme d'un ton nerveux et saccadé.

— Évelyne m'a confirmé qu'elle lui avait laissé un message. T'as pas à t'en faire, le réconforta sa sœur en lui tapotant la main.

— C'est le temps de vous approcher à la table, cria Dominique. On vous a préparé un emplacement de choix! Doris au bout, avec ses deux frères de chaque côté.

— Une rose entre deux épines, lança Patrick pour blaguer.

Tous prirent donc place et Évelyne s'occupa de servir l'oncle Hector pendant que Dominique prenait soin de sa mère et de son parrain. Les enfants et les hommes s'étaient déjà pris une assiette et la remplissaient de tous les succulents mets apportés par Patrick. Ce dernier avait insisté pour commander le buffet lui-même et il avait fait préparer de la nourriture pour 15 personnes alors qu'ils n'étaient que 10. Il y avait donc de quoi nourrir une armée, mais Dominique n'était pas surprise. Son mari avait toujours peur d'en manquer, c'était maladif chez lui.

Quand tout le monde eut terminé son repas, on sortit un magnifique gâteau à la vanille sur lequel était inscrit en sucre à glacer bleu le message «Bonne fête oncle Raoul». Deux chandelles portant des chiffres avaient volontairement été inversées, un neuf et un huit.

— Mes snoreaux[46], vous autres! C'est pas 98, c'est 89 que j'ai aujourd'hui! Laissez-moi une chance!

— J'ai pris la peine d'acheter le gâteau à la boulangerie Maisonneuve à Saint-Jérôme. C'est là qu'ils font les

---

46 Snoreaux: personnes espiègles.

meilleurs, indiqua Patrick. Je le sais parce que j'ai travaillé pour eux pendant tout un été quand j'étais étudiant.

— Avant de manger le dessert, je crois qu'il y a quelques petits cadeaux pour mon oncle Raoul, précisa Dominique.

Le fêté reçut alors ceux-ci bien emballés de papiers de différentes couleurs et de magnifiques rubans. Tout le monde avait mis beaucoup de soin aux préparatifs.

Raoul reçut de Doris une belle chemise et un débardeur de marque Arnold Palmer, et de la part des enfants d'Évelyne de jolis bas à motifs. Quant à Évelyne et Xavier, ils lui offrirent un foulard de lainage, et Claude, un chic pyjama signé Pierre Cardin.

Raoul était gêné de recevoir tous ces présents. Il n'avait jamais été aussi gâté.

— Il y a juste moi qui ai pas de cadeau pour vous, fit Dominique très sérieusement.

— T'en fais déjà assez pour moi. Ce serait bien le boutte que tu me donnes autre chose. De toute façon, tout ça, c'est beaucoup trop pour un vieil homme comme moi. J'en mérite pas autant!

— Si Dominique vous a rien apporté, expliqua Patrick avec sa grosse voix, c'est parce que je lui ai demandé de pas le faire.

Tout le monde se sentit tout à coup mal à l'aise. Pourquoi Patrick aurait-il exigé que sa femme n'offre rien à son oncle, qu'elle venait pourtant de prendre sous son aile? Mais l'homme taquin n'attendit pas trop longtemps avant de poursuivre son discours.

— J'ai pas voulu qu'elle magasine parce que je suis allé acheter moi-même votre cadeau.

Il sortit alors une enveloppe de la poche intérieure de son veston et la remit au vieil homme, visiblement gêné.

Raoul ouvrit lentement son présent et les invités remarquèrent une émotion intense éclairer son visage.

— Des billets de hockey, pour moi!

— Oui, vous irez voir le Canadien de Montréal contre les Bruins de Boston le 22 octobre prochain. C'est Claude qui vous accompagnera, précisa Patrick. Moi, je pouvais pas me libérer ce jour-là. Et puis je pense que mon beau-frère est pas mal plus fan de hockey que moi!

— Moi, quand Patrick m'a demandé d'y aller avec vous, j'ai hésité, spécifia Claude en faisant une longue pause. Je me suis posé la question à savoir si on partirait à 17 heures ou à 17 h 30!

— On partira au chant du coq[47] si tu veux! répliqua le vieil homme du tac au tac. Tu vas voir que je suis pas obstineux quand il est question d'aller trotter!

Tout le monde se mit à rire et le dessert fut servi. Tous l'apprécièrent, particulièrement les enfants d'Évelyne.

On entendit soudain quelqu'un marcher sur la galerie. Patrick s'avança et ouvrit la porte à la cousine de sa femme.

— Monique, lança Dominique, t'arrives juste à temps pour un morceau de gâteau!

— Ça sera pas nécessaire, rétorqua celle-ci fermement. Prépare-toi, papa, lança-t-elle à l'intention d'Hector, on retourne à la maison!

— Hector a pas fini son dessert, opposa Doris doucement. Assis-toi avec nous autres quelques minutes. C'est la fête à Raoul aujourd'hui et…

— Papa a des médicaments à prendre le soir et il a des problèmes de diabète, coupa Monique sur un ton

47 Au chant du coq: au lever du soleil.

autoritaire. Toi, Évelyne, t'aurais pu m'appeler avant de venir chercher mon père comme une voleuse!

— Je t'ai laissé un message à la pharmacie, étant donné que t'as pas de répondeur à la maison. J'ai aussi mis un mot sur la table de cuisine chez mon oncle.

— Personne me l'a dit. J'étais au travail et j'essayais de téléphoner à papa. Je me faisais du sang de cochon[48] pour lui pendant qu'il était icitte à faire la fête. J'espère que vous lui avez pas donné de boisson au moins.

Pendant que sa fille discutait froidement, Hector s'était levé et il s'était avancé vers elle, le dos courbé, comme un enfant qui a désobéi à sa mère. Évelyne alla immédiatement chercher son manteau et elle voulut l'aider à l'enfiler.

— Laisse faire, l'interrompit Monique en lui enlevant brusquement le vêtement des mains. Je suis capable de m'en occuper toute seule!

— T'es de mauvaise foi, Monique, l'accusa Dominique, en se portant à la défense de sa sœur. Évelyne a fait ça tout bonnement pour faire plaisir à ton père, à mon oncle et à maman. Essaie de comprendre un peu.

— Tiens, la grande dame qui s'en mêle! T'aimes ça, toi, te mettre le nez dans les affaires des autres!

Doris pleurait de voir son frère si désemparé. Elle s'approcha de lui et le prit dans ses bras avant de l'embrasser sur les deux joues.

— Bonsoir, Hector! Je suis contente que tu sois venu à la fête. Oublie la chicane et rappelle-toi juste les belles choses qu'on s'est dites.

Elle jeta ensuite un regard sévère à sa nièce, qui tourna les talons et emmena son père avec elle.

---

48 Se faire du sang de cochon : s'inquiéter beaucoup.

Cette arrivée impromptue de Monique avait jeté une douche froide sur les célébrations. Personne n'avait maintenant le goût de s'amuser. Comme c'était lundi, tout le monde partit tôt et Claude rassura ses sœurs en leur mentionnant qu'il veillerait ce soir avec sa mère pour la consoler.

Évelyne s'en voulait d'être allée chercher son oncle et son mari était d'avis qu'elle aurait dû en parler avec sa cousine avant de poser ce geste. Elle savait que Xavier avait raison, car même si le vieil homme allait relativement bien quand elle était arrivée chez lui, il lui avait paru plus perturbé dès qu'il avait quitté son domicile. C'était son environnement et sa sécurité. Au moment où il avait franchi la porte, il s'était retrouvé dans un monde qui lui semblait maintenant plus obscur.

Dominique reconduisit l'oncle Raoul chez lui.

— Ça s'est pas terminé dans l'harmonie, mais on a quand même eu un bon souper. Pour cet après-midi, vous m'en voulez pas trop de vous avoir raconté un petit mensonge pour le rendez-vous à la banque?

— Je t'en voudrai jamais, ma belle enfant. Je pensais pas que la vie me permettrait un jour d'avoir quelqu'un comme toi pour s'occuper de moi. Je t'aime comme si t'étais ma propre fille!

— Moi aussi, je vous aime, mon oncle, et de plus en plus. C'est moi qui ai le meilleur parrain au monde. Vous me faites vivre de beaux instants. Vous pouvez dormir sur vos deux oreilles, Claude est venu changer les serrures cet après-midi, juste avant le souper. C'est pas quelque chose qui est très long à faire! Il y a que vous et moi qui avons des clés maintenant, le rassura-t-elle en lui faisant un clin d'œil.

Elle lui fit un gros câlin et il le lui rendit. Ils étaient devenus des inséparables.

Quand Raoul posa la tête sur son oreiller, il tenta de repenser à la journée qu'il venait de vivre. Il était privilégié d'être si bien entouré. Même s'il était très fatigué, il prit son chapelet et il entreprit d'en dire quelques dizaines. Il devait absolument remercier son Créateur pour les moments merveilleux qu'il lui offrait.

— C'est trop beau pour un homme comme moi! Il veut sûrement me faire réaliser que finalement la vie vaut la peine d'être vécue et que jamais on doit abandonner. Le pauvre Hector a pas cette chance. Pourquoi, mon Dieu?

Raoul assista à une excellente partie de hockey avec son neveu au Centre Bell, où il n'avait encore jamais mis les pieds.

La dernière fois qu'il avait participé à un événement de la sorte, c'était dans les années 50, au Forum de Montréal. Avec quelques amis, ils avaient pris le train à la gare de Sainte-Agathe-des-Monts et ils étaient revenus en fin de soirée. C'étaient de belles virées nocturnes à une époque où il était moins courant que les gens fassent un aller-retour vers la grande ville.

Ce 22 octobre 2007, la sortie fut différente, mais tout aussi magique. C'était Raoul qui avait les yeux les plus brillants de tout le Centre Bell! Il vivait là un moment marquant dans sa vie et, pour couronner le tout, les Canadiens écrasèrent les Bruins au compte de 6 à 1.

L'excitation fut à son comble dès que Raoul pensa à retirer son appareil auditif et à le ranger dans sa poche de manteau!

— Criez tant que vous le voulez, maintenant! lança-t-il lancé en jetant un clin d'œil à son neveu, qui l'observait avec un sourire en coin.

CHAPITRE 13

La prison à vie

(Novembre 2007)

Monique avait choisi un vendredi matin pour annoncer à son père qu'il devait aller vivre dans une maison de retraite. On était le 2 novembre et depuis la veille, Hector avait officiellement une nouvelle adresse, soit une chambre louée à la résidence de madame Bisaillon. Elle ne pouvait pas attendre plus longtemps pour le mettre devant le fait accompli. Afin de camoufler la véritable raison de sa visite, Monique lui avait apporté le *Journal de Montréal* du jour.

— J'ai pensé que ça pourrait vous changer les idées de lire le papier, comme disait maman.

Tout comme un chien sait quand on a peur de lui, on aurait pu croire que son père était au fait qu'elle était là pour lui apprendre une mauvaise nouvelle. Monique faisait de gros efforts pour masquer le trouble qui l'habitait et elle cherchait quoi dire pour meubler la conversation.

— Dans celui-ci, j'ai même le cahier week-end, car c'est une amie à moi qui est caissière au dépanneur. Elle les reçoit un jour à l'avance et elle fait des passe-droits pour les gens qu'elle connaît.

— Tu travailles pas aujourd'hui? demanda Hector d'un

ton ferme. Il me semble que dernièrement tu viens me voir assez souvent.

Le vieil homme n'était pas aussi confus qu'il pouvait en avoir l'air. Il connaissait même de très longues périodes de lucidité.

«Est-ce que ça te dérange?», aurait eu le goût de répondre Monique, mais ce matin, elle devait établir une certaine relation de confiance avec celui-ci.

— C'est parce que je veux pas que tu t'ennuies. J'ai demandé quelques congés supplémentaires pour passer un peu de temps avec toi.

Il était vrai qu'Hector avait souvent le cafard et il souhaitait donner le bénéfice du doute à sa fille, même s'il la savait capable des pires manigances.

Il profiterait donc de ce tête-à-tête pour emmagasiner un peu d'énergie et, s'il flairait quoi que ce soit, il reprendrait son attitude défensive. Il avait dû agir ainsi avec sa défunte épouse et il avait parfois l'impression de la retrouver dans certains faits et gestes de sa fille.

— As-tu reçu un appel de Jean-Guy dernièrement? lui demanda-t-elle, curieuse de connaître le type de contacts que son père avait avec celui-ci.

— Il m'appelle de temps en temps, répondit-il sans plus, protégeant ainsi son fils des reproches éventuels de sa sœur.

Monique croyait pouvoir lui tirer les vers du nez, mais elle réalisa que sa manœuvre ne fonctionnait pas. Elle devait aborder son prochain déménagement, mais elle ne savait pas comment s'y prendre. Elle craignait qu'il ait une réaction qu'elle ne serait pas en mesure de contrôler.

— As-tu le goût que je te fasse un bon café?

— Si tu veux, accepta Hector insouciamment.

Monique se dirigea donc vers le comptoir et, pendant

qu'elle faisait bouillir de l'eau, elle sortit deux tasses. Puis, elle constata que la pinte de lait était rangée dans le garde-manger sur la tablette à côté des boîtes de conserve.

— Papa, accusa-t-elle, t'as mis le lait dans la dépense! C'est certain qu'il est plus bon maintenant!

— C'est pas moi qui ai fait ça! répondit-il, fâché qu'elle prenne ce ton désagréable avec lui.

— C'est sûrement pas moi, parce que je reste pas ici!

Monique jeta le liquide visqueux dans le lavabo et vérifia s'il y en avait d'autres dans le réfrigérateur. Elle trouva un demiard de crème 15 % et se dit que ce produit pourrait faire l'affaire pour une fois.

Cette anecdote lui confirma qu'il était temps que son père quitte sa maison. Elle ne pouvait pas attendre qu'il lui arrive quelque chose de grave.

— Papa, il faut qu'on parle de quelque chose.

— Il me semblait bien que t'étais pas ici pour rien! Des fois, j'en perds des petits bouts, mais pas assez pour pas voir que depuis une secousse, tu magouilles quelque chose dans mon dos.

— Si j'étais pas là pour m'occuper de toi, je me demande bien qui le ferait!

Hector ne voulait pas se disputer avec sa fille, mais il craignait ce qui s'en venait dans un avenir rapproché. Instinctivement, il savait que sa vie allait bientôt changer.

Le téléphone sonna sur les entrefaites et Hector décrocha rapidement. Il ne parla que très peu, ne répliquant que par monosyllabes aux propos de son interlocuteur. Quand il raccrocha, Monique arrivait à la table avec les deux tasses de café et quelques biscuits, qu'elle avait trouvés dans une boîte de métal sur le comptoir.

— C'était qui au téléphone? demanda-t-elle afin de

connaître les personnes qui se préoccupaient encore de son père.

— Ma tante Doris, rétorqua ce dernier sans réfléchir.

— Doris, c'est ta sœur, le corrigea-t-elle rapidement.

— Oui, je le sais, ajouta Hector, certain d'avoir donné la bonne réponse.

Monique ne s'était jamais renseignée à fond sur la maladie d'Alzheimer et, chaque fois que son père se trompait de mot, elle le reprenait avec un ton incriminant, ce qui n'était pas pour le sécuriser. Elle avait également tendance à lui poser des questions qui l'embêtaient comme de lui demander la date du jour, de s'informer s'il se souvenait du nom de ses parents ou du jour de son mariage. Il en était venu à redouter ces interrogatoires multiples qui le rendaient très nerveux.

— Qu'est-ce que ma tante Doris te voulait?

Monique se méfiait de la sœur de son père et souhaitait qu'elle ne s'immisce pas dans leurs affaires de famille. Elle savait qu'il l'idolâtrait depuis sa naissance, ce qui était d'autant plus menaçant.

— Rien d'important, elle prenait juste des nouvelles, fit le vieil homme pour clore le sujet. Ton café est bon, mais j'aurais aimé un peu plus de sucre. Passe-moi les biscuits, s'il te plaît.

— Papa, si je suis venue ici aujourd'hui, c'est parce que je suis très inquiète pour toi.

Hector ne répondit pas et continua de manger en prenant soin de ne pas laisser de miettes sur la table.

Monique se demandait si elle agissait adéquatement dans pareille situation. Elle décida alors de mettre le vieil homme devant le fait accompli au plus tôt. À quoi bon tourner autour du pot?

— Papa, tu peux plus rester tout seul ici. Dernièrement, il t'est arrivé toutes sortes d'arias[49].

Hector ne broncha pas et continua de déguster sa collation, comme si personne ne lui avait parlé, ce qui enragea sa fille, qui avait l'impression de discuter avec le mur.

— J'attendrai pas que tu mettes le feu à la maison pour bouger.

Hector détourna la tête et des larmes commencèrent à couler le long de ses vieilles joues ridées. N'en pouvant plus, il éclata soudain en sanglots. C'en était trop pour lui, qui ne trouvait plus jamais la tranquillité de l'esprit. Il s'interrogeait toujours sur ce qu'il devait faire, où il avait rangé un article ou tout simplement le nom de certains objets. Il réalisait que son état allait de mal en pis et sans que Monique lui dise, il savait qu'il n'en avait plus pour très longtemps à vivre chez lui.

— Tu veux me placer dans un asile? lança-t-il alors sans retenue.

— Voyons donc, papa, jamais je ferais ça! Tu vas tout simplement aller rester dans un endroit où il y aura toujours quelqu'un pour prendre soin de toi et où tu seras enfin en sécurité.

— Tu vas me mettre en dehors de ma propre maison?

— C'est pour ton bien. Il faut que tu comprennes que je peux pas être ici tous les jours et c'est très inquiétant de te laisser seul. Les services sociaux ont été très clairs là-dessus. Si j'y avais pas vu, c'est eux qui t'auraient pris en charge. Moi, je veux juste que tu sois à l'aise, que tu manges bien et que tu puisses dormir en paix. Fais-toi z'en pas, j'irai te

---

49 Arias : embarras, ennuis, tracas.

visiter souvent pour être certaine que tout se passe comme tu le souhaites.

— Qu'est-ce que je peux dire? Quand on devient vieux, on sert plus à rien et nos enfants se débarrassent de nous autres!

— Est-ce que t'acceptes de venir voir l'endroit avec moi? Je suis convaincue que tu vas être bien là-bas.

— Jean-Guy est-tu au courant de ce que tu fais? demanda-t-il tout à coup, comme si son fils serait en mesure de le sauver.

— Oui et il m'a demandé de m'occuper de tout, car il avait pas le temps de descendre. Sa nouvelle blonde est sa priorité! C'est elle qui porte les culottes, comme toutes les autres femmes qu'il a eues dans sa vie avant.

Hector ne répondit rien à cette attaque de sa fille à l'égard de son frère et se mit à feuilleter le journal. Il n'avait plus de porte de sortie.

Monique se leva pour aller à la salle de bain et, comme chaque fois qu'elle venait visiter son père, elle lava le siège avant de s'asseoir et nettoya un peu alentour pour enlever les traces jaunâtres sur le prélart.

Quand elle revint dans la cuisine, son père n'était plus dans la pièce. Elle l'appela et se rendit dans le salon, mais il ne s'y trouvait pas non plus. Elle craignit alors qu'il se soit enfui de la maison et elle paniqua. Un bruit provenant de l'étage supérieur lui fit comprendre qu'il était monté à sa chambre.

En arrivant au haut de l'escalier, elle put entrevoir Hector qui faisait la navette entre son bureau et son lit, sur lequel il avait déposé une petite valise brune dont les coins étaient largement écornés. En pleurant, il jetait des vêtements pêle-mêle dans celle-ci.

— Qu'est-ce que tu fais, papa? interrogea Monique, triste de constater son désarroi.

— Je m'en vais où t'as décidé de me placer, balbutia-t-il sur un ton mélancolique. Si j'oublie des affaires, tu viendras me les porter ou t'enverras quelqu'un. De toute façon, j'en ai plus pour longtemps à vivre.

Monique avait le cœur endurci par les affres de la vie, mais elle ne put réprimer un sanglot qui lui monta à la gorge.

— Laisse faire ça, papa, je vais m'en occuper quand ce sera le temps. T'es pas obligé de t'en aller là-bas aujourd'hui. On peut juste aller visiter la place.

— Ça serait tourner le fer dans la plaie. Si tu m'emmènes dans cette maison et que tu viens me reconduire ici après, c'est pas certain que je voudrai y retourner.

Le vieil homme ferma donc sa valise qui contenait les premiers objets qui lui étaient tombés sous la main. Sur le dessus, il avait déposé le crucifix autrefois fixé au mur en face de son lit et son chapelet, qu'il gardait sous son oreiller.

Monique demanda encore une fois à son père de laisser sa valise sur place, croyant pouvoir faire un retour en arrière, mais c'était sans compter le caractère obstiné de celui-ci.

Hector prit son bagage comme un enfant qui quitte ses parents pour commencer sa vie d'adulte. Il descendit lentement le vieil escalier en caressant la rampe de sa main et il se dirigea directement vers l'entrée. Il enfila ses bottes, revêtit son manteau et sa casquette, et il sortit sur la galerie en marchant le dos arrondi par son lot de soucis.

Sa fille était décontenancée de n'avoir pu lui faire entendre raison. Elle avait le cœur lourd tout en sachant pourtant qu'elle devait agir de la sorte. Elle s'habilla donc à son tour, quitta la maison et aida son père à s'installer dans la voiture pour le conduire à la résidence.

Ce n'était pas de cette manière qu'elle avait prévu l'emmener visiter sa nouvelle demeure.

— Maudit Jean-Guy! pensa-t-elle, il me laisse faire le sale boulot toute seule! Il va me le payer cher!

Durant la semaine, Monique rendit visite à son oncle Raoul et lui raconta qu'elle avait trouvé un endroit où son père pourrait aller vivre en toute sécurité.

— Vous savez, insista-t-elle, je suis très inquiète pour lui. Il perd la mémoire et j'ai peur qu'il mette le feu et brûle dans sa maison.

Il n'en fallait pas plus pour que Raoul soit attristé pour son frère. Sa nièce en avait donc profité pour se plaindre, ce qu'elle faisait avec beaucoup de facilité.

— La pièce est pas grande, mais il y a un lit avec deux tiroirs en dessous. De toute façon, il y aurait pas eu de place pour un bureau, parce qu'ils ont installé une penderie. On avait pas le choix, il y avait pas de garde-robe.

— Est-ce qu'il va au moins pouvoir apporter sa télévision?

— Il y en a une au salon, mais il devra écouter ce que les autres auront décidé. Celle qu'il a chez lui est beaucoup trop grosse pour entrer dans une si petite pièce.

— C'est parce que c'est un ancien modèle, mais si tu lui en achetais une plus petite pour mettre sur un meuble? Il va devenir fou si vous y enlevez toutes ses affaires comme ça! Il a beau être un peu mélangé, il faudrait pas l'achever!

s'indigna Raoul, fâché de voir qu'elle semblait minimiser ce que son frère vivait.

— Papa est pas riche, vous le savez. Il faudrait que je vende sa télévision et ça vaut pas très cher des vieux appareils de même. J'avais pensé lui acheter un petit réfrigérateur à la place.

— De combien t'as besoin pour le *frigidaire* et une télévision? coupa Raoul, qui n'aimait pas quand on tournait autour du pot.

— D'après moi, avec 500 ou 600 piastres, je pourrais trouver quelque chose de convenable.

Raoul se rendit donc dans une pièce et revint auprès de sa nièce avec six billets de 100 dollars, qu'il lui donna.

— Va lui chercher ces affaires-là et tu lui apporteras aussi de la nourriture qu'il pourra garder dans sa chambre.

Il avait pensé ajouter «Tu me le diras s'il en manque», mais il s'était ravisé. Ce n'était pas la première fois que Monique venait lui quêter des sous et il ne souhaitait pas se faire encore emberlificoter. Il commençait à bien la connaître.

Quand elle sortit de chez son oncle, Monique se rendit directement chez Walmart, où elle se procura un réfrigérateur à 119 dollars et un appareil télé Danby pour 140 dollars. Pour moins de 300 dollars, donc, elle avait acheté les deux articles qu'elle convoitait pour l'aménagement de la chambre de son père.

Pour ce qui était des aliments, elle s'en occuperait plus tard. Elle devrait considérer que les repas étaient inclus dans le prix du loyer d'Hector.

Elle garderait donc la différence pour les imprévus, en sachant fort bien que dès qu'elle déposerait les sous dans son portefeuille, elle pourrait les utiliser pour toute autre chose…

— Y a-tu quelqu'un qui me paie pour tout ce que je fais pour mon père? Cet argent-là, ça représentera un petit dédommagement pour tout mon trouble!

Hector se demandait ce qu'il avait fait dans la vie pour mériter un tel sort. Depuis quelque temps, tout avait basculé brutalement dans sa vie. Il se retrouvait aujourd'hui assis sur son vieux fauteuil inclinable qui avait été installé à côté du lit, dans une pièce aussi petite qu'une cellule de prison. Sur les murs, il pouvait admirer avec tristesse quelques photos de sa femme et de ses enfants, ainsi que de ses parents décédés depuis déjà plusieurs années.

Il habitait dans une maison qu'il n'avait jamais visitée avant d'y emménager et il s'y trouvait avec des gens totalement inconnus.

Il lui arrivait souvent d'éprouver un serrement dans la gorge et d'avoir grand-peine à respirer. Il ouvrait alors la bouche et prenait une bouffée d'air pour dissiper son inconfort. Il avait ressenti le même malaise lorsque sa fille était venue le chercher un soir chez Doris. Était-il possible qu'il suffoque à un moment donné, quand il n'aurait plus la force de combattre pour essayer de comprendre ce qui lui arrivait maintenant?

Depuis qu'il l'avait visionnée l'an dernier, il pensait souvent à cette émission où il était question des résidences pour les gens du troisième âge. Malgré ses troubles cognitifs, il se souvenait toujours du titre: *Nos aînés sont-ils en sécurité?*

Une coroner, Me Catherine Rudel-Tessier, avait mentionné que ceux-ci pouvaient être en danger dans certains centres d'hébergement. La professionnelle faisait référence aux enquêtes qu'elle avait menées à la suite du décès de cinq personnes dans différentes institutions dans les années 2002 et 2003[50].

Il n'y avait rien là pour le rassurer, maintenant qu'il venait d'emménager dans le même type d'établissement.

Heureusement qu'il y avait la nuit pour lui permettre d'oublier. En d'autres temps, il trouvait que la petite aiguille des minutes tentait parfois d'empêcher celle des heures d'avancer normalement, rendant les journées interminables.

Hector se dit qu'il ne lui restait plus qu'à attendre la mort, puisqu'on l'avait déjà déraciné de son milieu de vie.

—

Jean-Guy était triste de savoir que son père se trouvait dans une résidence et qu'il n'avait pas son propre téléphone. Même s'il n'avait pu se libérer pour venir le voir durant les premiers jours suivant son déménagement, il aurait aimé pouvoir l'appeler comme il le faisait lorsqu'il était à la maison.

Il lui faudrait parler de la situation avec Monique et si elle refusait de lui en payer un, il le ferait lui-même.

— J'ai l'impression que tu vas devoir t'en mêler, l'avait prévenu sa copine.

---

50 Référence : ici.radio-canada.ca/actualite/v2/lapartdeschoses/archives – rapport de la coroner Catherine Rudel-Tessier.

— Oui, et ça sera pas de tout repos. Tu connais pas ma sœur encore!

— C'est drôle, mais les rares fois où je l'ai vue, elle m'a pas inspiré beaucoup de sympathie. Difficile de croire que vous êtes des jumeaux!

CHAPITRE 14

Inquiétude pour demain

(Novembre 2007)

Le mois de novembre était, comme d'habitude, régulière-ment teinté de grisaille, et Doris trouvait les journées très longues. Il lui semblait que depuis la fin de l'été, tout allait de mal en pis.

Son fils Claude était absent de plus en plus souvent, s'ac-tivant sur ses projets jusqu'à tard le soir et parfois six jours par semaine. Un après-midi, il était venu la chercher pour lui montrer la maison qu'il était en train de construire. Il avait embauché des entrepreneurs pour différentes étapes des travaux, mais durant la saison hivernale, il s'occuperait lui-même de la finition intérieure de la demeure. Il était prévu qu'il y emménage au printemps prochain.

Doris avait vécu cette annonce comme un choc, elle qui aurait souhaité candidement que son garçon décide de rester avec elle jusqu'à la fin de ses jours. Elle avait toutefois quelques mois pour se faire une raison.

Ses filles s'inquiétaient pour leur mère, qui n'avait pas l'habitude de perdre le moral. Elles essayaient d'aller la voir le plus souvent possible pour la divertir, mais celle-ci n'avait pas son entrain coutumier. Aujourd'hui, Évelyne et

Dominique avaient planifié de la sortir pour aller dîner au restaurant, mais elles ne l'avaient pas prévenue de leur idée, pour être certaines qu'elle ne se désiste pas. Elles s'étaient fixé rendez-vous chez elle à 11 heures.

En arrivant à la maison, les sœurs constatèrent que les rideaux du salon étaient encore tirés ainsi que la toile de la porte d'entrée.

— J'espère que maman est pas malade. Elle a l'habitude de tout ouvrir dès qu'elle se lève, s'inquiéta Évelyne, qui venait souvent visiter sa mère très tôt après que les enfants étaient partis pour l'école.

— Elle a peut-être décidé de faire la grasse matinée, répondit Dominique, qui ne voulait pas alarmer sa sœur pour rien. Tu as les clés de toute manière. Allons voir !

Les deux filles entrèrent et constatèrent que leur mère était déjà debout, car son napperon était toujours sur la table avec sa tasse à café, un pot de confiture et une assiette, dans laquelle il restait un morceau de pain grillé. Le journal était ouvert à la page de l'horoscope.

Elles avancèrent vers le salon, où elles la trouvèrent endormie sur le divan. Elle portait encore son pyjama et tenait fermement sa couverture en laine crochetée de couleur orange et brune qui lui réchauffait le haut du corps. Quand elle perçut la présence de ses filles, Doris ouvrit les yeux et les fixa longuement avec un air bougon.

— Ça fait combien de temps que vous êtes là à me regarder sommeiller ?

— On vient d'arriver maman, se défendit Évelyne. On était inquiètes de voir les draperies fermées à cette heure-là.

— Avec le temps de chien qu'il fait dehors, je suis aussi bien de dormir, maugréa-t-elle encore entre ses dents.

— Es-tu malade ou t'as seulement les bleus? demanda Dominique de but en blanc.

— Non, je suis juste tannée. Pensez-vous que c'est drôle, la vie, quand on est vieux? Et même si ça fait pas longtemps que Claude reste avec moi, je te dis qu'il me manque de ce temps-là!

— Maman, calme-toi et viens t'asseoir dans la cuisine. On va te faire un petit café et on va jaser un peu. Ça va te faire du bien. Dominique et moi, on a réservé notre journée pour sortir avec toi, l'encouragea Évelyne.

— Laissez-moi m'habiller pendant que vous allez faire chauffer l'eau.

Doris s'en voulut d'avoir accueilli ses filles avec autant d'ingratitude. Elle se leva et se rendit à la salle de bain, où elle prit le temps de faire sa toilette soigneusement. Elle se peigna et rougit un peu ses lèvres. Quand elle sortit de là, elle avait déjà meilleure mine.

— Wow, maman, on dirait que t'as passé à Canal Vie et que t'as subi une métamorphose avec Jean Airoldi! C'est à couper le souffle!

Doris ne put faire autrement que de sourire à la comparaison de sa fille Évelyne, qui avait toujours le mot pour rire et qui avait nettement tendance à l'exagération.

— Ces temps-ci, je pense que j'aurais plus besoin d'un survoltage que d'un remodelage. J'ai pas d'énergie et j'ai pas le goût de rien faire.

— Ça tombe bien, parce que nous, on sait ce que tu vas faire aujourd'hui. Tu vas venir dîner avec nous deux et c'est moi qui vous invite, lança joyeusement Dominique, qui avait déjà prévu le coup.

— Pourquoi tu ferais ça? demanda Doris, qui aimait bien gâter ses enfants elle-même.

— Parce que c'était la fête d'Évelyne le mois passé et que 45 ans, il faut souligner ça!

— T'as pas besoin de me payer un repas pour mon anniversaire, rétorqua sa cadette. On peut tout simplement partager le coût de celui de maman.

— Il en est pas question. J'ai le goût de te remercier pour tout le mal que tu t'es donné pour organiser un brunch pour mes 50 ans. On a pas toujours été du même avis dans les dernières années, mais on se réconciliait tout le temps. J'ai juste une sœur et t'es très importante pour moi.

— Avant qu'on commence à brailler, on serait mieux d'y aller, statua Évelyne, qui était très émue et ne voulait pas pleurer devant Doris, qui avait déjà le moral dans les talons.

Les trois femmes se préparèrent en rigolant pour mettre leur mère dans l'ambiance et elles se rendirent au restaurant du village. Dès qu'elles pénétrèrent dans la place, elles furent accueillies par des connaissances de Doris.

— Bonjour, Doris, la salua l'une d'elles. Je suis contente de te voir. Comment ça se fait que tu viens plus aux réunions des Filles d'Isabelle? T'es-tu trouvé un bel amoureux qui occupe tout ton temps?

— Non, j'ai eu une petite grippe à l'automne, mentit l'interpellée, et j'ai eu du mal à remonter la pente. Ça va beaucoup mieux maintenant, ajouta-t-elle pour ne pas avoir l'air d'une plaignarde.

— Parfois, ça fait du bien de sortir de chez nous, même si on est un peu fatiguée, affirma cette dame. Tu devrais venir avec nous. On a un voyage organisé, jeudi de cette semaine. Je suis certaine que tu aimerais ça!

— Où allez-vous? demanda Doris. Pas encore à Sainte-Anne-de-Beaupré, j'espère? Il me semble que vous pourriez changer d'église de temps en temps.

— Non, ma chère. Cette année, on s'intéresse à la culture. Rien de moins! On se rend à la Place Bonaventure pour visiter le Salon du livre de Montréal.

— J'ai jamais été là, avoua Doris, et pourtant, s'il y a une personne qui aime lire, c'est bien moi! J'ai jamais eu la chance de m'y rendre et c'est pas avec mon mari qu'on aurait fait une sortie comme celle-là.

— Tu devrais accepter, maman. C'est la 30ᵉ édition cette année, mentionna Dominique, qui adorait tout ce qui concernait la littérature. C'était écrit dans un cahier de *La Presse* en fin de semaine dernière. Pour la troisième année consécutive, c'est l'auteure et journaliste Micheline Lachance qui sera la présidente d'honneur.

— Je la connais pas, répliqua Évelyne, qui ne s'intéressait pas à ce type de livres.

— Moi non plus, ça me dit rien, renchérit Doris. À moins que j'aie déjà lu quelque chose d'elle. Peut-être que si je voyais sa face, je la reconnaîtrais.

— C'est elle qui a écrit *Le roman de Julie Papineau*. C'était un roman en deux tomes et je les ai bien aimés. Il faudrait que je te les apporte une bonne fois.

Doris avait tout à coup repris du poil de la bête. Elle semblait avoir oublié tout ce qui la tourmentait depuis quelque temps. Elle se tenait le corps droit et ressentait beaucoup de fierté de rencontrer ses amies des Filles d'Isabelle alors qu'elle se trouvait en compagnie de Dominique et d'Évelyne.

— J'ai bien le goût d'aller faire ce voyage à Montréal avec vous autres, accepta-t-elle dans un élan d'enthousiasme. De toute façon, j'ai un grand besoin de sortir de la maison ces temps-ci. Je me souviens qu'on avait eu pas mal de *fun* la dernière fois.

— À part quand on s'est aperçues que le chauffeur était un peu pompette et qu'il frôlait la ligne blanche.

— Vous rappelez-vous? On avait dit à Jeanne qu'elle pourrait prendre le volant, parce qu'elle avait conduit des autobus scolaires pendant si longtemps!

— En tout cas, Doris, j'espère que tu vas nous préparer quelques histoires à raconter le long de la route et on trouvera aussi quelques jeux. T'es bonne d'habitude pour mener le bal!

— Y en a toujours une qui est plus folle que les autres. Moi, j'ai jamais eu peur du ridicule et quand je fais une sortie, c'est pour m'amuser.

— Je vais réserver ta place, l'assura une des dames, et je t'appellerai pour te dire à quelle heure on doit partir. On se rencontre encore au même endroit. On monte dans l'autobus dans le stationnement de l'église et sur le chemin du retour, on arrête manger au restaurant chinois à Saint-Antoine.

— C'est fini pour nous d'apporter notre boîte à lunch quand on sort. On a bien mérité de profiter de la vie! s'exclama sa compagne.

— Je serai là! confirma Doris, alors que ses amies s'apprêtaient à quitter les lieux.

Évelyne et Dominique souhaitaient changer les idées de leur mère et elles y étaient parvenues.

— Ça va te faire du bien, de faire ce petit voyage-là, maman, l'encouragea Dominique, qui n'avait pas aimé trouver Doris enfermée à la noirceur ce matin. Tu vas peut-être rencontrer des auteures que tu connais, comme Janette Bertrand ou Marie Laberge, et tu pourras leur demander des autographes. Oublie pas d'apporter ton appareil photo, sinon tu vas le regretter!

— Comme tu faisais toi, quand t'allais voir les joueurs du Canadien de Montréal qui venaient à l'hôtel La Sapinière durant les éliminatoires de hockey, lui fit remarquer sa jeune sœur. Je m'en souviens! T'avais l'air d'une vraie folle!

— Je m'assume très bien. J'étais une groupie hystérique! C'était tout de même les bonnes années. Rencontrer Pete Mahovlich, Ken Dryden et Guy Lafleur, je te dis que c'était assez pour s'exciter le poil des jambes!

— Ta sœur avait ses idoles, elle aussi, rappliqua Doris, qui voulait aider Dominique à se sortir de l'embarras dans lequel elle s'était elle-même embourbée.

— T'as bien raison, maman! Le beau Jacques Salvail, Pierre Lalonde et le sexy Donald Lautrec, hé que je les aimais! Mais j'ai jamais couru après l'autobus des joueurs du Canadien, s'esclaffa Évelyne.

— Là t'exagères! J'étais pas si folle que ça!

— Les filles, vous m'avez demandé de venir dîner avec vous autres. Auriez-vous le goût qu'on commande maintenant? Moi qui ai pas d'appétit depuis une secousse, il me semble que j'ai une faim de loup ce midi!

Et les trois femmes profitèrent d'un succulent repas. L'humour redonna de l'entrain à Doris et l'idée de faire une sortie plus tard dans la semaine lui souriait. Il lui fallait se reprendre en main et elle venait de recevoir un bon coup de pouce aujourd'hui.

Quand arriva le temps du dessert, Dominique demanda à sa mère si elle avait eu des nouvelles de son frère Hector.

— Non, et j'ai pas le courage d'aller le visiter dans sa petite chambre, se rembrunit-elle, de nouveau morose.

— Je m'excuse, se mortifia sa fille, j'aurais pas dû te parler de ça. Mais j'aurais aimé en avoir pour informer mon oncle Raoul. Je dois aller le voir plus tard cet après-midi.

— C'est lui qui va t'en donner parce qu'il est allé le voir hier avec Monique, expliqua Doris. Il m'a téléphoné quand il est revenu chez lui et je peux vous dire qu'il sautait pas au plafond. Il a réussi à me faire pleurer.

— Est-ce que mon oncle Héctor est malade ou c'est tout simplement parce qu'il est en résidence? demanda Évelyne.

— Raoul m'a dit qu'il parle plus. Il a pourtant bien essayé de lui tirer les vers du nez, mais sans succès. Il paraît que sa chambre est petite sans bon sens. Il a été obligé de s'asseoir sur le lit parce qu'il y a juste un fauteuil. Sa télévision est sur le réfrigérateur que Monique lui a acheté et la soucoupe du câble bloque la moitié de sa fenêtre.

— C'est pas humain de sortir quelqu'un de sa maison pour l'envoyer dans un endroit comme celui-là! s'émut Évelyne. Il y avait sûrement moyen de trouver une place plus adéquate.

— C'est mon oncle Hector qui a choisi de nommer sa fille pour s'occuper de lui. Il devait la connaître avant de prendre cette décision-là, répliqua Dominique, qui songeait que, plus tard dans la journée, son parrain devait lui aussi la désigner légalement pour tenir ce rôle.

L'oncle et la nièce avaient rendez-vous chez le notaire Girouard, mais elle se garda bien de le mentionner à sa mère et à sa sœur. Elle laisserait à celui-ci le loisir de leur annoncer la nouvelle si tel était son souhait.

— En tout cas, si vous avez dans l'idée de m'envoyer dans une place comme celle-là, dites-le tout de suite parce que je vais me jeter dans la rivière du Nord avant! prévint Doris réellement convaincue.

— Inquiète-toi pas, maman. Tu sais bien qu'on ferait jamais quelque chose de même! la rassura Dominique, en regardant sa sœur, qui avait les larmes aux yeux.

— Vous êtes bien mieux! On vit pas toute une vie à prendre soin de nos enfants pour finir nos jours dans un endroit minable. Si je peux être assez intelligente pour réaliser moi-même quand ce sera le temps de casser maison[51], je voudrais choisir ma place au lieu de vous laisser ce fardeau.

— Parle pas de ça aujourd'hui, maman. C'est pas pour demain, philosopha Évelyne, très émue à l'idée que sa mère puisse un jour se retrouver dans une maison pour personnes âgées.

— Vous allez voir, les filles, que les années passent plus vite quand on est rendus dans le dernier droit.

Raoul avait été très affecté de voir l'état dans lequel se trouvait son frère à la résidence. Ils n'avaient pas toujours été en bons termes, mais jamais il n'aurait souhaité qu'il vive une fin aussi pitoyable. La nuit dernière, il avait eu beaucoup de difficulté à s'endormir. Quand il se fermait les yeux, il imaginait sans cesse Hector, assis dans son vieux fauteuil berçant, avec le regard vide.

Cet après-midi, sa nièce devait venir le chercher pour aller à la caisse populaire et à la Banque Royale pour signer des procurations. Par la suite, ils étaient attendus chez le notaire afin de discuter et de faire rédiger des documents pour que celle-ci prenne en charge tous ses biens et qu'elle s'occupe de lui jusqu'à la fin de ses jours. Il s'interrogeait à savoir s'il faisait là un bon choix.

Lorsque Dominique sonna à sa porte, il alla lui ouvrir

---

51 Casser maison : cesser de vivre dans sa maison.

et il lui demanda si elle souhaitait entrer quelques minutes pour parler. Il lui semblait qu'il devait peut-être discuter de certains points avant de poursuivre ce projet.

— On est plutôt pressés, notre premier rendez-vous est à 14 heures, répliqua la nièce. On a tout juste le temps de nous rendre et c'est un peu de ma faute. Maman était tellement triste à propos de mon oncle Hector qu'on avait pas le goût de la laisser toute seule cet après-midi. Finalement, étant donné que j'étais occupée, Évelyne a décidé de l'emmener chez elle et elle va la garder pour souper.

— Pas de problème, j'enfile juste mon manteau, mes bottes et on y va, fit l'oncle avec une mine un peu affligée.

— Vous avez pas l'air en forme aujourd'hui, mon oncle. Est-ce que vous préféreriez qu'on reporte ces rencontres? Je peux appeler et les remettre à un autre jour. Soyez bien à l'aise!

Par cette simple phrase de compassion, Raoul réalisa que ce n'était pas avec Monique qu'il s'apprêtait à faire des affaires, mais plutôt avec la fille de sa sœur Doris en qui il pouvait avoir confiance.

Les rendez-vous aux deux institutions bancaires se déroulèrent très rapidement. Il ne s'agissait que d'autorisations de signatures. La prochaine rencontre serait plus déterminante.

En arrivant dans la salle d'attente du notaire, Dominique aida son oncle à retirer son manteau et elle en profita pour lui dire comment elle voyait les choses.

— Il est pas nécessaire que j'entre avec vous dans le bureau. Vous serez peut-être plus à l'aise de lui poser toutes les questions qui vous passent par la tête si vous êtes seul avec lui. Ce sont des décisions importantes que vous prenez aujourd'hui et vous devez être en paix avec vos choix.

— Non, je veux que tu sois avec moi pour écouter tout

ce qu'il va nous raconter. Et si t'as des interrogations, hésite surtout pas!

En pénétrant dans le bureau du notaire, en gentilhomme qu'il était, Raoul tira une chaise pour sa nièce avant de s'asseoir.

— Bonjour, mon cher Raoul! Ça fait déjà plusieurs années qu'on s'est vus ici. Dites-moi donc ce qui vous amène aujourd'hui.

— Je viens vous présenter ma filleule, Dominique, la fille de ma sœur Doris. À ma demande, elle a accepté de s'occuper de mes affaires et je veux qu'elle ait tous les pouvoirs afin de gérer mes biens.

— Vous ne souhaitez pas nommer quelqu'un d'autre avec elle? Il est très courant d'avoir deux signataires; par contre, je déconseille d'en avoir trois. Par expérience, ça crée beaucoup de conflits et ça génère des frais inutiles. Ça fonctionne habituellement très bien à deux.

— J'ai décidé de lui faire confiance et je maintiens ma position. Je veux qu'elle puisse signer partout et que personne puisse lui mettre des bâtons dans les roues.

— J'ai offert à mon oncle d'entrer tout seul pour avoir l'occasion de vous parler auparavant, mais il a catégoriquement refusé, précisa Dominique pour rassurer le notaire quant à ses intentions.

— C'est parce qu'il se sent en sécurité avec vous et comme je le connais, s'il vous a choisie, ce n'est pas sans y avoir longuement réfléchi.

— Vous avez raison! Je m'en remets à elle totalement. Elle m'a déjà prouvé sa compétence et son intégrité. Je suis à l'aise avec elle, comme je l'étais avec votre père, ce bon Wilfrid.

— Je vais alors libeller les documents en ce sens. Il s'agira donc d'un mandat en cas d'inaptitude et d'une procuration générale.

— Je veux que tout soit fait dans les règles afin que personne puisse lui faire du trouble. Elle est assez bonne d'accepter une si grande responsabilité.

— Étant donné que vous veniez me voir aujourd'hui, j'ai vérifié votre testament et j'ai pu constater qu'il avait été rédigé à la suite du décès de votre première épouse, soit en janvier 1983. Est-ce que vous souhaiteriez en établir un nouveau ou faire des modifications à celui-ci?

— J'ai ma copie à la maison et je l'ai relue la semaine dernière. J'avais mes raisons pour prendre ces décisions-là dans le temps et je réalise que je pense toujours la même chose après quasiment 25 ans. Le seul changement que j'aimerais faire, c'est par rapport à l'exécutrice testamentaire. Je voudrais que ce soit Dominique au lieu de ma sœur Doris, qui vieillit, tout comme moi.

Sans nommer qui que ce soit, le notaire mentionna à Raoul qu'une des héritières était décédée et qu'il avait été prévu que la part de celle-ci accroîtrait en parts égales celle des autres bénéficiaires nommés au testament.

Les deux hommes discutèrent ensuite de sujets qui n'avaient pas de lien avec le dossier en cours. L'ambiance était à la familiarité et, quelques minutes plus tard, Dominique fit comprendre à son oncle qu'il leur faudrait quitter les lieux, car ils avaient un autre rendez-vous à 16 heures.

Quand ils furent bien installés dans la voiture, Dominique expliqua à Raoul pourquoi elle était intervenue.

— Loin de moi l'idée de vous bousculer, mais lorsqu'un notaire nous reçoit en consultation, on le paie à l'heure! C'est à son avantage de continuer la conversation.

— Tu as bien raison, mais ça m'a rassuré de discuter avec lui. Quand tout sera signé, je vais être l'homme le plus heureux de la Terre. Et tu sais, je me suis dit que si j'avais à me faire voler mes biens par quelqu'un, aussi bien choisir moi-même par qui !

Et Raoul se mit à rire. Il croyait vraiment qu'il avait pris là une excellente décision. Dominique, pour sa part, réalisait qu'elle venait d'être investie d'une grande mission.

CHAPITRE 15

Silence et mensonge

(Novembre 2007)

Élizabeth Bisaillon était propriétaire de la résidence privée pour aînés depuis deux ans. Chaque pensionnaire qu'elle avait eu présentait une petite particularité. Elle avait déjà hébergé une dame qui dormait pratiquement toute la journée et qui regardait la télévision ou faisait des casse-têtes dans la cuisine une partie de la nuit. Il y avait également eu un homme de 75 ans qui était très autonome, mais qui, peu de temps après son arrivée, avait été arrêté pour un vol qualifié commis dans un dépanneur.

Les trois locataires qu'elle côtoyait depuis plus d'un an étaient corrects. Madame Lacroix avait plus de 90 ans, elle avait une bonne santé, mais elle se déplaçait avec un déambulateur depuis qu'elle s'était fracturé une hanche quelques années plus tôt. Elle dormait beaucoup et restait souvent dans sa chambre pour tricoter et écouter de la musique.

Monsieur Cohen, un homme d'origine polonaise, était obèse et ne se mêlait pas aux autres. Il parlait très peu le français et son accent faisait en sorte qu'on avait également de la difficulté à le comprendre quand il s'exprimait en anglais. Il monopolisait le meilleur fauteuil du salon et contrôlait le téléviseur, regardant strictement des émissions anglophones.

Il ne restait que Rita Blanchard qui pouvait être une source de motivation pour madame Bisaillon. Cette femme n'avait que 75 ans et elle était très dynamique. Dès son arrivée, elle avait demandé si elle pouvait participer à différentes tâches ménagères et spécialement à la cuisine. Élizabeth en avait donc fait son assistante et, avec le temps, elle lui avait confié certains soucis qu'elle avait relativement à ses pensionnaires.

C'était particulièrement le cas avec le nouveau venu. Elle n'avait jamais vu une personne semblable. À partir du moment où il avait mis les pieds dans la résidence, il s'était muré dans un profond silence.

Au début, Élizabeth avait pensé que ce mutisme ne serait que passager, mais après deux semaines, elle devait se rendre à l'évidence. Ou bien Hector Moreau avait subi un choc nerveux ou il jouait très bien son rôle, mais elle avait hâte de savoir.

Raoul, son frère, était venu le voir quelques jours après son arrivée, avec Monique, sa fille, mais le nouveau locataire n'avait pas dit un traître mot. Ils étaient restés avec lui plus d'une heure et avaient fait la conversation devant lui, croyant qu'il se mêlerait au dialogue à un moment donné, mais en vain.

En sortant de la chambre, Monique s'était informée auprès de la propriétaire.

— Comment se comporte mon père avec vous?

— Je vais le chercher ou j'envoie une autre pensionnaire quand c'est l'heure des repas et il se présente à la table. Il mange très peu et il a jamais prononcé le moindre mot. Je l'avais assis à côté de madame Blanchard, en croyant qu'il accepterait de lui adresser la parole, mais ça s'est avéré peine perdue.

— C'est pas normal, s'était alarmé Raoul, qui n'avait pas prévu s'immiscer dans la conversation. Il y a sûrement une raison pour qu'il agisse de la sorte. Il faudrait peut-être qu'on le fasse voir par le médecin?

— Qu'est-ce que vous pensez qu'il va faire? avait répondu Monique, qui n'avait pas le goût d'aller attendre de longues heures à l'urgence. Pour avoir un rendez-vous avec son docteur de famille, ça prend au moins un mois.

— Et vous, monsieur Raoul, avait interrogé madame Bisaillon, ça vous dirait pas de déménager ici avec votre frère? Ça pourrait sûrement l'aider à s'acclimater.

La pression de Raoul avait monté tout d'un coup.

— Si vous pensez que je vais venir rester dans un trou à rats comme ça, vous vous trompez! avait-il bêtement balancé à la propriétaire. Vous devriez avoir honte de louer des petites pièces de même! Vous êtes juste là pour plumer les vieux, c'est tout!

Raoul était sorti à l'extérieur, car il était trop ému et craignait de fondre en larmes devant les autres résidents qui écoutaient avec curiosité ce qui se déroulait à l'entrée du salon.

Raoul n'acceptait pas le sort de son frère et il le comprenait très bien de s'isoler dans son monde pour ne pas souffrir.

Monique était partie derrière son oncle en furie. Elle ne voulait pas qu'il reste avec l'impression qu'elle était totalement responsable du silence de son père.

— Pensez-vous que j'ai fait exprès de l'emmener ici? Auriez-vous aimé mieux que je le laisse mettre le feu à sa maison ou qu'il continue à s'intoxiquer avec sa nourriture passée date?

— Monte pas sur tes grands chevaux, Monique! Je dis simplement que c'est pas normal de traiter des gens âgés comme ça. Réponds juste à une question: aimerais-tu ça prendre la place de ton père pour une quinzaine de jours? Peut-être que toi aussi tu arrêterais de parler au lieu de crier ta rage au monde entier!

Monique n'avait pas voulu en rajouter et elle était allée reconduire son oncle chez lui sans lui adresser la parole à nouveau. Elle ne souhaitait pas se le mettre à dos, mais elle n'accepterait pas non plus de se faire sermonner ainsi.

En ce qui concernait son père, elle avait pris cette décision toute seule et elle devait vivre avec les conséquences. C'était bien facile pour les autres de juger.

Quand elle était arrivée chez elle, elle avait tenté de joindre son frère par téléphone pour lui mentionner que son père n'allait pas bien, mais il était absent. Elle laissa un message à sa conjointe en lui spécifiant que c'était urgent.

Elle songeait que s'il venait le voir, il serait peut-être content ou alors il démontrerait de la tristesse ou même de la colère. Pourvu qu'il réagisse, ce serait déjà ça de gagné!

Au début de la soirée, Jean-Guy avait finalement contacté sa sœur.

— Tu m'as téléphoné? Qu'est-ce qui se passe? Est-ce que c'est à propos de papa?

— Heureusement que j'avais mentionné que c'était urgent, sinon tu m'aurais appelée dans la semaine des quatre jeudis!

— J'étais sur la route aujourd'hui. J'avais des commissions à faire du côté de Mont-Laurier; c'est pas à la porte.

— Arrête de te justifier. Oui, c'est à propos de papa. Il va pas bien depuis qu'il est en résidence.

— Est-ce qu'il est malade?

— Je le sais pas, il en a pas l'air, sauf qu'il a pas dit un seul mot depuis qu'il est parti de la maison. Il fonctionne comme un automate.

— Et qu'est-ce que tu veux que j'aille faire là? Je suis pas médecin! Pourquoi tu l'emmènerais pas à l'urgence?

— Parce qu'avant d'aller passer 10 ou 12 heures à l'hôpital avec une personne âgée, je pensais que si tu venais le visiter, peut-être qu'il essaierait de te parler, à toi! Ça ressemble plus à de l'entêtement, son affaire! Maman lui répétait souvent qu'il avait une tête de mule et je commence à la croire.

— Je peux pas y aller demain, c'est le début de la fin de semaine et c'est le moment le plus occupé au restaurant. Je vais descendre au plus tard mardi matin, si la température le permet, naturellement! J'ai pas encore réussi à déblayer tout le stationnement après la tempête de lundi dernier.

— Est-ce que tu crois que la neige est tombée juste à Labelle? On en a eu au moins un pied ici. En plus de pelleter mon entrée après mes heures de travail, il me faut aller déblayer le devant de la maison de papa.

— Quand t'en auras assez, tu décideras peut-être de la vendre.

— C'est pas le temps de parler de ça! En tout cas, t'as pas l'air de trop t'en faire pour sa santé! avait-elle répondu, frustrée par l'attitude insouciante de son frère. Passe un excellent week-end avec ta femme! avait-elle terminé en insistant sur la fin de sa phrase. Elle avait coupé la communication pour éviter que Jean-Guy puisse répliquer.

Monique se retrouvait au point de départ. Elle était la

seule responsable de son père, comme elle l'avait souhaité, mais elle se demandait maintenant comment elle pourrait gérer cette crise.

Ne lui restait plus qu'à téléphoner à son amie Suzanne pour lui raconter les derniers développements et surtout lui dire comment Jean-Guy était un sans-cœur !

—◆—

Rita Blanchard était une femme instruite qui avait travaillé pendant plus de 35 ans comme adjointe à la comptabilité pour l'hôtel La Sapinière à Val-David. Il s'agissait d'un établissement reconnu internationalement pour sa fine cuisine et sa prestigieuse cave à vin. Dans les années 70, c'était le refuge des joueurs du Canadien de Montréal dès qu'ils atteignaient les finales de la coupe Stanley. On y avait aussi déjà accueilli les sommets du G7 et de l'OTAN.

C'est également là que Rita avait rencontré son deuxième conjoint.

Gaston était représentant des ventes pour la compagnie Protection Incendie Viking Inc. et il était venu rencontrer les dirigeants de cet hôtel afin de vérifier ce qu'ils possédaient en fait d'équipements spécialisés dans ce domaine.

Elle avait à cette époque 38 ans et elle était veuve depuis déjà 10 ans, son époux ayant perdu la vie en faisant une chute du haut d'une toiture qu'il était en train de réparer. La priorité de Rita était son travail et elle s'y plaisait bien.

Ce jour-là, alors qu'elle revenait de la salle de bain, le talon de son soulier avait cédé et elle avait perdu pied. Le représentant de la compagnie de protection incendie qui passait tout près l'avait empêchée de trébucher. Elle l'avait remercié et elle s'était dirigée vers son bureau en clopinant.

Quand elle était sortie de l'établissement, en fin d'après-midi, l'homme était assis dans son véhicule et l'attendait patiemment.

— Enfin, la journée est terminée? avait-il lancé pour amorcer la conversation.

— Oui, et c'est pas trop tôt, avait-elle répliqué en lui montrant les souliers de type *loafer* qu'elle portait et qui ne seyait pas tellement avec sa robe rose à motifs. Je croyais que vous aviez terminé votre travail en milieu d'après-midi?

— Oui, j'ai fini à trois heures, mais je me suis dit que ça valait la peine d'attendre une petite heure pour connaître la belle fille qui m'était tombée dans les bras ce matin.

— Vous voulez plutôt dire la gaffeuse!

— Peu importe, je crois aux signes que le destin nous envoie! Est-ce que vous accepteriez de venir prendre un verre avec moi?

— Oui, s'était-elle surprise à répondre, mais pas ici, à La Sapinière, et surtout pas avec ces souliers-là!

Leur idylle avait débuté dès cet instant. Ils avaient passé beaucoup de temps ensemble et à peine six mois plus tard, Gaston avait vendu sa maison, Rita avait sous-loué son logement et ils avaient emménagé ensemble dans un magnifique chalet suisse situé en face du lac à la Truite, à Sainte-Agathe-Sud.

À l'époque, Rita avait une fille âgée de 17 ans, Sylvianne, qui venait de terminer ses études et qui travaillait pour l'imprimeur où elle avait fait un stage comme secrétaire. Elle aimait beaucoup le compagnon de sa mère, qui était prévenant et respectueux.

Gaston était divorcé et avait un seul fils, Alexandre, qui

demeurait à Québec pour son travail. Ils ne le voyaient donc que très rarement.

Rita avait retrouvé la joie de vivre en couple au moment où elle s'y attendait le moins. Elle avait continué son travail, mais dans un tout autre état d'esprit. Elle se levait très tôt afin de déjeuner avec Gaston, qui partait ensuite pour son bureau, situé à Ville Saint-Laurent. Elle en profitait ensuite pour vaquer à certaines tâches qu'elle n'aurait pas à faire quand son amoureux serait avec elle.

À peine deux ans après leur déménagement, Sylvianne avait annoncé à sa mère qu'elle allait s'installer à Palmarolle, en Abitibi, avec le type qu'elle fréquentait depuis plus d'un an. Rita était triste, mais elle avait cru que sa fille reviendrait rapidement, ce qui n'avait pas été le cas. Le jeune couple avait eu des enfants et il s'était impliqué dans sa petite communauté abitibienne.

Rita et Gaston s'étaient donc retrouvés seuls et ils avaient abondamment profité de la vie. Quand celui-ci avait décidé de prendre sa retraite, il lui avait demandé si elle comptait en faire autant.

— J'allais justement t'en parler. Avec tous les nouveaux programmes informatiques qui sont installés au travail, je suis un peu dépassée et ça me stresse. Par contre, tu sais que j'ai pas de fonds de pension, mais j'ai quelques sous dans mon REER.

— À deux, on manquera de rien. J'ai fini de payer l'hypothèque de la maison et nos autos sont en bonne condition. Avec le temps, on envisagera peut-être d'en garder une seule, on verra ! Bien sûr, si j'avais continué de travailler pour la Viking, j'aurais eu une belle rente, mais j'ai placé l'argent qui me revenait et j'y ai pas touché.

— Au moins, les années où t'as pas eu à voyager en ville,

tu as eu une meilleure qualité de vie. Tu gagnais moins à Saint-Jérôme, mais t'étais pas pogné dans le trafic matin et soir.

De 1997 à 2004, ils avaient séjourné en Floride une partie de l'hiver et, durant l'été, ils allaient passer une ou deux semaines chez la fille de Rita en Abitibi et un jour ou deux à Québec, afin de visiter le fils de Gaston. Le reste du temps, ils recevaient quelques amis, écoutaient beaucoup de musique et lisaient des tonnes de romans. La vie s'écoulait pour eux comme un cours d'eau tranquille.

Un matin du mois de septembre 2004, la vie de Rita avait chaviré. L'homme avec qui elle vivait depuis 34 ans était décédé des suites de la rupture d'un anévrisme au cerveau.

Elle avait immédiatement téléphoné à Alexandre, le fils de Gaston, pour l'avertir de la situation et celui-ci lui avait assuré qu'il serait là un peu plus tard dans la journée. La fille de Rita était également venue retrouver sa mère dès le lendemain et elle lui avait promis qu'elle resterait avec elle le temps qu'il faudrait.

Le lendemain des obsèques, Rita avait fouillé dans le bureau de son mari, où il conservait ses documents personnels, et elle y avait trouvé son testament. À sa grande surprise, ce document datait du moment où il avait divorcé de sa première femme et il léguait la totalité de ses avoirs à son fils unique.

Avant qu'Alexandre reparte pour Québec, elle lui avait remis le document, qu'il avait lu devant elle.

— Papa m'a tout légué! s'était-il exclamé.

— Oui, mais c'était avant qu'il connaisse ma mère, avait rétorqué Sylvianne. Ils vivent ensemble depuis 34 ans!

— Est-ce que vous avez signé des papiers avec mon père?

avait demandé Alexandre à Rita, ignorant volontairement la femme.

— Non, ton père faisait ses affaires et moi les miennes. On payait tout moitié-moitié, mais je sais que c'est lui seul qui a acheté la maison.

— Comme c'est moi qui suis exécuteur testamentaire, selon ce document, je vais prendre rendez-vous avec mon notaire à Québec et je vais lui demander de faire les recherches nécessaires. Il s'occupera de régler toute la succession. Inquiétez-vous pas !

À peine quelques semaines plus tard, un agent d'immeubles était venu installer une pancarte «À vendre» devant la maison. Rita avait alors communiqué avec son beau-fils, qui lui avait mentionné qu'il demeurait trop loin pour s'occuper de la maison et qu'il préférait la vendre. Il acceptait cependant qu'elle l'occupe pendant les six prochains mois.

Il en avait profité pour lui confirmer que, selon toute vraisemblance, il était le seul et unique héritier de Gaston.

— Comme ça, ton père m'a rien laissé ?

— Il faut croire que c'était ses volontés !

— On a vécu et travaillé ensemble pendant toutes ces années et tu crois qu'il souhaitait vraiment que je me retrouve démunie de la sorte ?

— Comment voulez-vous que je le sache ? Vous auriez dû lui en parler de son vivant. Il est trop tard maintenant !

— Tu comptes garder sa maison, ses REER et l'argent de ses placements ? Tu sais que ça représente beaucoup d'argent !

— Oui, et cet argent-là est placé au nom de mon père, pas au vôtre ! avait tranché Alexandre d'un ton cynique.

Rita était une femme très indépendante. Dans la semaine

suivant cet appel, elle avait communiqué avec un organisme de charité et elle lui avait donné tous les meubles qui lui appartenaient, quelques tableaux qu'elle avait peints, toute la nourriture et le surplus de ses vêtements. Elle n'avait gardé que le strict nécessaire, qu'elle avait entassé dans sa voiture.

Elle avait déposé les clés de la maison sur le comptoir de cuisine et elle était sortie sans se retourner. Elle était déménagée à la résidence de personnes âgées qui était située tout près de l'endroit où elle avait vécu pendant plus de 30 ans. Une grande chambre s'était libérée et elle y avait apporté le minimum d'effets personnels. Les biens matériels n'avaient plus aucune valeur à ses yeux. Un peu plus tard, elle avait vendu sa voiture et placé cet argent à la banque.

Elle avait attendu que tout soit fait avant d'en parler à sa fille, qui l'avait suppliée d'aller vivre avec eux. Rita lui avait répondu qu'elle était chez elle à Sainte-Agathe, mais elle lui avait promis qu'elle irait passer la période des Fêtes avec eux.

Le lundi 1er novembre 2005, le jour de son emménagement à la résidence, c'était l'anniversaire de Rita et elle avait eu 72 ans. Assise dans sa modeste chambre, elle avait laissé libre cours aux larmes qu'elle retenait depuis des semaines.

Puis, Rita avait lentement repris pied et elle s'était investie auprès des pensionnaires qui étaient en perte d'autonomie dans la maison où elle vivait. Elle avait besoin de se sentir utile et quand Élizabeth Bisaillon avait fait l'acquisition de la résidence, elle lui avait gentiment offert de l'aider dans les tâches ménagères.

Quand Hector avait emménagé à la résidence, elle s'était tout de suite prise d'affection pour lui. Elle le trouvait démuni, tout comme elle l'avait été il n'y avait pas si longtemps. Elle l'avait observé depuis son arrivée et elle était convaincue qu'il n'était ni malade ni muet.

C'est elle qui avait la responsabilité d'aller chercher les pensionnaires à l'heure des repas. Quand elle approchait de la chambre d'Hector, elle se déplaçait doucement, évitant de faire du bruit, pour qu'il ne soit pas prévenu de son arrivée. Au moment où elle frappait à sa porte, elle l'entendait parfois marcher pour se rendre à sa chaise berçante, où il était toujours installé quand elle entrait dans la pièce. Il voulait laisser croire qu'il ne changeait jamais de position.

Quelques jours après la visite de Raoul et de Monique, Rita décida qu'il était temps de franchir une étape de plus. Elle souhaitait démontrer à Hector que même s'il avait pu rouler les autres dans la farine, elle n'était pas tombée dans le panneau.

Un soir, après le souper, elle avait comme d'habitude aidé Élizabeth à faire la vaisselle et elle savait qu'ensuite celle-ci descendrait dans ses appartements, où elle passerait la veillée avec son conjoint. Rita laisserait filer un peu de temps et, vers 20 heures, elle irait rendre visite à celui qu'elle appelait amicalement monsieur Hector.

À l'heure précise, elle se rendit dans la chambre de celui-ci et elle entra sans frapper.

Elle trouva Hector bien assis dans son fauteuil, alors qu'il regardait la télévision. Il fut surpris et lui fit de gros yeux pour démontrer son mécontentement.

— Vous allez m'excuser, lança-t-elle, mais j'ai cogné à la porte et il semble que vous m'ayez pas entendue.

Elle s'avança alors tout doucement et s'installa sur son lit. Hector continua à se bercer et ne la regarda pas.

— Vous savez, Hector, je vous comprends très bien d'agir de la sorte. Le premier mois où je suis arrivée ici, j'ai moi aussi été perturbée et j'ai fait voir mon caractère, mais d'une tout autre manière que vous.

Le vieil homme ne réagit pas, faisant comme si Rita n'était pas là, mais il l'avait sous-estimée. Elle était venue dans sa chambre afin de percer le mystère entourant l'aîné et elle était convaincue d'y parvenir.

Elle savait déjà ce qui le ferait broncher. Tout en lui racontant des balivernes sur les desserts qu'elle avait rangés ce soir au réfrigérateur, elle lui frôla délicatement le genou et monta tout doucement sa main vers le haut de la cuisse.

Hector ne voulait pas qu'elle se rende plus loin et sa pruderie prit le dessus. Il la repoussa vivement en maugréant.

— Arrêtez de me flatter. Je suis pas un chat!

— Moi aussi, je joue la comédie à l'occasion, lui mentionna-t-elle en croisant les bras pour le sécuriser. Soyez cependant rassuré, je dirai pas un mot, motus et bouche cousue! Je vais continuer de venir vous chercher à l'heure des repas.

— C'est mieux comme ça. Je veux pas avoir affaire à personne et ça m'arrange très bien de pas parler!

— Inquiétez-vous pas, mais si ça vous dit, on pourrait devenir des amis.

— J'ai pas besoin d'amie et j'ai pas besoin de personne, répliqua-t-il sur la défensive. Je sais pas depuis combien de jours ou de semaines je suis ici, mais je sais que tout ce qu'il me reste, c'est d'attendre la mort.

— Si vous prenez ça comme ça, c'est certain que vous allez être malheureux! On pourrait par contre passer un peu de temps ensemble le soir pour écouter la télévision ou pour jouer aux cartes.

— J'ai pas le goût de me mêler au monde, mais je dis pas qu'à l'occasion on pourrait pas faire une partie de cartes.

— Je connais les habitudes de la propriétaire alors si vous le voulez, c'est moi qui vous ferai signe aux moments qui seront les plus sûrs.

— Et les autres locataires, vous pensez qu'ils s'apercevront de rien?

— On est pas 25 ici et après 7 heures le soir, il y a plus jamais personne qui sort de sa chambre, sauf pour aller aux toilettes. Par contre, les nôtres sont côte à côte et je vais être prudente.

C'est ainsi que les deux vieux avaient commencé à passer du temps ensemble. Hector dormait plus tard le matin, se recouchant parfois après le déjeuner ou après le dîner, au lieu de s'ennuyer. Il attendait patiemment que la nuit tombe pour que la bonne dame vienne le trouver ou le chercher pour jouer aux cartes.

Leur rencontre ne dura toutefois que deux semaines avant qu'ils ne soient découverts. La chambre de madame Bisaillon donnait tout juste en dessous de celle d'Hector et un soir celle-ci se réveilla en entendant du bruit. Comme elle s'inquiétait beaucoup pour ce nouveau pensionnaire, elle envoya Charles, son conjoint, pour vérifier si tout allait bien, car elle craignait une fugue ou une chute quelconque.

Celui-ci revint après une vingtaine de minutes avec un grand sourire aux lèvres.

— Qu'est-ce que t'as à rire à cette heure-là? Est-ce que j'avais la berlue ou monsieur Moreau dormait pas?

— Effectivement le beau Hector était réveillé, mais il marchait pas, il dansait, précisa Charles en tournoyant dans la pièce.

— Tu te moques de moi! Pourquoi le vieil homme danserait tout seul? Il a peut-être quelques pertes de mémoire à l'occasion, mais je crois pas qu'il soit rendu à ce stade.

— J'ai jamais dit qu'il avait pas une partenaire!

— Arrête de niaiser, Charles! Raconte-moi la vérité!

— Quand je suis arrivé près de sa chambre, il y avait pas de bruit. J'ai donc entrebâillé sa porte et j'ai constaté que la pièce était vide. J'avais cependant entendu de la musique qui provenait de celle de madame Blanchard. J'ai ouvert doucement et je les ai aperçus alors qu'ils valsaient.

— Ça se peut pas!

— Je te le jure sur la tête de ma pauvre mère! affirma le conjoint pour que sa blonde accepte de le croire.

— Qu'est-ce qu'on va faire? Leur as-tu parlé?

— Non, ils m'ont pas vu. Inquiète-toi pas, c'est pas dangereux. Est-ce qu'il y a quelque chose qui empêche nos pensionnaires de se fréquenter?

— Qu'est-ce que sa fille va dire quand elle va s'en apercevoir? Je suis pas mieux que morte si elle apprend qu'on le savait!

— À mon avis, la bonne femme Blanchard est assez ratoureuse pour pas se faire prendre. Tu la laissais bien faire quand monsieur Patenaude demeurait ici.

— Oui, mais il s'agissait d'un homme qui avait aucune maladie, alors que monsieur Moreau a des troubles cognitifs, dont le fait qu'il soit soudainement devenu muet.

— Pas tout à fait, je l'ai bien entendu chantonner à l'oreille de sa compagne.

— Ah le vieux sacripant! Et moi qui m'en faisais pour lui! Je me suis même fait engueuler par son frère, qui m'a quasiment dit qu'on vivait dans un taudis!

— Choque-toi pas! Si tu veux bien, on va garder ça pour nous autres. Ils sont majeurs et vaccinés et ils font pas de mal à personne. Ils m'ont cependant donné une bonne idée. Asteure qu'on est réveillés…

— À quoi tu penses? minauda-t-elle.

— Grrr, grogna Charles en imitant Rémy Girard dans le film *La Florida* : « Envoye dans l'lit, maudite chanceuse! »

CHAPITRE 16

Lâcher prise

(Novembre 2007)

Patrick trouvait que sa femme s'investissait toujours trop quand elle entreprenait quelque chose. La veille, elle était arrivée à la maison épuisée. Il lui avait proposé de l'emmener souper au restaurant, mais elle avait refusé l'invitation, en prétextant qu'elle n'avait pas vraiment faim.

— Il va falloir que tu penses à toi un peu, sinon tu vas tomber malade, avait prévenu le mari inquiet. Depuis que t'as commencé à t'occuper de ton parrain, j'ai l'impression que t'es plus stressée.

— Tu sais, Patrick, ça fait réfléchir quand on vit des moments comme ceux-là. Mon oncle a travaillé dur pendant toute sa vie, il a été généreux et attentionné et voilà qu'il se retrouve considérablement perturbé!

— Tu dramatises pas un peu, ma petite chérie? C'est certain qu'il est plus proche de la fin que du début, mais il a la chance d'avoir une nièce qui accepte de le prendre en charge, c'est quand même pas la vraie misère!

— Je comprends, mais c'est tout de même triste d'en être rendu là. Quand t'as été autonome toute ta vie et que tu te retrouves à dépendre des autres comme ça, il me semble que ça doit être très insécurisant.

— On va tous passer par là un jour ou l'autre.

— Je vais l'appeler pour savoir comment il va ce matin. Ça va me rassurer.

— Tu devrais pas commencer ça. Il est dans sa maison et ta mère lui parle tous les jours au téléphone. Il faudrait pas qu'il vive en attendant tes appels.

Patrick avait l'habitude de freiner les ardeurs de sa femme, qui était parfois excessive, mais elle détestait se faire dicter sa conduite. Elle savait cependant qu'elle avait passé beaucoup de temps avec sa famille dans la dernière semaine, alors elle accepta de remettre à plus tard le moment où elle prendrait des nouvelles de son protégé.

— Étant donné que j'ai pris congé aujourd'hui, on pourrait peut-être en profiter pour sortir les décorations de Noël et commencer à installer les lumières extérieures pendant qu'il fait doux ? offrit Patrick.

— Si tu veux, répondit Dominique sans grand enthousiasme. Elle n'avait pas le cœur aux festivités pour l'instant, mais elle souhaitait surtout plaire à son conjoint.

— Je suis content ! s'extasia Patrick, ravi comme un enfant. Si tout va comme prévu, je vais encore être le premier sur la rue à éclairer sa maison pour la période des Fêtes !

— Péché d'orgueil, Patrick ! Il faudra que t'ailles te confesser !

— Il faut bien que j'aie un petit défaut ! ajouta-t-il, toujours soucieux d'avoir le dernier mot.

Depuis que Raoul portait son appareil auditif, Doris avait davantage de plaisir à échanger avec lui. Elle voulait toujours savoir s'il avait passé une bonne nuit, s'il avait bien déjeuné et, chaque jour, elle lui demandait s'il avait pris ses médicaments.

— T'es pire qu'un perroquet! se plaignait le frère ainsi surveillé, en blaguant un peu. Tu me poses les mêmes questions chaque fois!

— Tu t'ennuierais si tu m'avais pas! répliquait la sœur, rassurée de le voir aussi alerte malgré son âge avancé.

Ce matin, Doris avait entrepris très tôt de faire du lavage et avait oublié de l'appeler. Quand elle y pensa, il était déjà 10 heures. Elle composa son numéro et laissa sonner longtemps, mais elle n'obtint pas de réponse.

— Il doit être à la toilette, songea-t-elle en prévoyant rappeler dans quelques minutes.

Elle essaya une demi-heure plus tard, puis à plusieurs reprises, mais en vain. Plus le temps passait et plus elle s'inquiétait. Son frère n'avait pas l'habitude de sortir le matin, préférant aller marcher l'après-midi.

Elle se disait qu'avec tous les cristaux qui scintillaient dans chaque pièce quand il recevait un appel, il était impossible qu'il ne sache pas que le téléphone sonnait, même s'il avait omis d'installer son appareil auditif en se levant.

Il valait peut-être mieux qu'elle aille faire un tour pour s'assurer que tout allait bien. De toute façon, Dominique lui avait laissé un double de la clé de la maison de Raoul, au cas où il perdrait la sienne. Avant de partir de chez elle, elle appela sa fille Évelyne.

— Allo, ma belle, pourrais-tu m'accompagner chez ton oncle Raoul? J'essaie de le rejoindre depuis 10 heures à matin et il y a jamais de réponse.

— Les enfants viennent d'arriver pour dîner, mais ils sont assez vieux pour s'arranger tout seuls. Passe me chercher, offrit-elle.

Une fois rendue chez son frère avec Évelyne, Doris sonna à la porte de l'entrée principale, tandis que sa fille se dirigea directement sur le côté de la maison pour regarder par la fenêtre donnant sur le salon. Elle constata alors que son oncle était étendu sur son divan et qu'il semblait dormir. Elle se précipita immédiatement vers l'avant et déverrouilla la porte avec beaucoup de difficulté. La nervosité lui enlevait tous ses moyens. Elle voulait pénétrer dans la pièce en premier, au cas où le pire se serait produit. Elle souhaitait protéger sa mère de ce qui l'attendait.

— Mon oncle, c'est Évelyne, s'annonça-t-elle. Est-ce que ça va? demanda-t-elle en parlant très fort tout en s'avançant vers lui.

Elle n'obtint aucune réponse, mais, en regardant dans le passage, elle constata que le sol était souillé de vomissures à certains endroits.

— Fais attention où tu mets les pieds, maman, il a été malade. Laisse-moi le voir, insista Évelyne en réprimant un haut-le-cœur tant l'odeur était infecte. Elle regrettait que sa mère soit témoin de cette scène.

Elle s'approcha du sofa où Raoul était étendu, le teint blafard. Elle lui toucha délicatement la joue et il ouvrit les yeux.

— Appelle Dominique, chuchota-t-il à l'intention de sa nièce. Il faut qu'elle vienne.

— Je m'en occupe, mon oncle, promit Évelyne en poussant un soupir de soulagement. Inquiétez-vous pas, maman et moi, on restera avec vous en attendant qu'elle soit là, promit-elle pour le rassurer.

Évelyne se dirigea vers la cuisine, où elle composa immédiatement le 911. Il n'y avait pas de temps à perdre. Le vieil homme semblait dans un état de santé précaire. Elle souhaitait ardemment que sa sœur puisse arriver avant qu'il ne soit trop tard.

Dominique et son mari étaient rentrés pour prendre un petit repas avant d'aller continuer à installer leurs nombreuses décorations. Ils en avaient encore pour une partie de l'après-midi, mais tout serait alors complété. Quand le téléphone sonna, c'est Patrick qui répondit à l'appel. Au timbre de sa voix, Dominique se douta bien qu'il s'agissait d'une mauvaise nouvelle.

— C'est ta sœur Évelyne qui demande que tu te rendes à l'hôpital de Sainte-Agathe-des-Monts, car ton oncle y a été transporté d'urgence, annonça Patrick tristement.

— Dis-moi qu'il est pas mort! implora-t-elle au bord des larmes.

— Non, mais il était très faible quand ils l'ont trouvé. Il a probablement eu un malaise cardiaque, de la façon dont elle m'a décrit ça.

— Je me change et je monte tout de suite, lança-t-elle en se dirigeant vers sa chambre à coucher.

— Énerve-toi pas! Je vais ramasser ce qu'on a laissé dehors et je vais te reconduire à l'hôpital. Il est pas question que tu prennes le volant alors que t'es affolée comme ça. Des affaires pour que t'aies un accident!

— Dépêche-toi, d'abord, parce que j'ai hâte d'être là!

Pauvre homme, il doit être si inquiet. S'il fallait que quelque chose lui arrive !

— Ta sœur m'a juré qu'elle resterait avec lui tant que tu serais pas arrivée. Alors tu peux te calmer un peu !

Pendant tout le trajet, Dominique rongeait son frein[52]. Elle trouvait que son époux ne conduisait pas suffisamment vite. Elle ne voulait pas dire un mot, de crainte de se faire rabrouer, mais elle songeait qu'elle aurait mieux fait de prendre sa propre voiture.

En entrant à l'urgence, elle s'informa et on la dirigea vers une aire d'observation, où son oncle était alité. Dès qu'il l'aperçut au bout du couloir, Raoul la gratifia d'un sourire complice en levant légèrement la main pour lui faire signe. Elle se rendit jusqu'à lui et caressa sa joue.

— T'es là, observa-t-il d'une voix affaiblie, mais douce à l'oreille de sa nièce.

— Je vous avais promis que je serais toujours près de vous chaque fois que vous auriez besoin de moi, répondit-elle avec beaucoup d'émotion. Dites-moi donc ce qui vous est arrivé. Vous alliez pourtant bien hier quand je vous ai quitté.

— Oui et je me suis couché de bonne heure, mais ce matin, quand je me suis levé, j'avais mal au cœur et j'étais tout étourdi. J'ai simplement voulu aller m'étendre sur le divan, mais j'ai pas pu me rendre sans être malade sur le tapis. Après, je me souviens plus de ce qui est arrivé.

Dominique s'informa auprès de sa sœur à savoir quels étaient les derniers développements et elle la remercia de s'être occupée ainsi de son oncle.

— C'est le mien tout autant que le tien, lui rappela

---

52 Ronger son frein : contenir sa colère avec impatience.

Évelyne avec empathie. Et maman était si nerveuse que je pouvais pas la laisser toute seule. Quand j'ai vu qu'il était rendu ici et qu'il était mieux, je suis allée la reconduire à la maison pour qu'elle se repose et surtout qu'elle se calme, et je suis revenue à son chevet. Je lui avais promis que je demeurerais avec lui jusqu'à ce que tu arrives.

L'infirmière mentionna que des prises de sang avaient été effectuées et que Raoul devrait passer une radiographie des poumons et un électrocardiogramme.

— Patrick, tu pourrais retourner chez nous. Moi, je vais rester avec mon oncle aujourd'hui, proposa Dominique, inquiète de le laisser seul à nouveau. S'il y avait des décisions à prendre, elle souhaitait être sur les lieux.

— Tu peux pas être à l'hôpital jour et nuit, la sermonna-t-il. Je peux t'attendre encore quelques heures, mais il serait raisonnable que tu rentres à la maison avec moi un peu plus tard. À la place, tu reviendras demain matin de bonne heure.

— Non, s'opposa-t-elle, convaincue que son mari ne pourrait la faire changer d'idée. Je me suis engagée à être là pour lui et je partirai pas tant qu'il sera pas hors de danger.

Patrick savait qu'il ne gagnerait pas la bataille et il quitta l'hôpital. Plutôt que de s'obstiner avec sa femme, il ne retournerait pas chez lui. Il irait prendre un café dans un restaurant de la ville et il reviendrait plus tard.

Quand le médecin passa, il expliqua à Dominique qu'il n'était pas rare de voir des personnes âgées avoir ce genre de malaises. Afin de s'assurer que tout aille pour le mieux, Raoul serait gardé en observation pour au moins 48 heures.

— Ils vont en profiter pour vous examiner, indiqua la nièce à son oncle pour le réconforter.

— Je pensais bien que mon heure était arrivée,

prononça-t-il avec un air désemparé. Si au moins le notaire m'avait fait signer ces fameux papiers-là hier.

— Inquiétez-vous pas avec ça. On ira les signer la semaine prochaine.

— Si je me rends là! rétorqua l'oncle avec une grande inquiétude.

— Si ça vous dérange tant que ça, je vais téléphoner à maître Girouard et il va venir vous faire signer vos papiers ici, à l'hôpital.

— Tu penses qu'il ferait ça?

— J'en suis convaincue.

Dominique gagna le coin repas où elle pouvait utiliser son cellulaire librement et elle appela la secrétaire du notaire pour lui expliquer la situation.

— J'aime pas bousculer les gens, mais mon oncle est très inquiet de pas avoir pu signer la procuration et son mandat en cas d'inaptitude lors de notre visite d'hier. Je me demandais à quel moment maître Girouard serait en mesure de venir le voir à l'hôpital.

— Je vais devoir lui en parler plus tard, car il est présentement en consultation, indiqua la secrétaire. Je peux cependant vous confirmer qu'il ira aujourd'hui. Il laissera pas un client anxieux à cause d'une simple signature. Je peux vous certifier que tout est prêt, puisque c'est moi qui ai complété le dossier de votre oncle.

— J'apprécie beaucoup votre professionnalisme. Je suis moi-même rassurée en sachant que tout sera en ordre si le pire survient.

— C'est tout à fait naturel! Alors, dites à monsieur Moreau de plus s'inquiéter.

Dominique retourna auprès de son protégé et elle lui

mentionna que tout était réglé. Il pouvait dormir la tête tranquille.

Vers 17 heures, le notaire Girouard se présenta à l'urgence avec un témoin. Il expliqua à Dominique que son oncle avait pris d'importantes décisions et que c'était sûrement ce qui l'avait tourmenté de la sorte.

— Vous pouviez pas réaliser que depuis plusieurs années, c'était un lourd fardeau qu'il portait sur ses épaules. Hier, il s'en est délesté en vous le confiant. Vous avez bien fait de m'appeler, vous avez fait preuve d'un très bon jugement.

Le notaire rencontra son client et lui présenta les documents, que celui-ci signa avec beaucoup de difficulté. Après son départ, Raoul prit la main de sa filleule et se montra reconnaissant:

— Merci pour tout ce que t'as fait aujourd'hui. Tu peux maintenant aller te reposer.

— Je vais revenir tôt demain matin et s'il y a quoi que ce soit, les infirmières ont mes coordonnées. Demandez-leur de me téléphoner.

— Inquiète-toi surtout pas, je te promets que je vais dormir jusqu'au chant du coq, rétorqua Raoul en souriant, à la fois épuisé et soulagé. Il ne voulait plus que se reposer.

Quand sa nièce quitta la pièce, elle se dirigea vers l'entrée de l'urgence pour appeler un taxi afin de se rendre chez sa mère pour y passer la nuit. En arrivant dans le hall, elle fut surprise d'y voir son mari, assis tout bonnement près de la porte de sortie.

— Qu'est-ce que tu fais là? lui demanda-t-elle, émue qu'il l'ait attendue tout ce temps.

— J'espérais qu'une belle femme se présente et je crois bien l'avoir trouvée, répondit Patrick en prenant Dominique par la main.

Il savait qu'elle n'aurait jamais abandonné le vieil homme tant qu'il n'aurait pas été en sécurité. Elle était maintenant son ange gardien.

— On s'en va à la maison, fit-elle, finalement rassurée.

— Oui, ma petite chérie. On va aller se reposer et demain, tu viendras passer du temps avec lui.

— Merci d'être aussi patient avec moi et de me respecter dans mes choix.

— Je devrais cependant faire attention !

— Pourquoi tu dis ça ?

— J'ai vu dans les yeux de ton oncle Raoul qu'il t'aime beaucoup ! ajouta-t-il en lui donnant un baiser sur la joue.

CHAPITRE 17

Grande inquiétude

(Novembre 2007)

Doris avait eu de la difficulté à dormir la nuit dernière. Elle revoyait Raoul étendu sur son divan et elle se disait qu'il aurait très bien pu mourir si elle n'avait pas eu l'idée d'aller chez lui.

L'état de santé de ses deux frères l'inquiétait, mais ce matin, son fils Claude avait pris le temps de la raisonner. Il lui avait fait réaliser qu'elle avait également des enfants qui se souciaient d'elle.

— Maman, c'est toi le bébé et tu as 79 ans. Il est plutôt normal qu'eux autres commencent à tirer de la patte[53].

— Raoul a toujours eu une forte constitution et voilà qu'il s'effondre au moment où on s'y attendait le moins.

— Ça va aller mieux d'ici peu. Maintenant qu'il est à l'hôpital, ils vont le remettre sur le piton[54].

— J'espère bien, il me manquerait beaucoup s'il partait. C'est de lui que je suis le plus proche.

— Moi, j'ai pas ce problème-là. J'ai deux sœurs et je les

---

53 Tirer de la patte : éprouver des difficultés.
54 Remettre sur le piton : redonner des forces physiques.

aime tout autant l'une que l'autre, bien qu'elles soient différentes. Qu'est-ce que tu brasses si tôt que ça dans la cuisine ?

— Je te prépare une soupe aux légumes, ta préférée.
Quand je m'occupe, je pense à rien. Aurais-tu deux minutes
pour moi, avant de partir ? lui demanda-t-elle gentiment.

— Pour toi, j'ai tout mon temps… pourvu que ça prenne
pas plus de 20 minutes ! ajouta-t-il en riant.

— Si tu me donnais un coup de main, j'aimerais monter
quelques boîtes qui sont dans la cave pour trier ce qu'il y
a dedans. Je veux pas faire ça quand je suis toute seule et
risquer de tomber dans les escaliers.

— Tu commences à être raisonnable, je suis fier de toi !

— J'ai pas le choix, mes enfants me surveillent comme si
j'étais une dangereuse criminelle !

À 11 heures, Évelyne reçut un appel de l'urgence de l'hôpital de Sainte-Agathe-des-Monts. C'est son nom qui avait
été mis en premier sur la liste des gens à contacter en priorité, car elle demeurait tout près. Elle téléphona immédiatement à Dominique pour la prévenir.

— Inquiète-toi pas, ma sœur, je vais être avec lui tant
que tu seras pas arrivée.

— Je monte tout de suite !

Patrick était parti tôt ce matin pour son travail. Il
savait que sa femme irait dans le Nord durant la journée,
mais il pensait avoir le temps de revenir à la maison pour
l'accompagner.

Dominique était pour sa part contente de pouvoir se
rendre à l'hôpital de manière autonome. Elle n'aurait pas à

se soucier de qui que ce soit. Elle serait raisonnable et prendrait le temps qu'il faudrait pour qu'il ne lui arrive rien de fâcheux en chemin. Elle ramassa donc le strict nécessaire et elle partit rapidement. Durant tout le trajet, elle récita son chapelet, ce qu'elle n'avait pas fait depuis très longtemps. Elle se disait que c'était ce que son oncle aurait aimé qu'elle fasse. Ses prières la calmèrent et à peine 45 minutes plus tard, elle arrivait à l'urgence, où elle s'adressa à la réception.

— Je suis ici pour voir Raoul Moreau. On m'a appelée pour m'aviser qu'il est plus mal.

La jeune préposée vérifia dans ses fichiers et elle lui répondit gentiment.

— Il est en observation à la salle numéro 2. Vous avez juste à prendre la première porte à droite, c'est tout près.

En arrivant dans cette pièce, elle trouva son oncle dans un bien triste état. Il était branché sur un moniteur, avait les yeux fermés et ne bougeait pas du tout. Elle s'approcha tout doucement et flatta sa joue.

— Mon oncle, c'est Dominique, je suis là! lui souffla-t-elle à l'oreille, mais le vieil homme ne réagissait pas à ses paroles. Sa respiration était irrégulière et son teint blafard laissait craindre le pire.

Évelyne surgit alors, complètement décontenancée.

— Enfin, t'es là! J'étais partie pour essayer de te joindre sur ton cellulaire. Tu imagineras jamais qui était ici quand je suis arrivée ce matin.

— Non, mais je sens que tu vas me le dire. Pas maman j'espère! Il faudrait pas qu'elle se décide à venir passer de longues heures à l'hôpital. Ce serait son genre.

— Non, le beau Hugo, celui que mon oncle et ma tante ont gardé pendant quelque temps quand il était jeune. Il a déclaré à l'infirmière qu'il était le fils du malade.

— Tu parles d'un méchant moineau! Veux-tu bien me dire comment il a appris qu'il était hospitalisé? Il doit s'être installé dans le coin. On était bien quand il restait du côté de Saint-Canut ou de Lachute.

— C'est toute une queue de veau[55], celui-là, et menteur comme un arracheur de dents!

— Il va falloir le surveiller pour pas qu'il vienne faire du trouble à mon oncle. Quand je suis allée chez lui pour trier ses papiers, il m'en avait glissé un mot, mais sans entrer dans les détails. Il m'a cependant laissé entendre qu'il s'en méfiait. J'ai eu la preuve qu'il était colérique le jour de sa fête. Il parlait fort et au moment de sortir, il a renversé une chaise et il a craché sur mon auto en passant.

Dominique crut donc bon de téléphoner au bureau du notaire Girouard et elle demanda à sa secrétaire si elle pouvait lui fournir immédiatement un exemplaire de la procuration générale qui avait été signée la veille. Elle lui raconta ce qui s'était passé ce matin à l'hôpital. La secrétaire lui assura qu'elle lui préparerait des copies et elle lui conseilla d'en garder toujours une avec elle pour l'instant.

— Évelyne, si tu pouvais aller au bureau de maître Girouard pour moi, je serais en mesure de faire inscrire au dossier une attestation selon laquelle c'est moi qui décide pour Raoul Moreau et pas Hugo Fréchette.

Dominique avait utilisé un ton qui laissait penser que personne ne lui marcherait sur les pieds. Elle réalisait qu'il y avait bel et bien une menace qui rôdait autour de son parrain.

---

55 Queue de veau: personne agitée, qui ne tient pas en place.

Étendu sur cette civière peu confortable, Raoul se demandait s'il était encore de ce monde. Il avait peine à garder les yeux ouverts. Tout ce dont il se souvenait, c'était qu'on avait roulé son lit dans un long couloir et qu'on avait installé des appareils autour de lui.

L'heure à laquelle on faisait toujours allusion, la dernière, était-elle venue? Pourquoi devait-il partir aussi rapidement, alors qu'il lui semblait avoir des rêves à concrétiser? On ne devait jamais être totalement prêt pour le grand départ.

Il n'était sûrement pas mort, car il réalisait qu'il avait sali sa culotte et il se sentait très mal à l'aise. Ce genre d'incident ne devait probablement pas arriver quand on était rendus dans l'au-delà.

Et puis il entendit sa belle Dominique, celle qui venait de se joindre à lui pour la dernière étape. Elle lui avait promis d'être là quand il aurait besoin d'elle et elle y était. Il n'avait jamais douté de ses bonnes intentions.

— Bonjour, le salua-t-elle tout bas, en le flattant délicatement avec sa petite main douce.

Il ouvrit péniblement les yeux pour admirer celle qui faisait battre son cœur pour le moment.

— Je suis sale, articula-t-il tristement, en tapant sur le bas de son ventre. Il n'avait jamais porté de couche auparavant et il se sentait mal. Heureusement, il pouvait tout dire à Dominique sans aucune gêne.

— Je vais trouver quelqu'un, promit-elle, malheureuse de le savoir dans cet état.

Elle se rendit donc au poste de garde et demanda qu'on envoie un préposé au chevet de son oncle.

À son avis, c'était un service primordial qui devait être accordé aux malades, d'autant plus quand ils étaient aux soins intensifs et qu'ils n'étaient pas en mesure de sonner la fameuse cloche, pas toujours accessible. Ils étaient comme des enfants et ils dépendaient des gens engagés pour s'occuper d'eux.

Quand l'aspect administratif fut réglé, et qu'on sut que Dominique était bien la personne responsable au dossier de l'oncle Raoul, le médecin de garde vint lui donner les explications. Il lui mentionna que le rythme du cœur du patient était très irrégulier et que les spécialistes avaient en vain tenté de le régulariser. Son cas était étudié par les cardiologues de l'Hôpital du Sacré-Cœur de Montréal et ils analysaient maintenant la possibilité de lui installer un stimulateur cardiaque.

— Croyez-vous qu'il aurait la force de supporter une telle intervention chirurgicale?

— Pas pour l'instant, car il est très affaibli, mais on va attendre les résultats des spécialistes. Vous pouvez rester avec lui tant que vous le souhaitez, il y a aucune contrainte. Votre présence à ses côtés peut le rassurer et lui redonner de l'énergie.

Évelyne était, depuis un bon moment, retournée à ses occupations. Dominique demeurait donc seule avec celui qu'elle avait accepté de prendre sous son aile. Elle n'aurait cependant jamais cru être sollicitée aussi rapidement.

Elle regardait le visage étiré de Raoul, son teint blanchâtre, et elle redoutait le pire. Elle continuait de lui parler tout doucement en flattant sa main, dont la peau était usée et bleuâtre par endroits. Il ouvrit les yeux et lui fit un beau sourire.

— On est bien ensemble, lui murmura-t-elle, sentant qu'ils vivaient ainsi un moment très privilégié.

Le vieil homme ne répondit pas, mais il s'endormit, déjà fatigué du simple effort qu'il avait déployé pour établir un contact visuel avec sa filleule.

Dominique resta assise à ses côtés pendant de longues minutes, attendant qu'on vienne lui expliquer les prochaines étapes. Deux brancardiers arrivèrent soudainement et mentionnèrent qu'ils devaient conduire le patient dans une chambre.

Dominique ramassa donc ses effets personnels et se prépara pour les suivre.

Elle comprit alors l'un des deux employés demander à son compagnon :

— À quel étage on l'emmène ?

— On le remonte au deuxième, y sent le brûlé ! lança-t-il, en laissant entendre que la fin du vieil homme approchait.

Dominique reçut cette phrase comme un coup de poignard. Elle gravit les escaliers en pleurant et attendit les employés en face de l'ascenseur. Elle leur donna le temps de conduire la civière à l'endroit prévu et elle les stoppa tous les deux à la sortie de la chambre.

— Je sais pas lequel de vous deux a dit que le patient sentait le brûlé, mais peu importe, c'est un grand manque de respect. Le vieux que vous venez de monter est mon oncle et c'est un être humain que j'aime et que j'admire. Si vous pouvez pas faire votre boulot dans la dignité et la décence, changez d'emploi ! Ça prend habituellement un cœur pour travailler avec les gens malades et l'un de vous deux en a pas, à mon avis.

Les deux individus furent très surpris de se faire apostropher de la sorte et ils s'excusèrent avant de repartir.

Dominique alla parler avec l'infirmière et elle lui raconta ce qui s'était passé afin d'expliquer pourquoi elle avait de la difficulté à contenir ses larmes. Celle-ci assura qu'elle prenait l'incident en note et qu'elle en toucherait un mot à sa supérieure.

— En attendant, croyez-vous qu'on pourrait avoir un prêtre pour donner l'onction des malades à mon oncle?

— Je vais faire le nécessaire, madame!

Dominique était retournée au chevet de son protégé et elle avait l'âme en peine. Elle ne pouvait concevoir qu'elle risquait de perdre l'homme à qui elle venait tout juste de faire une belle place dans son cœur. Comment pouvait-elle le rassurer autrement qu'avec ce qui l'avait toujours guidé dans sa vie?

— Mon oncle, vous m'entendez probablement, mais vous êtes pas obligé de faire d'effort pour me regarder. Si vous le voulez bien, je vais prier avec vous.

Dominique vit alors celui-ci cligner des yeux doucement. Elle prit le chapelet qu'elle avait trouvé dans les poches de son pantalon, et elle fit son signe de la croix. Elle récita tout haut les oraisons et elle s'aperçut à un moment que Raoul bougeait un peu les lèvres pour l'accompagner. Elle frissonna et sentit son cœur se serrer dans sa poitrine. Bien qu'elle ne soit pas une fervente pratiquante, elle avait la foi et croyait qu'il y avait une force suprême qui pouvait se manifester.

Son oncle se réveilla peu à peu, mais elle lui conseilla de ne pas parler et de garder son énergie. Un peu plus tard dans l'après-midi, un prêtre qu'il connaissait vint lui offrir l'onction des malades. Il était conscient et pendant qu'il était administré, il pleura à chaudes larmes.

Dominique sut à ce moment-là qu'il n'était pas prêt à partir. Son voyage sur la Terre n'était pas terminé et c'est elle qui devait lui donner la main pour parcourir le dernier segment de sa vie.

Elle resta avec lui jusqu'à la fin de la soirée. Vers 22 heures, elle réalisa qu'elle devait retourner chez elle. Elle avait à peine mangé et bu, la tristesse l'étreignant trop fortement. Elle devrait s'endurcir si elle souhaitait continuer à être là pour son protégé.

Le lendemain, elle revint très tôt, mais on la prévint que Raoul souffrait encore beaucoup de diarrhée et qu'il ne parvenait pas à avaler quoi que ce soit. Le médecin mentionna que son rythme cardiaque était maintenant très affaibli et qu'il était déshydraté. Il lui installerait un soluté ce matin. Il n'avait pu le faire hier, car le rythme de son cœur était trop irrégulier.

Dominique était motivée à tout faire pour lui. Le midi, elle réussit à lui faire ingurgiter un peu de soupe avec un craquelin écrasé dans le bouillon pour l'épaissir. Il mangea lentement, mais sembla apprécier. Ses beaux yeux bleus reprenaient soudain un peu de vigueur. Dans l'après-midi, il reçut la visite de Doris et Claude pendant quelques minutes, mais il n'était toujours pas en mesure de parler. Dominique insista pour qu'ils ne restent pas longtemps. Elle souhaitait tout autant préserver la santé de son parrain que les émotions de sa maman.

Vers 20 heures, ce soir-là, elle décida de partir et de le laisser se reposer pour la nuit, en espérant qu'il soit encore en vie le lendemain matin. Afin de s'en assurer, elle lui parla à l'oreille avant de le quitter :

— Mon oncle, je suis ici depuis tôt ce matin. Je sais que vous me comprenez bien même si vous avez les yeux fermés.

Je vais donc aller rejoindre mon beau Patrick et me reposer un peu. Je reviendrai après mon déjeuner demain. J'ai averti la préposée et s'il y a quoi que ce soit, elle va m'appeler et je viendrai vous trouver. Promettez-moi de m'attendre. Il nous reste plein de choses à nous dire! Bonne nuit, mon oncle, ajouta-t-elle en flattant sa joue, avant de lui donner un baiser.

Elle fit une halte au poste de garde et demanda à la responsable de ne pas hésiter à lui téléphoner si l'état de son oncle s'aggravait.

Dominique rentra chez elle, où Patrick l'attendait patiemment. Elle l'avait appelé avant de prendre la route pour lui dire qu'elle serait à la maison dans tout au plus 45 minutes.

Il savait combien elle était sensible sous ses airs de femme forte et il voulait la soutenir dans ces moments pénibles, comme elle l'avait fait quand il en avait eu besoin.

— Je t'ai fait couler un bain chaud, comme tu les aimes.

— Tu es trop gentil, remercia-t-elle d'une voix fragilisée par les émotions vécues. Quand on sort d'un hôpital, on dirait que c'est ce qui est le plus important: plonger dans l'eau pour effacer toutes ces odeurs infectes.

— Installe-toi et je reviens avec une petite collation. T'as sûrement pas pris le temps de souper.

— J'avais vraiment pas faim. Évelyne m'a appelée pour savoir si je voulais qu'elle m'apporte quelque chose. Comme elle insistait, je lui ai demandé de me faire un sandwich avec du beurre et de la cassonade, comme maman nous préparait quand on allait à l'école. C'était bon et réconfortant!

Dominique se dévêtit et elle mit tous ses vêtements dans la manne à linge. Si elle avait le temps plus tard, elle démarrerait une brassée de lavage pour éliminer toutes les bactéries le plus tôt possible. Elle était extrêmement prudente avec tout ce qui avait trait à la propagation des microbes.

Patrick revint quelques minutes plus tard avec un plateau bien garni sur lequel il avait déposé une fleur, une coupe de vin et un croque-monsieur.

— T'es un amour, est-ce que tu le savais que j'aimais ça, ce plat-là?

— Il me semble que quelqu'un m'a déjà fait la remarque! Il faut que je prenne soin de toi parce que je sais que ces temps-ci, tu vas mettre les bouchées doubles.

— C'est important et tu le comprends. Si tu l'avais vu aujourd'hui, c'était épeurant! Je croyais bien que c'était la fin.

— Tu dois quand même t'y préparer, prévint Patrick. Bien qu'il ait été en forme durant toute sa vie, son cœur est fatigué et ton oncle pourrait nous quitter très rapidement.

— Je le sais, mais il me semble que je suis pas prête. Quand je me suis engagée envers lui, jamais j'aurais pensé que ça me ferait vivre de telles émotions!

— Je te connais très bien. Quand tu t'investis dans un dossier, tu y vas pas à moitié. En réalité, depuis le printemps que tu fréquentes davantage cet homme, et comme c'est écrit dans le livre *Le petit prince* de Saint-Exupéry, tu deviens responsable pour toujours de ce que tu as apprivoisé!

— C'est beau ce que tu viens de me dire là et je le ressens complètement. J'ai connu mon oncle Raoul dans une période où il était si vulnérable que j'ai pris la décision de lui tendre la main pour l'accompagner. Je savais pas à ce moment-là qu'il me demanderait de le conduire au bout du chemin, mais je regrette rien.

— Il aurait pas pu choisir meilleur guide, mais il te faut garder tes forces, car la route peut être longue et ardue.

— Je comprends! Je dois réussir à canaliser mon énergie afin d'être là jusqu'à la fin.

Patrick quitta la salle de bain et revint quelques minutes plus tard avec une grande serviette qu'il avait mise à réchauffer dans la sécheuse.

— Sors de la baignoire avant d'avoir l'air d'une petite vieille ratatinée! blagua Patrick, en offrant à son amoureuse de l'envelopper dans cette serviette chaude.

— Tu aurais quelque chose à me demander que tu serais pas plus attentionné!

— T'as raison, je veux maintenant que tu viennes me border. Il me semble que j'ai tout à coup besoin de me faire cajoler un peu...

La vie de ce couple était mouvementée, mais dès que Dominique et Patrick se retrouvaient ensemble, il leur semblait que rien ne pouvait être plus merveilleux. Ils étaient nés sous une bonne étoile et leur reconnaissance était sans borne.

À l'hôpital, Raoul s'était réveillé peu après le départ de sa nièce et l'infirmière était venue à plusieurs reprises pour s'assurer qu'il allait bien. Chaque fois qu'il le pouvait, il lui disait merci pour sa visite, ce que les patients ne faisaient pas nécessairement.

Il était heureux d'être en vie, mais il se demandait combien de temps encore il allait survivre. Dans son esprit, il avait gravé le visage de sa bienfaitrice et dès qu'il fermait les yeux, il cherchait à la voir. Il avait décidé de se battre pour rester en vie et apprendre à la connaître un peu plus.

Après tout, il était un Moreau, et il était curieux de découvrir encore d'autres lendemains. Il n'y avait que la présence d'Hugo dans son entourage qui l'inquiétait!

La nuit dernière, il lui avait semblé le voir à côté de son lit!

Avait-il eu la berlue?

CHAPITRE 18

Guerre de pouvoir

(Novembre 2007)

Durant toute la fin de semaine, Jean-Guy avait parlé avec Mariette du cas de son père. Il se demandait comment il pourrait convaincre sa sœur de prendre des décisions afin de vendre la maison familiale. Ce n'était sûrement pas une bonne période de l'année pour les transactions immobilières, mais plutôt que de devoir la chauffer et l'entretenir tout l'hiver, Jean-Guy était d'avis qu'il serait sans doute préférable de baisser le prix un peu et de la laisser aller.

— D'après moi, papa a pas beaucoup d'argent. Ça serait un bon moyen d'aller chercher des sous pour subvenir à ses besoins.

— As-tu posé des questions à ta sœur concernant les affaires de ton père? Même si c'est elle qui est mandatée pour s'occuper de lui, tu es tout de même son fils. Tu pourrais peut-être la conseiller?

— Monique, c'est un petit *boss* des bécosses[56]. C'est certain que maintenant qu'elle a des papiers signés, elle va faire

---

56 *Boss* des bécosses: personne qui fait preuve d'une autorité prétentieuse malgré sa position hiérarchique modeste.

à sa tête. Je veux quand même m'assurer que papa sera bien traité. Pour moi, c'est le plus important.

— Tu pourrais également parler avec ton père. Il perd un peu la mémoire, mais il est pas sénile pour autant. Il te faudrait passer un peu de temps avec lui afin qu'il puisse se sentir en sécurité avec toi. Tu pourrais alors savoir comment il réagit face à tout ça et quelles sont ses volontés.

— Je suis toujours à la course quand je vais le voir, t'as bien raison! J'ai peut-être été négligent.

— C'est pas nécessaire de te culpabiliser, les autres vont s'en charger. C'est tranquille au restaurant durant la semaine. Tu devrais te préparer une petite valise et aller demeurer chez lui pour quelques jours. La maison est vide de toute façon.

— Tu parles d'une bonne idée! C'est pas parce que papa reste plus là que j'ai plus le droit d'y aller.

— Tu pourrais aussi en profiter pour rencontrer ta sœur. J'aime pas que tu sois à couteaux tirés avec elle.

— Ça va dépendre de son humeur, mais je peux toujours essayer encore une fois.

Jean-Guy prépara donc ses bagages et, dès qu'il eut terminé son déjeuner, il prit la route. Il se rendrait directement à la pension où vivait son père, à Sainte-Agathe-Sud. Il voulait voir comment il allait réellement. Sa sœur avait tendance à l'exagération et il préférait constater les choses par lui-même.

Étant donné qu'il avait encore une clé de la maison familiale, il irait, par la suite, s'y installer pour quelques jours. Cela lui donnerait le temps de vérifier l'état de la résidence, de s'assurer que le chauffage était convenable, que la plomberie était intacte et que le toit n'était pas trop surchargé de neige. Il fallait tout de même préserver le bien de son père et ses actions allégeraient également le fardeau de sa sœur.

Jean-Guy se réjouissait à l'idée d'aller passer ce laps de temps dans son patelin. Il avait aimé que ce soit sa conjointe qui lui ait suggéré de le faire. C'était une bonne personne et il était heureux maintenant qu'il partageait son quotidien. Il conduisit donc en écoutant la radio, tout en élaborant une stratégie qui lui permettrait de négocier calmement avec sa jumelle.

En arrivant près de la pension d'Élizabeth Bisaillon, Jean-Guy eut la surprise de voir Hector marcher avec une dame dans une rue adjacente. Il roula lentement et constata qu'il était habillé chaudement, avec sa casquette doublée, son manteau d'hiver matelassé de couleur vert armée et les beaux gants de cuir qu'il lui avait offerts l'an dernier. Il tenait la main de cette femme, avec qui il discutait tout en déambulant à petits pas. Le fils fut surpris sur le coup, mais il sourit. Le vieil Hector ne semblait pas si mal en point.

Il dépassa le couple avec sa voiture et l'immobilisa. Il sortit et se dirigea vers les marcheurs. Quand son père le reconnut, il crut qu'il allait faire une crise de cœur.

— Qu'est-ce que tu fais là? lui balança Hector, qui ne parlait plus en public depuis déjà quelques semaines. T'es ici pour m'espionner, je suppose!

— Je suis descendu dans le coin pour te voir, papa, tout simplement. Dernièrement, j'avais beaucoup d'ouvrage et avec toute cette neige qui est tombée, j'ai pas pu me libérer avant. Je suis venu passer quelques jours pour qu'on puisse être ensemble plus qu'une heure ou deux.

— Bonjour, monsieur, interrompit la dame, je me présente, Rita Blanchard. Je suis également une pensionnaire chez madame Bisaillon. Enchantée de vous rencontrer.

Madame Blanchard lui tendit la main et Jean-Guy la salua poliment. À son avis, personne n'était au courant que son père avait une amie, ni même qu'il avait recommencé à parler. Il connaissait suffisamment celui-ci pour savoir qu'il pouvait très bien jouer ce rôle.

— Il est bientôt l'heure du repas, est-ce que vous retournez à la résidence? demanda Jean-Guy.

— Oui, c'est la maison bleue dans le deuxième détour. Tu peux aller nous attendre là si tu veux. Nous, on va finir notre marche de santé.

Jean-Guy roula donc jusqu'à la maison où habitait son père et il sortit de son véhicule, pendant que ce dernier prenait tout son temps pour rentrer. Il remarqua alors qu'à l'approche de la pension, le vieil homme avait délaissé la main de sa compagne. Il ne devait sûrement pas souhaiter que les autres locataires sachent qu'ils se fréquentaient. De vrais enfants, pensa le fils, amusé.

La propriétaire surveillait par la fenêtre, comme si elle espérait l'arrivée de quelqu'un. Elle sortit sur la galerie et s'adressa à Jean-Guy en lui demandant ce qu'il cherchait. Ce dernier s'identifia alors et l'informa qu'il avait croisé son père sur la route et qu'il l'attendait. Rassurée, elle en profita pour le faire entrer.

— Vous êtes donc le frère de Monique! Je me présente, Élizabeth Bisaillon, la propriétaire de la résidence, fit-elle, d'un ton officiel.

— Enchanté, répondit-il en lui donnant la main. Je m'appelle Jean-Guy et Monique est ma jumelle, même si on se ressemble pas du tout. Moi, je suis grand et j'ai les cheveux foncés et raides, et ma sœur a une tignasse rouquine et frisée, et elle est courtaude comme l'était ma mère.

— On vous avait pas encore vu depuis que votre père demeure avec nous. Vous devez être un homme très occupé, le railla-t-elle avec une petite pointe de malice.

— Il est pas ici depuis des lunes! répondit Jean-Guy sur un ton légèrement teinté de frustration. J'ai un commerce à gérer et Monique m'avait confirmé que tout allait bien.

— Loin de moi l'idée de vouloir vous faire des reproches, mais l'état de monsieur Hector nous a tous un peu préoccupés. Il est plutôt inhabituel que les gens cessent de parler tout d'un coup et ça fait déjà plus d'un mois que ça dure.

— Comme je le connais, il a sûrement décidé de pas adresser la parole à ceux en qui il avait pas confiance ou avec qui il souhaitait pas créer de lien, lança Jean-Guy d'un ton accusateur.

— Attendez pour voir s'il vous fera la conversation, invita madame Bisaillon, convaincue que le vieil homme continuerait à jouer le jeu devant eux!

Quand Hector arriva au pied de l'escalier, il laissa monter Rita devant lui et la suivit. Il accepta la main que son fils lui tendait pour gravir les deux dernières marches, qui semblaient exiger de lui un effort supplémentaire.

— Papa, si vous le voulez bien, j'aimerais ça aller visiter votre chambre pendant que madame Rita ira dans la sienne pour se préparer pour son dîner.

— T'auras pas besoin de beaucoup de temps, avertit le père, au grand dam de madame Bisaillon. C'est grand comme un 10 cennes! ajouta-t-il froidement. Jean-Guy tapa un clin d'œil à la propriétaire et suivit son père. Quand celui-ci ouvrit la porte, et qu'il y pénétra, son fils resta dans l'embrasure, estomaqué par les dimensions de la pièce.

— C'est pas normal qu'on puisse louer un si petit espace! se découragea-t-il.

— On s'habitue, répondit Hector nonchalamment. Il ne voulait pas se plaindre outre mesure, car s'il quittait les lieux, il perdrait le contact avec sa compagne, avec qui il passait maintenant du bon temps.

— Gardez votre manteau ; je vais vous emmener dîner au restaurant, offrit son fils.

— Il aurait fallu que j'avertisse avant, s'opposa le vieil homme, qui n'avait plus beaucoup d'appétit et qui n'avait d'ailleurs jamais été très gourmand. Il préférait prendre son repas à la salle à manger avec son amie, qui participait souvent à la création des menus. Il savait qu'elle avait justement préparé une soupe aux légumes pour lui faire plaisir et qu'il y avait du gâteau au fromage pour le dessert, car c'était l'anniversaire d'un résident.

— Je suis venu ici seulement pour te voir, lui rétorqua Jean-Guy, décontenancé.

— Va dîner et tu reviendras plus tard, lui proposa son père avec désinvolture. J'aimerais ça que tu penses à me rapporter une boîte de chocolats Laura Secord et une caisse de liqueur. J'ai pas d'argent sur moi, mais tu pourras demander à ta sœur de te rembourser.

Jean-Guy ne resta pas plus longtemps. Hector l'avait blessé avec son attitude indépendante. Il avait, semble-t-il, d'autres chats à fouetter que de passer du temps avec lui.

Le fils éconduit n'en revenait tout simplement pas. En quelques semaines, son père avait emménagé dans un endroit miteux, et voilà qu'il s'y complaisait, alors que d'un autre côté, Monique lui avait rebattu les oreilles que la vie de son père était quasiment en danger.

Sa journée débutait très mal. Il avait prévu un scénario totalement différent pour son séjour. Il rencontrerait Monique plus tard, mais pour l'instant, il irait s'installer dans la vieille maison paternelle. Il n'avait de toute façon pas réellement faim.

En arrivant à la résidence familiale, il essaya d'ouvrir la porte d'entrée, mais il n'y parvint pas. Après plusieurs tentatives, il réalisa que la serrure avait été remplacée. En regardant par la fenêtre, il vit que des sacs et des boîtes jonchaient les comptoirs de cuisine.

— Ça doit être des affaires à papa que Monique a pas fini d'emballer. Je vais en profiter pour lui donner un coup de main, songea-t-il.

Une voisine sortit sur sa galerie et le reconnut.

— Bonjour, Jean-Guy. Est-ce que t'attends quelqu'un ?

— Non, je voulais juste entrer pour apporter du linge à mon père. Il m'a demandé de passer ce matin, mentit le fils.

— Il faudrait que tu appelles ta sœur parce que depuis une semaine, elle a transporté des affaires, probablement pour les apporter au foyer, ajouta la femme, qui réalisait que les actions de Monique se déroulaient à l'insu de son frère.

— J'aurais dû lui téléphoner avant de venir ici, se justifia Jean-Guy. Je vais voir ma sœur cet après-midi après son ouvrage. Elle pourra alors m'expliquer.

— Il y a un couple qui est venu aussi et ils sont censés emménager prochainement. Ils sont justement partis aujourd'hui pour aller chercher du stock chez leurs parents. La fille étudie en soins infirmiers et le gars travaille en ébénisterie dans une compagnie d'armoires de cuisine.

— Merci, madame, répondit poliment Jean-Guy. Vous allez m'excuser, mais j'ai pas encore dîné. On se verra peut-être plus tard.

L'homme n'avait pas le goût d'en entendre davantage de la part de la voisine, qui en savait plus que lui-même sur la situation de la maison paternelle. C'en était trop pour une seule journée. Sans en parler à qui que ce soit, Monique était en train de tout contrôler de la vie de son père et de ses biens. Il y avait tout de même une limite! Il lui fallait trouver sa sœur et mettre les choses au clair.

Jean-Guy se rendit dans un petit café pour prendre une bouchée et réfléchir à la manière dont il allait gérer la crise. Il n'était pas question qu'il aille à la pharmacie pour faire un esclandre en public. Ils étaient deux enfants dans cette famille, mais sa sœur avait semblé l'oublier.

———

Monique avait été très frustrée quand son frère lui avait répondu la semaine dernière qu'il n'avait pas le temps de venir voir son père. Elle s'était tout à coup sentie bien seule avec autant de responsabilités, mais elle était vite retombée sur ses pieds. Il n'était pas dit qu'elle se mettrait à genoux devant Jean-Guy. Le même soir, elle avait reçu un compte d'électricité pour la maison et elle avait réalisé qu'elle avait oublié de baisser le chauffage dans les pièces. Elle n'allait pas débourser autant d'argent durant toute la saison froide alors que personne n'habitait là.

Le lendemain matin, elle avait appelé Robert Ducharme, un de ses amis, avec qui elle sortait à l'occasion. C'était un célibataire qui avait toujours vécu chez ses parents et qui refusait d'abandonner sa vieille mère. Ils se voyaient une ou deux fois par semaine, mais sans plus. Elle l'avait rencontré alors qu'elle jouait aux quilles, quelques années auparavant.

Monique l'aimait beaucoup et se disait qu'un jour, ils pourraient peut-être partager leur quotidien, mais jamais ce dernier n'avait fait allusion à une quelconque cohabitation.

— Allo, Robert, tu dois être surpris de me parler à matin.

— Tu m'avais bien fait comprendre que t'avais pas de temps à toi, en ce moment. Moi, j'ai pas l'habitude de courir après le monde.

— En effet, j'ai eu une semaine de fou, mais là, j'aurais besoin d'avoir l'avis de quelqu'un et aussi d'un peu d'aide.

— Si je peux t'être utile, ça va me faire plaisir.

— Est-ce que tu viendrais souper à la maison à soir? On pourrait en discuter. À deux, c'est souvent plus facile de trouver des solutions. J'ai appelé mon frère, mais il est trop occupé pour me consacrer un peu de temps. Je te dis que des fois, on est mieux d'avoir des amis que de la parenté!

— Tu m'as l'air plutôt débinée[57]! C'est correct pour le souper, mais il faudrait que ce soit après 6 heures. Est-ce que tu veux que j'apporte quelque chose?

— J'ai tout ce qu'il faut, sauf le dessert. Si tu acceptes de faire cuire des crêpes, je vais préparer de la pâte et on mettra de la crème glacée dessus.

— T'es pas mal gourmande, ma belle Monique! La dernière fois que je t'ai vue, tu m'avais dit que tu voulais perdre du poids. À la place, je propose une bonne salade de fruits.

— Une salade de fruits, c'est pas du dessert et puis arrête de me parler de diète! Moi, quand ça va mal de même, je suis comme Ginette Reno, je mange mes émotions!

Robert regrettait d'avoir frustré son amie en abordant ce sujet, mais il était malheureux de constater qu'elle allait gâcher tous les efforts qu'elle avait faits pour maigrir. Il essaierait de la calmer un peu pendant le souper.

Il aimait bien Monique, mais il trouvait qu'elle avait un tempérament beaucoup trop impulsif. Ils se disputaient souvent et, chaque fois, il la laissait gagner. Il ne lui serait pas

---

57 Débinée: décontenancée.

possible de vivre auprès d'une femme comme elle. Quand il en avait assez, il était content de pouvoir retourner chez lui.

Robert termina donc sa journée de travail, se rendit à son domicile pour se laver, se changer de vêtements et partager une soupe avec sa bonne maman. C'était sa façon à lui de lui faire comprendre qu'il ne l'abandonnait pas, même s'il allait passer la soirée ailleurs. Il la rassura en lui spécifiant qu'il ne rentrerait pas trop tard. C'était vraiment un fils comme toutes les mères auraient souhaité en avoir un.

Quand il arriva chez Monique, elle avait dressé une belle table et elle s'apprêtait à ouvrir une bouteille de vin rouge.

— Oh, du Valpolicella, celui que je préfère! se réjouit Robert. Je crois deviner que tu vas me servir une bonne lasagne comme toi seule sais la préparer.

— T'as bien raison, répondit Monique en lui offrant une coupe bien remplie. On a le temps de s'asseoir au salon, je viens juste de mettre mon plat au fourneau.

Une fois bien installée, elle commença à lui parler de son père, qui vivait maintenant en résidence et qui ne semblait pas s'y acclimater. Elle raconta en détail la visite qu'elle lui avait faite avec l'oncle Raoul. Elle en vint finalement à ce qu'elle souhaitait lui laisser entendre.

— Si je peux pas louer la maison de papa, je vais devoir la fermer pour l'hiver. J'ai pas d'autre solution. Je ne peux pas payer le chauffage là-dedans pour rien. Tu devrais voir le dernier compte d'Hydro-Québec que j'ai reçu!

— As-tu mis des annonces quelque part?

— Non, pas encore. C'est désuet et l'intérieur aurait besoin de réparations avant que je puisse penser à la louer ou même à la vendre. Il y a plusieurs années que papa pouvait plus rien faire pour l'entretenir. Il y a un robinet qui dégoutte comme une passoire, la toilette fait du bruit et le prélart de la cuisine est usé à la corde. Ça, c'est à part des autres affaires.

— Les structures de ces vieilles maisons-là sont les meilleures, sauf qu'après plusieurs années, il est normal qu'il y ait des travaux à faire. Quels sont vos projets à toi et à Jean-Guy? Est-ce que l'un de vous deux songez à l'acquérir un jour pour y habiter?

Monique ne voulait pas exposer ses intentions précises à son ami, mais elle avait toutefois besoin de son aide pour atteindre son but.

— C'est si récent que papa soit placé qu'il est impensable qu'on puisse envisager de nous départir de la maison pour le moment. Par contre, si j'avais de la main-d'œuvre à bon marché, j'en profiterais pour faire faire les améliorations qui sont nécessaires.

Monique retourna à la cuisine pour sortir des accompagnements pour le repas. Elle se demandait maintenant si elle avait bien fait de parler de ses préoccupations avec Robert.

De toute façon, elle ne pouvait plus revenir en arrière, il lui fallait continuer comme elle avait prévu.

Robert, de son côté, trouvait qu'elle faisait une tempête dans un verre d'eau. Il avait la solution.

— J'ai eu une idée pendant que t'étais à la cuisine. Je pourrais peut-être te donner un coup de main, si tu me dis ce qui doit être fait. On pourrait évaluer les coûts et tu prendrais ensuite la décision. Je suis pas un pro, mais je suis pas manchot non plus.

— Ça a de l'allure, mais chauffer cette maison-là durant tout l'hiver sans qu'il y ait personne dedans, ça m'emballe pas.

— Laisse-moi terminer mon idée. Je pense que j'ai la solution et si ça fonctionne, tu vas m'embrasser les pieds!

— Cause toujours, mon lapin! s'esclaffa Monique après avoir attaqué sa troisième coupe de vin. Elle relâchait soudain sa domination et devenait plus docile. Elle était grandement intéressée par la perspective que Robert puisse l'aider à résoudre une partie du problème.

Son ami lui expliqua qu'un garçon venait de commencer à travailler à la même usine que lui et que celui-ci fréquentait une étudiante en soins infirmiers à Sainte-Agathe-des-Monts. Ils demeuraient pour l'instant chez les parents du jeune homme, mais ils accepteraient peut-être d'emménager dans un endroit où il y aurait des travaux à faire.

— Même si tu leur chargeais juste un petit montant à condition qu'ils paient les frais d'électricité, ça te donnerait un coup de main pour l'hiver. Ils pourraient aussi s'occuper de déblayer l'entrée. C'est une idée de fou que je te lance là, mais il faudrait que je lui en parle.

— Je trouve que ça a de l'allure. Il y a trois chambres dans cette maison-là. Je pourrais en garder une pour y mettre toutes les affaires de papa que j'ai pas encore triées. On ferait les travaux dans la plus grande et on la peinturerait. Les jeunes pourraient l'utiliser et on rénoverait l'autre.

— On va voir avant s'ils acceptent, mais je lui en parle dès demain matin. Je sais que ça va pas très bien avec ses parents depuis que sa blonde est arrivée dans le décor. Il va sûrement être heureux de prendre le large.

La sonnerie de la cuisinière les sortit brusquement de leur discussion.

— Si on s'approche pas de la table, la lasagne va être juste bonne pour donner au chien!

— Je suis bien prêt à me mettre à japper, lança Robert

en riant. Il était content de pouvoir aider Monique et il était excité à l'idée d'avoir un petit boulot de rénovation à entreprendre. Il s'entendait bien avec son compagnon de travail et il savait qu'ils passeraient du bon temps ensemble. La vie auprès d'une personne âgée était différente et il devait se trouver des raisons pour fréquenter des gens plus jeunes et se ressourcer à leur contact.

Monique était fière que son ami ait accepté de lui prêter main-forte. Elle pourrait alors être plus indépendante vis-à-vis de son frère. Elle était fâchée qu'il soit allé vivre à Labelle, mais elle trouvait maintenant que cet éloignement lui simplifiait la vie. Elle était assurée qu'il ne viendrait pas s'immiscer dans les corvées qui se feraient dans la maison familiale.

Elle avait déjà un plan en tête des travaux qu'elle souhaitait faire réaliser et elle était prête à débourser l'argent de son père pour mener son projet à terme. Comme les liquidités nécessaires aux rénovations seraient assumées en parts égales entre son frère et elle, si elle exécutait les travaux actuellement, cela ne lui coûterait que la moitié des frais!

Dès le lendemain, Robert l'appela pendant l'heure du dîner en lui disant que les jeunes dont il lui avait parlé aimeraient aller visiter la maison le soir même. Monique s'y rendit donc avec eux et elle leur permit d'emménager le samedi suivant.

Les conditions étaient excellentes pour les jeunes amoureux. Ils ne paieraient pas de loyer pendant les deux premiers mois, le temps qu'ils puissent s'installer. En contrepartie, ils aideraient Monique à emballer les biens personnels de son père et à les déposer dans la troisième chambre et dans le sous-sol. Par la suite, ils participeraient aux travaux à effectuer avec Robert et n'assumeraient que le coût de l'électricité et du chauffage. Ils s'occuperaient aussi du déneigement. La situation serait réévaluée en juin prochain.

Monique réalisa qu'elle passerait ainsi beaucoup de temps avec Robert qui, croyait-elle, voulait se rapprocher d'elle. À défaut d'être joli garçon, il était plaisant et surtout très intelligent. Elle commençait à penser qu'en prenant de l'âge, elle apprécierait peut-être moins sa solitude.

— J'ai un service à te demander, annonça-t-elle à Robert avant son départ. Serais-tu assez gentil pour aller changer toutes les serrures de la maison, et faire en sorte qu'on puisse ouvrir toutes les portes avec une seule clé ? Tu en donneras deux aux jeunes, tu m'en remettras une et tu pourras garder l'autre, lui offrit-elle avec un petit air coquin.

—

Monique n'aurait jamais pensé que Jean-Guy aurait l'idée de venir coucher dans la maison de son père un jour ou l'autre. Depuis qu'il était parti du village, il n'était venu qu'en visite et n'était jamais resté plus que quelques heures à la fois.

Elle savait cependant que Jean-Guy avait une clé de la maison et elle redoutait que sa tante Doris en possède une également.

— Il sera pas dit que la tante Doris va venir fouiller dans nos affaires ! s'était-elle plainte à son amie Suzanne lors d'une conversation téléphonique. Elle dit toujours qu'elle est le bébé de la famille, mais c'est pas une raison pour qu'elle ait tous les droits !

— Tu fais bien. Si ton oncle lui demandait d'aller lui

chercher quelque chose à la maison et qu'elle y aille, t'aurais plus aucun contrôle !

— Personne va venir me mettre des bâtons dans les roues, je t'en passe un papier !

— Je suis d'accord avec toi. On a entendu tellement d'histoires de famille où il y a eu de l'abus. Vaut mieux prévenir que guérir !

— C'est exactement ce que je pense. C'est moi qui m'occupe de mon père, tout comme il l'avait fait avec le sien. Un point c'est tout !

— Faudrait bien qu'on aille faire un tour pour voir de quoi ça a l'air ce restaurant-là, à Labelle, où ton frère travaille !

— Je t'avoue que j'ai pas le goût de manger chez la belle-sœur. J'aurais peur qu'elle m'empoisonne !

— T'exagères un peu. On pourrait juste passer dans le coin pour fureter alentour.

— Je te dis pas non, mais de ce temps-là, j'ai pas une minute à moi. Heureusement que t'es là pour me rapporter un peu de potins.

— Je vais garder l'œil ouvert. De ton côté, appelle-moi pour me faire part des développements.

Il était bizarre que les deux commères aient parlé d'aller voir où demeurait Jean-Guy à Labelle. C'était comme une prémonition. En arrivant chez elle ce soir-là, Monique eut la surprise d'apercevoir l'automobile de son frère devant son logement. Elle ressentit un étrange malaise. Une odeur de dispute flottait dans l'air !

Elle n'était pas encore descendue de sa voiture qu'il lui lançait déjà les phrases qu'il avait répétées à maintes reprises durant l'heure où il l'avait attendue patiemment.

— T'es une belle hypocrite, Monique Moreau! Changer les serrures et louer la maison de notre père dans son dos!

— Prends ton gaz égal, le frère! Papa est plus capable de gérer ses affaires et il m'a demandé de le faire à sa place. C'est signé chez le notaire et tu le sais à part de ça.

— T'aurais pu m'en parler quand même! J'ai eu l'air d'un beau gnochon[58] à midi quand la voisine m'a surpris à essayer d'ouvrir la porte d'entrée, alors qu'elle était au courant que c'était loué.

— Qu'est-ce que tu t'en allais faire chez papa?

— J'avais prévu de m'installer là pour deux ou trois jours.

— Dis-moi pas que ta femme t'a mis à la porte! railla la sœur en articulant chaque mot avec un large sourire.

— Non, pas besoin de te réjouir. Mariette et moi, ça va très bien. J'étais venu pour passer du temps avec mon père, parce que tu m'avais dit que son état de santé t'inquiétait. Je voulais aussi te parler de sa maison et connaître tes projets pour le futur. Maintenant que papa est placé, on a aucune raison de la garder.

— Pas nécessaire de mettre la charrue en avant des beus[59]! En attendant, j'ai trouvé quelqu'un qui va l'habiter pour l'hiver.

— Et combien tu l'as louée? demanda le frère, curieux.

— Ça, c'est pas des affaires de personne. Pour l'instant, je dois faire faire des travaux de plomberie et d'électricité et l'argent servira à ça.

— Tu veux tout faire en cachette, ragea Jean-Guy. Je t'avertis par contre que t'es mieux de te tenir les fesses

---

58 Gnochon : personne stupide, niaise.
59 Mettre la charrue en avant des beus (bœufs) : aller trop vite en besogne, dans le désordre.

serrées[60] parce qu'après le décès de papa, si t'as fait un pas de côté, je vais m'occuper de toi. Il sera pas dit que je vais me laisser manger la laine sur le dos[61] !

— T'as jamais rien fait pour lui dans les dernières années, je comprends pas pourquoi tu viendrais passer quelques jours avec lui maintenant qu'il est placé. C'était à toi de faire ça quand il avait toute sa tête. Il aurait été l'homme le plus heureux de la Terre d'avoir son fils près de lui.

— J'ai aucun regret de tout ce que j'ai fait pour mon père. Je suis allé le voir ce matin à la pension. T'aurais dû entendre ce qu'il m'a dit quand il m'a fait entrer dans sa chambre.

— Papa a recommencé à parler ? demanda Monique, fâchée que ce soit son frère et non la gestionnaire de la résidence qui lui apprenne la nouvelle.

— Eh bien, lui aussi, il te fait des cachettes. En tout cas, j'ai bien fait de venir ici aujourd'hui ! Quand je pense que t'as sorti papa de sa maison pour l'installer dans une pièce pas plus grande qu'une garde-robe ! Moi, j'aurais jamais pu faire une affaire de même !

— C'est facile de juger les autres quand on fait rien !

— T'as pas pris ces décisions-là dans l'intérêt de notre père, mais dans le but de faire de l'argent sur son dos. L'héritage de papa te travaille !

— Tu t'es sûrement fait monter la tête par ta belle Mariette, lui rétorqua sa sœur. J'ai fait de mon mieux pour papa dans les délais que j'avais. Je craignais de le laisser tout seul dans sa maison, un point c'est tout !

---

60 Se tenir les fesses serrées : se tenir tranquille.
61 Se laisser manger la laine sur le dos : se laisser voler ou exploiter sans réagir.

— En tout cas, je te le répète, penses-y deux fois avant d'agir!

— Tu me fais des menaces? s'inquiéta-t-elle.

— C'est pas des menaces, c'est des promesses. Je sais pas combien d'argent il peut avoir, mais je suis au courant qu'il a une maison et que si on la vendait, il pourrait recevoir des soins de bien meilleure qualité.

— Impossible de la vendre tant que l'électricité et la plomberie seront pas refaites.

— Ça reste à voir! prévint Jean-Guy en montant dans sa voiture.

Sa jumelle avait de quoi ruminer cette nuit, se réjouit-il en roulant sur la route 117 vers le nord. Il lui souhaitait de longues heures d'insomnie.

De son côté, Monique était entrée dans son logement et elle s'était servi un verre de vin rouge. Elle en avait besoin pour digérer la conversation qu'elle venait d'avoir avec Jean-Guy. Son père avait recommencé à parler et c'est à son frère qu'il avait fait la surprise. Il s'était bien joué d'elle. Il pouvait bien être malade, mais il était tout de même rusé.

Elle n'allait pas se faire prendre pour autant. Elle avait donc sorti les papiers du notaire Girouard et les avait relus encore une fois pour se rassurer.

Il était bien stipulé qu'à sa mort, Hector lui léguerait sa demeure et que l'argent serait divisé en parts égales entre ses deux enfants.

Elle avait de plus une procuration générale qui lui permettait de tout gérer et c'est ce qu'elle avait fait à ce jour en louant la maison du vieil homme.

Monique prit pour résolution de se verser une autre coupe de vin qu'elle dégusterait avec une bonne portion de lasagne réchauffée au four micro-ondes. Bien installée au salon, elle écouterait la télévision en essayant d'oublier toute cette histoire.

Elle prendrait les étapes, une à la fois!

CHAPITRE 19

Un don important

(Novembre 2007)

Il y avait maintenant trois jours que Raoul était hospitalisé et sous étroite surveillance. Il semblait qu'il ne parvenait pas à reprendre ses forces. Dominique restait toute la journée à son chevet et elle allait coucher chez sa mère le soir, afin d'être plus près si son oncle réclamait sa présence.

C'était dimanche aujourd'hui et Patrick était venu passer le week-end avec eux afin de s'assurer que sa femme prenait tout de même soin d'elle à travers tous ces bouleversements. Dès huit heures le matin, elle était prête à retourner auprès de son protégé.

— Tu partiras pas avant de déjeuner, lui dicta Patrick sur un ton empreint non seulement d'autorité, mais aussi d'une grande sollicitude. Il se souvenait des périodes difficiles qui avaient suivi les épisodes de dépression de son épouse.

— Tu t'en fais pour rien, répondit sa femme. Je suis moins inquiète quand je suis à l'hôpital que quand je suis à la maison.

— Tu pourras pas continuer à ce rythme-là très longtemps, soutint sa mère. Mange au moins ton bol de gruau et tes rôties, et je vais te préparer une collation.

Dominique accepta l'offre pour calmer les siens, mais elle était anxieuse de se retrouver au chevet de son vieil oncle.

En entrant à l'hôpital, au poste de garde, elle apprit que Raoul était toujours très faible. On avait fait sa toilette, mais il n'avait pas eu la force de manger son petit déjeuner. Dominique se rendit directement à sa chambre, déposa son sac et son manteau, et s'approcha du lit pour lui parler, même s'il dormait.

— Mon oncle, c'est Dominique. Il est 9 heures du matin et je viens tout juste d'arriver. J'aurais pu être là beaucoup plus tôt, mais vous connaissez votre sœur, la belle Doris. Elle voulait absolument que je déjeune avant de partir.

Sa voix semblait apaiser les traits de la figure du vieil homme. Il ouvrit soudain ses yeux, comme pour lui faire comprendre qu'il appréciait qu'elle soit là. C'était une sensation très intense de communion entre eux.

Raoul baissa ensuite les paupières et il serra son chapelet très fort entre ses mains. Il ne s'était pas passé un jour dans sa vie sans qu'il le dise et d'instinct, Dominique le savait.

Elle s'exécuta donc et le récita au grand complet, ce qu'elle n'avait pas fait depuis qu'elle était toute jeune. La veille, elle avait même demandé à sa mère de lui expliquer à nouveau la façon de procéder pour le début.

—

— Dis-moi pas que tu te rappelles plus comment dire ton chapelet ! lui avait reproché sa mère. Tu l'as sûrement pas récité souvent dans les dernières années si tu l'as oublié.

— Ça m'empêchait pas de prier ! avait répondu Dominique sur la défensive.

Il était un temps où les discussions relatives à la religion étaient un sujet de discorde entre Doris et ses enfants, mais avec les années, elle s'était quelque peu résignée.

— Je disais ça un peu à l'envers et sur mes doigts, avait expliqué Dominique en mimant le geste. Je prenais rarement un chapelet. De toute façon, on en a pas toujours un avec nous.

— Tu as là un bon point, avait admis Doris, qui regrettait d'avoir bousculé sa fille injustement.

— Pour réciter le chapelet à haute voix pour mon oncle, je voudrais savoir exactement comment faire. Ça va peut-être finir par me rentrer dans la tête.

— Tu dis un *Je crois en Dieu* et ensuite un *Notre Père*. Après, tu continues avec trois *Je vous salue Marie* et tu termines par un *Gloire soit au Père*.

— C'est correct pour le reste, je m'en souviens.

— Ça me rassure, n'avait pu s'empêcher d'ajouter sa mère.

— Avoir su que j'allais te mettre à l'envers avec ça, je t'en aurais pas parlé. J'aurais dû aller voir sur Google à la place.

— Une autre affaire, votre Internet! Vous pensez tout connaître avec vos ordinateurs. C'était pas de même dans notre temps!

— Quelle mouche t'a piquée à soir, maman? Il faut qu'on vive avec notre époque. On appelle ça l'évolution.

— Oui, toute une évolution! Aujourd'hui, vous payez des prix de fou pour acheter des livres qui parlent des anges et d'autres pour apprendre à méditer. Quand on priait tous les jours, c'était une belle forme de méditation qu'on faisait. Vous autres, il faut que vous ayez des disques qui vous disent de vous coucher à terre, de fermer les yeux, de faire le vide… et j'exagère même pas. Quand on priait, on fermait les yeux quand on voulait, on pensait à rien quand on le pouvait et c'était possible de faire ça debout, assis ou couché!

— T'es vraiment pas reposante! J'ai eu droit à tout un rosaire de revendications, avait blagué Dominique avant de partir au salon.

Sa mère était ensuite allée la retrouver en lui apportant une tisane.

— Je m'excuse, ma grande, si je me suis emportée, mais tu sais que ces temps-ci, j'ai les nerfs à vif. Je m'inquiète pour mes frères.

— Arrête de vouloir sauver tout le monde et surtout, essaie de pas trop être vieux jeu[62]. Des fois, on dirait que t'as 100 ans. J'aimerais mieux avoir une mère un peu plus à la mode!

———

Dominique resta aux côtés de son protégé durant tout l'avant-midi. Vers 11 heures, il se réveilla et il semblait aller un peu mieux. Il fit signe à sa nièce de s'avancer. Il avait quelque chose de spécial à lui demander.

— Je veux que tu donnes 15 000 piastres aux deux enfants de mon frère Hector. Ils sont pas sur mon testament. Quinze mille à Monique et 15 000 à Jean-Guy et remets-leur ça en argent pour pas leur causer de problème avec l'impôt.

Dominique n'eut pas le temps de lui faire répéter quoi que ce soit. Raoul s'était endormi à nouveau. Il avait déballé

---

62 Vieux jeu: démodé.

ses consignes tout d'un trait comme s'il voyait là l'urgence de tout dire maintenant. Cette requête la tourmentait. Est-ce que son parrain savait qu'il allait mourir ?

Elle ne pouvait rien faire aujourd'hui, mais demain, elle se rendrait à la banque pour effectuer les retraits nécessaires. C'étaient les volontés de son oncle et elle allait les respecter.

Elle téléphona à Claude et lui demanda s'il avait le temps de venir faire un tour à l'hôpital avec leur mère. Elle lui expliqua que le vieil homme n'allait vraiment pas bien et que Doris souhaiterait assurément le voir une dernière fois.

Elle contacta ensuite Monique et lui fit le même message.

L'infirmière avait été très stricte, on ne pouvait être plus de deux au chevet du vieil homme en même temps. Le moment était critique et même si les visiteurs ne demeuraient pas sur place longtemps, son oncle sentirait sûrement leur présence.

Quand Doris arriva, elle se pencha au-dessus de Raoul pour l'embrasser et lui caresser la joue. Des larmes coulaient sur ses joues et elle ne voulait pas croire que c'était la fin.

— Repose-toi, mon petit frère. J'ai encore besoin de toi pour continuer ma route.

L'oncle Hector faisait vraiment pitié. Il était entré et s'était assis au chevet de Raoul. Il le dévisageait avec un regard plein de tristesse, mais ne prononçait aucun mot. Dominique s'informa auprès de Monique, qui était allée le chercher à la résidence pour le conduire auprès du malade.

— Comment il a réagi quand tu lui as demandé de venir à l'hôpital pour voir son frère ?

— Il s'est habillé rapidement et m'a dit de faire ça vite.

— Il a recommencé à parler ? intervint Doris, qui se trouvait aussi dans la salle d'attente.

— Oui, il semble qu'il nous jouait la comédie, mais ça

me surprend pas. Il a toujours aimé ça, faire des cachettes. Je pense que tous les hommes sont comme ça, de toute façon, se fâcha Monique, frustrée d'avoir été manipulée de la sorte.

Quand tout le monde fut parti, Dominique s'installa dans un fauteuil et ferma les yeux pour faire une sieste. C'est ainsi que son mari la trouva un peu plus tard. Raoul était également réveillé et l'observait.

— Vous avez l'air d'aller mieux, constata Patrick tout bas.

— Oui, murmura le vieillard, mais je suis pas fort.

— Forcez-vous pas pour parler, je venais juste voir si ma femme avait besoin de quelque chose.

— Emmène-la avec toi, je vais dormir maintenant.

Dominique avait ouvert les yeux en entendant les hommes qui chuchotaient. Elle profita du fait que Raoul était conscient pour lui faire répéter la requête soumise plus tôt dans la journée.

— Mon oncle, à propos de ce que vous m'avez demandé de remettre à Monique et à Jean-Guy, c'est bien ça que vous souhaitez que je fasse?

— Oui, ma belle fille. Je veux que tu leur donnes 15 000 piastres chacun en argent liquide, dans une enveloppe. Pas de chèque.

— Inquiétez-vous pas, je vais faire comme vous me le demandez dès demain. Dormez bien maintenant.

En sortant de l'édifice, Dominique suggéra à son époux de passer à la maison de son parrain.

— Je dois aller chercher les livres de banque chez lui. Quand on a fait tous les papiers, je les ai pas emportés avec moi. J'étais loin de penser qu'il serait hospitalisé le jour suivant.

En arrivant chez Raoul, Dominique et Patrick remarquèrent que les rideaux avaient été fermés alors qu'au moment où elle était allée chercher des produits d'hygiène, plus tôt dans la semaine, elle les avait laissés ouverts. Elle ne souhaitait pas que la maison ait l'air abandonnée.

Patrick entra le premier et Dominique se rendit dans la chambre à coucher, où Raoul lui avait montré la cachette de ses coffres. Elle put alors constater que ceux-ci avaient été déplacés, son oncle lui ayant spécifié qu'il verrouillait toujours la serrure face au mur.

— Quelqu'un est entré ici! s'alarma Dominique, inquiète de la tournure que prenait cette affaire. J'ai une bonne idée du coupable.

— À qui tu penses?

— Au beau Hugo, je vois pas autre chose!

— Veux-tu qu'on appelle la police? demanda Patrick, qui ne souhaitait pas prendre de décision à sa place.

— J'ai l'impression que rien a été volé et on voit aucune trace d'effraction. On va peut-être faire rire de nous autres si on appelle. Si je me retenais pas, j'installerais des caméras dans la maison.

— Faudrait pas capoter! L'oncle Raoul a-tu des affaires aussi importantes que ça?

— C'est plus pour le principe! Je suis certaine que le bandit a sorti les coffres et qu'ensuite il a cherché les clés, mais il les a pas trouvées.

Dominique monta sur une chaise et prit le petit trousseau dissimulé dans le haut de l'armoire.

— Pendant que mon oncle est à l'hôpital, je vais apporter chez nous tout ce qui lui appartient et qui peut avoir de la valeur. On attendra pas qu'il lui manque quelque chose pour réagir.

— Penses-tu qu'il a des bijoux ou de l'argent cachés dans la maison?

— Non, tout est dans un coffret de sûreté à la banque. Heureusement qu'il a pris le temps de m'expliquer tout ça!

— Qu'est-ce que tu veux faire? s'informa Patrick.

— On va barrer la porte en partant, mais selon moi, celui qui est entré l'a fait par une fenêtre. Ici, les châssis sont vieux et probablement faciles à ouvrir. J'ai pas de raison d'énerver mon oncle avec ça. Je vais régler le problème dès demain. Je vais demander à Claude de venir barricader les fenêtres avec des planches de bois. C'est quand même moi qui suis responsable des affaires qui sont ici maintenant!

—

Le dernier lundi du mois de novembre, Jean-Guy avait reçu un appel de sa cousine Dominique, qui lui disait que son oncle Raoul demandait à le voir le jour même. Il avait été surpris, mais à la suite de ce qui s'était passé précédemment avec sa sœur, il avait décidé d'accepter l'entretien, prévu pour 17 heures.

Monique avait pour sa part eu la visite de Dominique à la pharmacie, au milieu de l'après-midi.

— Bonjour, ma cousine. On a été des années sans se voir et là, on se rencontre deux fois par semaine!

— Oui, c'est la vie, avait reconnu Dominique. Je te dérangerai pas longtemps sur tes heures de travail, mais mon oncle Raoul aimerait que tu viennes à l'hôpital à 5 heures à soir.

— Pourquoi à soir au lieu d'un autre jour?

— C'est pas à moi de te répondre. C'est lui qui a

demandé ça. Si ça te convient pas, tu es libre de laisser faire. J'ai également appelé Jean-Guy et il m'a immédiatement confirmé sa présence.

En constatant que son frère y serait, Monique avait tout de suite changé d'idée.

— OK, j'y serai, mais il faudrait pas que ce soit trop long, avait-elle ajouté avec un air indépendant.

— C'est mon oncle qui décidera du temps qu'il souhaite passer avec vous, et moi, je serai à ses côtés, avait mentionné Dominique, pour lui démontrer tout le sérieux de la situation.

Plus tôt dans la journée, sur les conseils de son époux, elle avait appelé le notaire Girouard et lui avait expliqué ce que son oncle voulait faire.

— Selon vous, était-il lucide quand il vous a fait cette requête? avait questionné le spécialiste.

— Tout à fait lucide et il me l'a répété le soir devant un témoin. Il veut que ce soit remis en argent comptant pour leur éviter de payer de l'impôt sur les sommes qu'il compte leur remettre.

— Ça ne dérange rien au point de vue fiscal, c'est une donation. J'aimerais mieux que vous lui fassiez signer des chèques, avait-il conseillé. C'est quand même un gros montant et si votre oncle décédait cette nuit, on pourrait vous accuser de lui avoir subtilisé cet argent.

— C'est impossible, refusa Dominique. J'insiste pour y aller selon ses volontés et il a bien spécifié qu'il voulait que je dépose l'argent dans des enveloppes.

— Alors vous devrez au moins faire signer des reçus aux bénéficiaires de ces sommes avant de les remettre. C'est un incontournable! avait prévenu le notaire.

Dominique avait téléphoné à la succursale bancaire et

demandé à ce que soit préparé ce retrait important. Elle avait aussi rencontré la même conseillère qu'elle avait vue avec son oncle au moment de la signature des procurations. Elle tenait à lui expliquer le contexte dans lequel elle posait ce geste. Plus il y aurait de témoins impliqués et mieux ce serait pour elle.

En arrivant à l'hôpital, elle constata que Raoul était encore faible, mais qu'il allait un peu mieux.

— Aujourd'hui, j'ai fait ce que vous m'aviez demandé hier. Monique et Jean-Guy vont venir vous voir tantôt.

— Merci, Dominique. J'étais certain que tu ferais ça comme il faut.

Les jumeaux se pointèrent à 17 heures et ils trouvèrent Dominique en train de laver la prothèse dentaire de Raoul, qui avait fini son maigre repas.

— T'es pas dédaigneuse, la cousine! la nargua Monique.

— Non, pas du tout! Je sais que mon parrain a pas la langue sale, lui!

Jean-Guy serra le bras de sa sœur pour la rappeler à l'ordre.

Raoul fit signe à Dominique de fermer le rideau autour du lit et ensuite, Dominique prit la parole.

— Si je vous ai convoqués ici, c'est à titre de procureur pour mon oncle, prononça-t-elle sur un ton protocolaire. Il m'a demandé de vous remettre ces enveloppes qui contiennent une certaine somme d'argent. En reconnaissance, il souhaite que vous preniez soin de votre père. Il vous demande d'apposer votre signature sur ce reçu attestant que vous en avez tous les deux pris possession.

Les jumeaux se regardèrent, intrigués par tout ce cérémonial et impatients de savoir quelle somme leur serait remise. Ils signèrent rapidement leur document respectif afin de pouvoir décacheter leurs enveloppes pour calculer le montant.

La surprise fut de taille pour les bénéficiaires et Jean-Guy, les larmes aux yeux, s'approcha du lit pour s'adresser à Raoul.

— Merci, mon oncle. C'est beaucoup trop, vous étiez pas obligé de faire ça. Vous êtes si généreux !

— Sois bon pour ton père jusqu'à la fin de ses jours. C'est un homme malade et je voudrais pas qu'il soit mal-traité, l'enjoignit Raoul.

— Je vous le promets, répondit Jean-Guy avec sincérité.

Monique fut surprise de recevoir une telle somme du vivant de son oncle. Elle s'attendait bien à ce qu'il lui lègue quelque chose à son décès, mais que le don ait lieu en ce moment la laissait perplexe.

— Merci, mon oncle, je l'apprécie beaucoup, assura-t-elle sur un ton plutôt neutre. Vous savez que j'ai toujours pris soin de mon père et maintenant, c'est encore plus demandant.

— Je veux qu'Hector ait une belle fin de vie.

— Inquiétez-vous pas, il manquera de rien, ajouta Monique.

En sortant de la chambre, elle mentionna à son jumeau ce qu'elle avait pensé en voyant le calendrier apposé à la tête du lit du malade.

— J'espère qu'il prépare pas un coup en nous remettant cet argent-là. Imagine s'il fallait qu'il lègue tous ses biens aux Frères du Sacré-Cœur !

— Tu sais bien qu'il est pas assez fou pour donner tout ce qu'il possède à une congrégation !

— On sait jamais ! Je me demande s'il a donné la même

somme à Claude, Évelyne et Dominique. Comment on pourrait faire pour le savoir?

— Moi, je me mêle pas de ces affaires-là! Pour commencer, mon oncle avait pas besoin de nous donner autant d'argent. C'est généreux de sa part et si jamais il en donne aux autres, je serai pas jaloux!

— On le sait ben, toi, t'es plus que parfait! En tout cas, j'ai pour mon dire qu'eux autres, ils en ont pas besoin parce que d'après moi, la tante Doris est pleine aux as, tandis que nous autres, on a toujours tiré le diable par la queue.

— En tout cas, embarque-moi pas dans tes combines!

Monique songea qu'elle devrait rester aux aguets afin d'en savoir plus à propos des biens de son oncle. Elle souhaitait découvrir quel était le mandat de Dominique auprès de lui. Pourquoi était-ce elle qui s'occupait de ses affaires alors qu'elle était partie du village depuis si longtemps?

— Encore une autre qui doit en vouloir à son argent, pensa-t-elle comme si elle se regardait tout bonnement dans une glace!

CHAPITRE 20

Une vie de chien

(Décembre 2007)

La vie n'était pas la même pour tout le monde et cette injustice faisait partie des récriminations constantes d'Hugo Fréchette. C'est la raison pour laquelle il n'était pas gêné d'être un prestataire de l'aide sociale. Les sommes mensuelles qu'il recevait n'étaient pas exorbitantes, c'était une base qui lui permettait tout au plus de vivoter. Il faisait ensuite des petits boulots au noir pour arrondir ses fins de mois et se payer de la bière.

Il jouissait d'une étonnante santé et aurait très bien pu gagner sa vie honnêtement, sans profiter des montants prévus pour soutenir les plus démunis, mais il était trop égocentrique pour s'en soucier.

En janvier 2007, de nouveaux programmes d'aide financière étaient entrés en vigueur, faisant en sorte qu'une indexation annuelle des prestations était prévue pendant cinq ans.

À la suite de cette annonce, Hugo avait rabâché sans cesse que son chèque n'avait été majoré que légèrement et ça l'avait mis en colère.

— C'est quasiment rire de nous autres! s'était-il plaint à

ses amis qui se trouvaient dans la même situation que lui. Je te dis que les politiciens, par exemple, quand il est question de se voter des augmentations de salaire, ils y vont pas avec le dos de la cuillère[63]!

La dépense la plus importante d'Hugo était son logement. À plusieurs reprises, il avait demandé à Raoul s'il accepterait de l'héberger, mais celui-ci avait toujours refusé catégoriquement.

— Quand Yvette est morte, j'ai juré que je resterais tout seul dans ma maison jusqu'à la fin de mes jours, avait rétorqué le vieil homme à la demande du jeune Fréchette.

— C'est pas raisonnable, avait répliqué Hugo. On est tous les deux dans la même situation, sans femme et sans enfant. On est pas réellement parents, mais je vous ai toujours appelé «mon oncle» et considéré comme un père. Je serais en mesure de prendre soin de vous.

— Quand on vieillit, on a mauvais caractère, avait ronchonné Raoul, et je préfère être seul plutôt que d'imposer ça à quelqu'un. J'ai besoin de personne pour s'occuper de moi, avait-il ajouté pour que le jeune cesse de l'accaparer, mais la raison première de son refus était surtout qu'il ne lui faisait pas confiance.

Hugo n'avait pas dit son dernier mot. Il revenait dans les parages régulièrement et allait chaque fois visiter le vieux Moreau. Ce qu'il ignorait, c'est que «son oncle» ne répondait pas toujours quand il avait la chance de le voir venir. Durant l'été, un voisin avait observé le vieil homme à l'instant même où il se cachait derrière son cabanon dans sa cour. Il avait constaté que le manège se produisait lorsqu'un

---

63 Ne pas y aller avec le dos de la cuillère : procéder sans ménagement.

jeune homme frappait à la porte et faisait le tour de la maison en épiant par les fenêtres.

Le jour de l'anniversaire de Raoul, Hugo était allé le voir avec un but bien précis : il devait se rapprocher suffisamment de lui pour qu'il puisse envisager d'en faire son confident. Il avait eu la mauvaise surprise d'apprendre que Raoul avait choisi Dominique pour gérer ses avoirs. Il savait qu'il n'aurait pas dû se fâcher de la sorte, mais il resterait aux aguets.

Il était retourné à la maison deux jours plus tard, pour s'excuser et pour reprendre contact, mais même très tôt le matin, « son oncle » était absent. Un voisin était sorti de sa maison pour l'interpeller.

— Hugo, attends pas après Raoul, il est rentré à l'hôpital.

Et ce dernier de lui raconter que le vieil homme avait été conduit par ambulance au centre hospitalier la veille. Depuis, il n'en avait pas eu de nouvelles.

C'est à ce moment-là qu'Hugo avait cru bon de se rendre à l'établissement de santé et de se faire connaître par le personnel soignant. Le hasard avait fait en sorte qu'il était arrivé sur les lieux au moment même où Raoul venait d'être transféré dans un autre secteur de l'urgence, car son état avait empiré.

Hugo n'avait pas hésité à mentionner au poste de garde qu'il était le fils de Raoul et qu'il était apte à prendre les décisions le concernant. Il avait donné son numéro de téléphone cellulaire au personnel. Il n'avait cependant pas pu parler au patient, qui était très affaibli.

Quand il avait rappelé à l'hôpital le soir pour demander des nouvelles de son faux père, on lui avait signalé que son nom ne figurait pas au dossier et qu'une personne s'occupait officiellement de monsieur Moreau.

Hugo constatait qu'il n'avait pas agi assez vite pour s'immiscer dans la vie du vieil homme, mais il ne voulait pas abandonner la partie pour autant. Le lendemain, en fin de journée, quand la brunante fut installée, il était retourné chez Raoul avec l'intention de pénétrer dans la maison. Il n'avait pas de clé, mais il savait très bien que cette demeure n'était pas vraiment à l'épreuve des voleurs.

Il s'était donc dirigé vers l'arrière, il avait enlevé une moustiquaire et avait forcé le cadre de la fenêtre avec un simple tournevis. Sans bruit, il avait réussi à faire glisser la vitre et avait pu entrer dans la chambre principale. Il avait apporté une lampe de poche pour ne pas être vu des voisins, qui étaient particulièrement curieux.

Il ne fouillerait pas les lieux à la noirceur. Il avait tout son temps et décida plutôt de dormir sur place. Après tout, la maison était vide et il se sentait un peu chez lui ici. Il y avait en effet passé une partie de sa jeunesse.

Il souhaitait surtout dénicher les papiers légaux de Raoul afin de savoir quelles étaient ses volontés. Il pensait également trouver de l'argent caché dans des poches de vêtements ou dans des boîtes de souliers. Il avait commis suffisamment de larcins pour connaître les habitudes des gens et particulièrement des personnes âgées qui n'utilisaient pas les cartes de débit ou de crédit.

Il n'y avait aucune bière dans le réfrigérateur, mais Hugo avait fait honneur à la bouteille de boisson alcoolisée qu'il avait offerte à Raoul pour sa fête et que ce dernier avait rangée au bas d'une armoire, où il consignait aussi ses canettes de boisson gazeuse.

— Je vais laisser faire l'eau chaude, le miel et le citron et je vais juste prendre le gin, avait rigolé Hugo, en buvant à même le goulot de la bouteille de 26 onces.

Avec sa lampe de poche, il s'était rendu dans la cave sans fenêtre et il avait inspecté les lieux. Il n'avait rien trouvé d'intéressant. Il était alors remonté à l'étage, avait continué à boire et s'était endormi tout habillé dans le lit du vieil homme.

Il s'était réveillé, au petit jour, avec l'estomac qui criait famine. Il avait fouillé dans le garde-manger et le réfrigérateur, et s'était confectionné un repas composé d'un verre de lait au chocolat et de rôties avec une épaisse couche de beurre d'arachide, recouverte de confitures aux fraises, comme il en mangeait quand il était petit et qu'il déjeunait chez Raoul.

Il ne voulait pas s'éterniser dans la maison, au cas où une des nièces du vieil homme déciderait de venir y chercher quelque chose. Il avait donc tout de suite inspecté les lieux et avait rapidement trouvé les deux coffres au fond de la garde-robe. Il les avait sortis et les avait déposés sur le lit.

Les voisins ne pouvaient l'apercevoir depuis la fenêtre de la chambre arrière, alors Hugo se sentait en sécurité. Il ne lui restait plus qu'à mettre la main sur les clés, ce qui, à son avis, ne serait sûrement pas sorcier.

Il avait toutefois sous-estimé son «oncle», qui n'avait en aucun cas dévoilé la cachette des clés à qui que ce soit, pas même à sa première femme, qui ne faisait jamais le grand ménage et ne touchait pas aux meubles plus hauts que ne le lui permettait la hauteur des talons de ses souliers.

Hugo avait gratté dans tous les tiroirs de bureau et toutes les portes d'armoires à la recherche des clés, mais en vain. Il aurait pu forcer les serrures, mais il ne souhaitait pas s'incriminer, advenant le décès prochain de l'aîné. Il reviendrait avec des outils qui lui permettraient de les ouvrir sans les briser. Il lui fallait être prudent.

Il avait ratissé le reste de la maison, mais n'avait rien déniché d'intéressant. Il n'avait découvert aucun bijou dans les tiroirs, même s'il savait que le vieil homme possédait une bague à diamants et ses alliances. Il devait aussi avoir quelques chaînes, pendentifs ou boucles d'oreilles ayant appartenu à sa première femme, mais où avait-il bien pu les dissimuler?

Après toutes ces recherches, il avait décidé d'abandonner. Il reviendrait pour s'occuper des coffres, se disant que tout ce qu'il cherchait y était probablement bien rangé.

Il était reparti par le même endroit où il était entré et, pour ne pas qu'on se questionne sur sa présence, il avait pris la pelle et avait nettoyé le côté de la maison, comme s'il était venu sur les lieux dans ce seul et unique but. Il effaçait ainsi ses traces et évitait qu'on trouve suspect de le voir sortir de la cour.

Deux jours plus tard, il était revenu en fin de soirée, mais il n'avait pu pénétrer dans la maison. Toutes les fenêtres avaient été placardées avec des planches de bois. La serrure de la porte d'entrée avait été remplacée et il ne souhaitait pas la forcer. Les voisins étaient suffisamment curieux dans ce secteur pour le dénoncer.

Toute cette prudence était sûrement due à la belle Dominique, celle qui s'était immiscée entre lui et Raoul. Il devrait agir finement s'il ne voulait pas être exclu complètement de sa relation avec «son oncle». Une bataille venait de commencer et l'enjeu était de taille.

Le jour suivant celui où Dominique avait rencontré son oncle pour préparer les dons, l'hôpital avait été touché par une épidémie de gastro-entérite et toutes les visites avaient été interdites.

Même si on l'avait prévenue de ne pas se présenter à l'hôpital, Dominique avait tout de même décidé de s'y rendre. Elle ne voulait pas que Raoul décède tout seul comme un chien. Comme on l'avait informée cette semaine que l'oncle était considéré comme étant en fin de vie, il n'était plus nécessaire de respecter les heures habituelles de visites.

Elle arriva donc au centre de santé avec certaines douceurs pour son oncle : un pouding au tapioca, une boisson gazeuse blanche et des bonbons à la menthe poivrée. Elle fut tout de suite arrêtée à la réception par un gardien de sécurité.

— Bonjour, madame, vous avez sûrement lu à l'entrée que l'hôpital est en quarantaine.

— Oui, mais mon cas est particulier. On m'a dit que je pourrais me rendre en tout temps au chevet de mon oncle, qui est en fin de vie.

— Désolé, mais nous avons des règles très strictes à respecter et personne peut accéder aux étages, même pour ces cas-là.

Dominique dut rebrousser chemin et elle retourna immédiatement chez sa mère pour lui faire part des dernières nouvelles.

— Mon Dieu, qu'est-ce qui t'arrive ? On croirait que tu as perdu un pain de ta fournée[64] !

— Je suis montée à l'hôpital et on refuse que j'aille voir

---

64 Avoir perdu un pain de sa fournée : expression adressée à quelqu'un qui a l'air triste ou tourmenté.

mon oncle. Ils disent qu'il y a une épidémie de gastro! Je suis tellement inquiète pour lui. S'il pogne ça, il va partir vite!

Tout en étant anxieuse pour son frère, Doris souhaitait réconforter sa fille, qui était très attristée.

— C'est pas dans ta nature de te laisser abattre comme ça. Je vais te préparer une bonne boisson chaude et tu vas rester avec moi un peu. Depuis que tu t'occupes de Raoul, je te vois toujours en coup de vent.

— Dis-moi pas que t'es jalouse, à ton âge!

— Un petit brin, ricana la vieille femme. Je suis contente que tu t'occupes de mon frère, mais pour être franche, je le trouve chanceux d'avoir autant d'attention.

— Inquiète-toi pas, ma belle petite maman, je suis là pour toi et je t'abandonnerai jamais! lui murmura-t-elle en lui passant la main dans les cheveux pour la taquiner, mais aussi pour la rassurer.

Dominique réalisait qu'elle était très attachée à son oncle, avec lequel elle avait beaucoup d'affinités. La chimie ne passait pas toujours autant avec sa mère, qui s'emportait facilement, alors que son oncle était plus rationnel.

Elle devrait être plus nuancée dans ses propos quand elle serait en présence de sa mère.

Cette année-là, l'accès au CSSS des Sommets[65] fut interdit aux visiteurs du 28 novembre au 15 décembre, ce qui parut interminable à toutes les personnes concernées par la

---

65 CSSS des Sommets: Centre de santé et de services sociaux des Sommets.

quarantaine. On médiatisa l'événement à la télévision, dans les journaux et à la radio.

Étonnamment, l'oncle Raoul prit cependant du mieux pendant cette période. Il avait une capacité d'adaptation et de résilience incroyable. Dominique lui parlait régulièrement au téléphone et elle le rassurait. Elle allait lui porter des revues, des boissons gazeuses et du chocolat, mais elle devait les laisser au gardien de sécurité qui s'occupait lui-même d'aller les remettre au vieil homme. Celui-ci était toujours reconnaissant de tout ce qu'elle faisait pour lui. Il n'avait jamais reçu autant d'attention de toute sa vie.

Un matin, quand elle l'appela, Raoul se montra très inquiet. Une infirmière l'avait informé qu'une travailleuse sociale viendrait le voir et qu'il pourrait bientôt retourner chez lui.

— J'ai pas de linge ici et ils parlent de me laisser sortir. Je sais aussi que je suis pas capable de rentrer chez nous comme je suis là. Je me sens pas assez fort.

— Vous m'aviez mentionné que vous aviez envisagé d'aller vivre en résidence éventuellement. Aimeriez-vous que je regarde s'il y a quelque chose de disponible pour une convalescence ?

— Oui, mais je veux pas être dans une place comme Hector. Trouve-moi un endroit qui a de l'allure, comme La Villa des Pommiers. Plusieurs personnes que je connais restent là et je pense que c'est bien.

— Je vais prendre un rendez-vous avec la directrice, inquiétez-vous pas. Ici, à l'hôpital, ils peuvent pas vous laisser sortir sans m'appeler avant. C'est noté au dossier et je leur parle tous les jours.

Le vieil homme était maintenant rassuré. Si Dominique

avait dit qu'elle allait s'occuper de la situation, il n'avait plus à s'en soucier.

⌒

Quand il ne dormait pas, Raoul pensait à tout ce qui lui était arrivé depuis qu'il avait renoué avec sa nièce Dominique, au printemps dernier. Sa vie avait été chambardée, mais dans le bon sens du terme. N'eût été sa santé qui menaçait constamment de l'expédier dans l'au-delà, il aurait été l'homme le plus heureux de la Terre.

Jamais deux sans trois! Il s'était choisi une troisième femme pour terminer son existence et celle-ci aurait une grande importance.

Il y a plusieurs mois, il aurait été prêt à mourir, mais pour le moment, il lui semblait avoir encore quelques pages de vie à noircir.

⌒

Une fête de départ était organisée pour une employée de la caisse populaire et Patrick avait décidé d'y participer.

— Attends-moi pas pour souper, prévint-il sa femme avant de partir le matin.

— Vous avez encore une réunion! se plaignit-elle. Il me semble que vous passez votre temps en conférence!

— Tu chiales pour rien! se fâcha l'interpellé. C'est le party de départ d'une employée.

— Ah... Tu m'avais pas dit qu'une des filles partait. C'est qui?

— Nathalie, lança-t-il froidement.

— Je comprends que tu souhaites être là! La belle Nathalie! persifla Dominique.

— Tu vas pas me faire une crise de jalousie à matin? C'est de l'histoire ancienne, ça! Tu dois être contente, elle est transférée dans une autre succursale.

— Où? s'enquit-elle avec curiosité.

— À Laval. Puis je me demande pourquoi j'ai droit à cet interrogatoire-là!

— Non, mais mets-toi juste à ma place. T'as jamais nié que t'avais eu quelque chose avec cette fille-là!

— On va pas recommencer! C'était juste un *flirt*, rien de bien menaçant! Et puis, ça fait deux ans de ça!

— S'il y a rien là, pourquoi t'es obligé d'y aller à soir?

— Parce que c'est moi le *boss*, un point c'est tout! lança-t-il avant de claquer la porte.

Patrick partit sans embrasser sa femme, ce qui était très rare, mais depuis quelque temps, elle n'était pas facile à vivre.

Dominique était triste et elle savait qu'elle n'avait pas bien agi. Elle était si fatiguée qu'elle ne réfléchissait pas comme d'habitude. Ce n'était pas son genre d'être jalouse, mais cette Nathalie avait déjà joué dans sa talle[66] et elle la redoutait.

— Je vais appeler Patrick, un peu plus tard cet avant-midi, décida-t-elle, et je lui proposerai d'aller le chercher pour dîner avec lui à la brasserie. J'haïs ça quand on se laisse sur un malentendu!

Elle ne savait cependant pas que son mari serait absent du bureau une partie de la journée. Elle l'apprendrait de

---

66 Jouer dans la talle de quelqu'un : chercher à séduire le partenaire d'autrui.

sa secrétaire, qui lui préciserait ne pas être en mesure de le joindre.

— Est-ce que je peux lui laisser un message, dans ce cas-là ? demanda l'épouse.

CHAPITRE 21

Du changement

(Décembre 2007)

Les travaux étaient terminés chez Évelyne et Xavier, et le couple était très fier des résultats. Quand ils avaient entrepris les rénovations, ils n'avaient jamais prévu en faire autant, mais avec les judicieux conseils de Claude et les bons prix qu'il leur avait obtenus pour les matériaux, ils avaient réalisé des économies substantielles.

— Si on faisait visiter la maison aujourd'hui, avait lancé fièrement Xavier lors d'un souper dominical, ça serait pas long qu'on aurait des acheteurs!

— Si tu penses que tu vas la vendre maintenant qu'elle est aussi belle, tu te trompes! avait rouspété sa femme.

— Je suis d'accord avec maman, avait ajouté Noémie, qui se comportait beaucoup mieux depuis la dernière discussion avec son père.

—

Ce fameux soir où Noémie était sortie avec son père en prétextant aller au dépanneur, Xavier avait pris le sachet contenant la marijuana et il l'avait déposé dans un sac en papier brun dans lequel il transportait parfois ses sandwichs. Ils s'étaient rendus chez le jeune homme en question et il avait sonné à la porte.

Au début, le père avait demandé à sa fille de rester dans la voiture, mais cette dernière avait répliqué qu'elle souhaitait voir le jeune homme qui lui causait des soucis et l'affronter tout de suite.

— Si je le fais pas là, il voudra peut-être m'intimider par la suite, mais si je lui fais face aujourd'hui, il saura que je suis sérieuse.

Xavier s'était présenté à la maison du jeune Élie et il avait mentionné que sa fille était une amie d'école du jeune. Les parents étaient surpris et avaient prié celui-ci d'entrer dans la maison.

Lorsqu'il avait descendu l'escalier, le jeune homme avait semblé complètement déstabilisé. Il regardait Noémie avec un air accusateur. Xavier constatait qu'il était beaucoup plus vieux que son adolescente. Il avait en fait trois ans de plus et il était plutôt beau garçon. C'était tout à fait normal, avait pensé le père, que Noémie soit tombée sous son charme.

— Bonjour, Élie, avait salué Xavier en le fixant bien droit dans les yeux.

— Bonjour, monsieur, avait balbutié ce dernier en baissant le regard.

— J'aime bien connaître les gens qui fréquentent ma fille Noémie. Aujourd'hui, quand elle est revenue de l'école, elle allait pas bien.

— Est-ce que notre garçon a quelque chose à voir avec l'humeur de votre fille? avait demandé la mère inquiète.

— En quelque sorte, oui, puisqu'il lui a confié quelque

chose de trop lourd à porter. Noémie a juste 13 ans et on lui a appris que le mensonge était malsain.

Les parents regardaient leur fils en s'interrogeant sur ce qu'il avait bien pu faire à cette jeune personne.

— Élie, tu peux nous dire ce qui se passe ? avait exigé le père. Qu'est-ce que tu as fait ou dit à cette demoiselle ?

— Rien ! s'était défendu l'adolescent. Je comprends pas de quoi ils parlent ! Je la connais à peine et je savais même pas son nom avant à soir !

— Menteur ! avait lancé Noémie, les larmes aux yeux. Tu penses t'en sortir en me faisant porter le blâme, mais tu te trompes. Je vais pas te laisser faire !

Xavier avait serré sa fille contre lui pour la calmer et la réconforter. Il s'était ensuite adressé aux parents du jeune homme.

— Votre garçon a demandé à Noémie de garder ce sac de marijuana pour lui, avait-il expliqué en leur montrant le paquet. J'ai souhaité régler le problème entre nous, mais si vous le préférez, je peux contacter les policiers et ils mène-ront sûrement une enquête.

— Ce sera pas nécessaire, avait rétorqué le père, en colère, en prenant fermement le sac des mains de Xavier.

Il s'était alors rendu dans la cuisine et avait vidé le contenu du sachet dans le broyeur à déchets. Élie l'avait suivi pour l'en empêcher, mais il n'avait pas eu la force de l'arrêter.

— Fais pas ça, criait-il, je vais me faire tuer ! Ce stock-là est pas payé !

— Ça veut dire que mon fils est un vendeur de drogue, avait compris son père en lui serrant le bras avec intensité.

— On va maintenant vous laisser, avait glissé Xavier. Vous avez des choses à régler en famille. Je dois cependant te dire à toi, Élie Tremblay, que si jamais tu parles ou tu touches à Noémie, tu auras affaire à moi directement. Et cette fois-là, j'hésiterai pas à contacter les policiers!

Xavier avait salué les parents et avait quitté les lieux en tenant son enfant par les épaules. Le cœur de celle-ci battait très fort et elle s'était blottie contre son père pour lui démontrer combien elle était soulagée et fière de lui. Ils étaient revenus à la maison l'esprit libre.

———

L'ambiance à la maison avait donc été beaucoup plus sereine après cette soirée-là. Les travaux s'étaient déroulés dans la bonne humeur et Évelyne trouvait que sa fille était maintenant beaucoup plus mature.

— Est-ce que ça se pourrait que ce soit parce qu'on lui a aménagé un endroit bien à elle? demanda la mère de famille à son époux.

— Ça a sûrement penché dans la balance. Tu sais, quand on est adolescent, il y a des moments déterminants et il faut croire que celle-ci vient de traverser une étape dans sa vie de jeune adulte.

— Je regrette pas qu'on ait eu recours à la designer de mon frère. On aurait jamais eu ces idées-là pour le sous-sol et même pour les deux pièces du haut sans elle.

— Je pensais que ça coûterait beaucoup plus cher d'avoir une consultation à domicile. Notre maison a rajeuni juste avec l'ajout de certains accessoires et une meilleure disposition des meubles. La chambre de Bruno est gaie et celle de Noémie respire la féminité. Il me semble que notre fille va s'épanouir dans un endroit comme celui-là.

— En tout cas, elle a pas perdu de temps pour inviter ses amies. Elles sont trois qui vont venir passer le week-end, mais elles m'ont dit que j'aurais rien à faire. Elles vont s'occuper de tout, la bouffe et le ménage.

— Tant mieux, tu seras ainsi libre pour prendre soin de ton petit mari, minauda Xavier, en assénant une légère tape sur les fesses d'Évelyne.

— Tu penses juste à ça! lui répondit-elle en lui donnant un baiser sur la joue. Ah, je sais pas si je te l'ai dit, j'ai appris que Claude avait invité sa décoratrice à souper samedi dernier. Est-ce que ça se pourrait que mon frère sorte de sa tanière?

— Il serait pas trop tôt. Je te dis qu'à sa place, j'y aurais mis le grappin dessus bien avant ça!

— Xavier Leroy! T'as besoin de te calmer les hormones, mon beau Parisien!

— J'aime toutes les femmes, mais inquiète-toi pas, c'est toi que j'aime le plus!

La maison de Claude était splendide et, depuis le début des travaux, il n'était pas rare de voir des voitures ralentir pour suivre l'évolution de ce projet. Il y avait longtemps qu'une nouvelle construction n'avait pas été bâtie dans ce secteur et cette nouveauté attirait les curieux.

L'homme avait choisi un modèle à étage d'allure champêtre avec une petite galerie à l'avant et un magnifique garage d'une dimension plus que respectable. Son choix de revêtement extérieur d'un produit préfini de couleur bourgogne lui avait semblé audacieux, mais il avait fait confiance à Laurence, une décoratrice que lui avait recommandée son associé, et il n'avait pas été déçu. Le résultat était fabuleux, cette teinte chaude donnant un cachet unique à sa demeure.

Claude éprouvait une vive joie à voir l'aboutissement des travaux. Il avait apprécié chaque étape de la construction et il semblait bien que le destin lui réservait une belle surprise.

Quand il avait rencontré Laurence, la toute première fois, il avait été charmé par sa grande simplicité. Elle s'était présentée avec pour tout instrument une reliure en cuir noir dans laquelle elle prenait des notes. Au début, elle lui avait demandé de faire le tour du propriétaire et elle lui avait posé des questions afin de connaître ses exigences et ses goûts. Par la suite, elle lui avait proposé différentes possibilités de coloris et d'aménagement. Elle s'était assise tout bonnement sur un coffre à outils et avait commencé à esquisser des croquis. Claude avait dès lors été séduit. Il serait l'homme le plus heureux de la Terre s'il pouvait conquérir le cœur de cette adorable beauté.

Son associé lui avait dit que la fille était libre, mais il savait également qu'elle était beaucoup plus jeune que lui.

— Est-ce que ces plans préliminaires te plaisent ? lui avait-elle demandé.

— Oui, c'est exactement ce que je voulais et encore mieux. Où est-ce que tu prends toutes ces idées ? Il y a pas une maison pareille à une autre !

— Et il y a pas deux personnes qui ont les mêmes goûts. C'est certain que j'ai un style bien à moi, mais j'essaie de m'adapter à la personnalité des gens que je rencontre.

— J'avais parfois l'impression que tu lisais dans mes pensées pendant qu'on faisait nos choix.

— Effectivement, c'est un modèle que j'aime bien. On peut marier des meubles et des éléments de décoration modernes avec certaines antiquités, ce qui rend les lieux beaucoup plus chaleureux.

— Quand les travaux de peinture seront terminés, il y aura l'habillage des fenêtres et tout le reste à prévoir. Est-ce que je pourrai compter sur tes services jusqu'à la toute fin?

— Sans aucun problème. Le mois de décembre est pas très occupé parce qu'il est plutôt rare que des gens fassent des rénovations à l'approche des Fêtes.

Claude et Laurence avaient discuté pendant de longues minutes, si bien que la pénombre s'était installée en douce.

— Il va falloir que j'y aille, sinon tu vas devoir me reconduire à ma voiture avec une lampe de poche, avait averti la jeune designer.

— On a pas vu le temps passer. C'est toujours comme ça quand on est en bonne compagnie! avait confirmé le propriétaire. Est-ce que tu as quelque chose de prévu pour le souper? J'aimerais t'inviter. Ça nous permettrait de continuer cette conversation, mais avec un peu plus de lumière!

— Avec plaisir! avait-elle accepté sans hésitation. Je dois cependant aller chez moi pour faire manger mon petit. C'est rare que je sorte le mardi soir. Dis-moi juste où tu veux qu'on se rencontre.

Claude avait figé et avait tenté de masquer sa surprise. Alain ne lui avait rien mentionné à propos de la présence d'un enfant dans la vie de la jeune femme.

— Tu as un petit garçon? Il a quel âge?

Laurence n'avait pu s'empêcher d'éclater de rire.

— Tu aurais dû te voir la binette. T'es pas subtil pour cinq cennes! Non, j'ai pas de petit garçon, pas de bébé non plus et pas de mari jaloux. J'ai juste un chat qui est trop gâté et avant de venir ici, je suis allée acheter sa nourriture.

— Tu t'es bien moquée de moi, mais tu vas le regretter

un jour parce que j'entends bien me venger! Si tu le veux bien, donne-moi ton adresse et j'irai te chercher pour 18 heures.

La glace était cassée et l'attirance avait l'air réciproque. Il semblait bien que le beau Claude ait reçu son cadeau de Noël avant les autres ou plutôt qu'il l'ait choisi lui-même.

Doris regardait attentivement les nouvelles à la télévision, car c'était aujourd'hui que Vincent Lacroix, le président directeur général de Norbourg, recevait sa sentence, lui qui avait été reconnu coupable de plus de 50 chefs d'accusations de fraude. Des milliers d'investisseurs avaient été floués et avaient perdu de grosses sommes à cause de ses magouilles. Cette nouvelle lui rappelait la discussion qu'elle avait eue autrefois avec son mari quand il avait proposé de placer une partie de leurs économies à la Bourse.

— Qu'est-ce qui dit qu'on aurait pas fait partie des gens qui ont perdu leur argent? commenta-t-elle tout haut, comme elle le faisait si souvent pour meubler sa solitude.

— T'es rendue que tu parles toute seule, maman?

— Claude? Je t'attendais pas avant 6 heures. J'ai pas préparé mes patates, mais ça sera pas très long.

— Pas besoin, maman, je mange à l'extérieur.

— Encore un repas avec Alain, ton *partner*? Tu t'entends vraiment bien avec lui et je suis contente. T'as l'air plus heureux depuis que tu fais ce travail.

— Oui, tout va pour le mieux, mais c'est pas avec Alain que je vais souper. Imagine-toi donc que j'ai rencontré une fille et je suis certain que c'est la femme de ma vie.

— Combien ça fait de temps que tu la connais? Tu m'en as jamais parlé avant aujourd'hui!

— C'est récent, mais je sais que c'est la bonne. Tu l'as peut-être déjà vue, parce qu'elle est allée chez Évelyne pour faire les travaux d'aménagement et de déco. Elle s'appelle Laurence et elle est belle comme un cœur.

Doris était heureuse et anxieuse à la fois. Elle craignait que son fils ne se fasse des idées et qu'il soit encore blessé.

— Inquiète-toi pas pour moi, maman, la rassura Claude en la prenant dans ses bras pour lui faire un câlin. Tout va bien aller et je vais venir te la présenter très bientôt. J'ai la nette impression que rien sera compliqué avec elle. C'est une femme extraordinaire!

— Sois heureux, mon garçon. Tout ce qui m'importe, c'est le bonheur de mes enfants. J'ai de la peine quand je pense que dans peu de temps, tu vas quitter la maison encore une fois, mais tu mérites de vivre enfin une vie normale!

— Je vais partir, mais tu sais que je serai toujours là pour toi. De toute façon, je suis le meilleur de tes garçons… t'en as juste un!

CHAPITRE 22

Des oublis fâcheux

(Décembre 2007)

Hector se leva très tôt ce matin-là et s'habilla avec les mêmes vêtements que la veille, sans même penser à faire sa toilette. Cela lui arrivait déjà quand il était dans sa maison, mais alors là, personne ne s'en apercevait.

Il sortit ensuite de sa chambre et se dirigea vers la salle à manger, où aucun pensionnaire ne se trouvait. En marchant très lentement, il tourna en rond, regardant tout autour de lui. Ce matin, il était totalement désorienté et ne reconnaissait pas les lieux.

Il ressentit une certaine anxiété, se demandant ce qu'il pouvait bien faire dans cette maison. Il y avait sûrement une raison, mais il l'ignorait. Il était mieux de partir avant qu'on s'aperçoive de sa présence.

Il prévit donc retourner d'où il venait, mais il ouvrit la porte de la salle de bain à la place. Il en profita pour s'asseoir sur la toilette. On frappa au moment même où il s'apprêtait à sortir, sans s'être lavé les mains. Il s'était fait prendre.

— Dépêchez-vous, Hector, j'ai pas le temps d'attendre, lui dit Rita Blanchard sur un ton familier. À matin, ça presse! Ça fait déjà deux jours que je mange des pruneaux parce que ça marchait pas, précisa-t-elle en le mettant en dehors de la salle de bain.

— C'est correct, répliqua Hector sans lever les yeux sur son amie, comme si elle avait été une étrangère.

Il se dirigea ensuite vers sa chambre avec l'intention de se vêtir chaudement pour aller rejoindre Raoul, qui l'espérait au train. Il mit ses bottes à l'envers, son manteau, son foulard et son chapeau, et il alla s'asseoir au salon, où la propriétaire le trouva.

— Monsieur Moreau, qu'est-ce que vous faites tout habillé à 7 heures du matin ? Vous devez manger avant de sortir pour faire votre randonnée quotidienne. D'habitude, vous attendez votre amie Rita !

Hector ne broncha pas. C'est justement madame Blanchard qui arriva par la suite et le conduisit dans sa chambre, où elle lui expliqua patiemment qu'il devait se dévêtir pour venir déjeuner.

Docile, le vieil homme la suivit tout doucement, craignant de frustrer son entourage, qui lui semblait étranger. Il se sentait cependant en confiance avec cette belle dame qui savait où elle s'en allait et qui avait l'air de vouloir prendre soin de lui. Il oublia son frère et la sortie qu'il souhaitait faire.

De retour à la salle à manger, Rita installa son protégé. Puis, elle se rendit à la cuisine pour voir ce qu'il y avait au menu ce matin.

— Élizabeth, il y a plus de jus d'orange depuis une semaine, fit-elle remarquer à la propriétaire.

Aucun pensionnaire ne rouspétait relativement à la nourriture, sauf madame Blanchard, qui avait plus de cran. Élizabeth Bisaillon n'était pas une très bonne gestionnaire et quand arrivait la saison froide, elle avait peine à joindre les deux bouts.

— Je le sais! J'ai demandé à Charles de m'en rapporter quand il est allé faire la commande, mais il a oublié. C'est quand même pas la fin du monde!

— Je trouve qu'il manque de plus en plus d'affaires dans le réfrigérateur. Au prix qu'on paie, on devrait au moins avoir droit à une nourriture équilibrée. Ça fait une éternité qu'on a pas eu un vrai déjeuner complet!

— Vous avez toujours deux sortes de céréales, du gruau, et vous pouvez manger autant de *toasts* que vous le voulez.

— Des rôties quand il y a pas de confiture ou de fromage à mettre dessus, c'est un peu ordinaire.

— On dirait que ce matin vous avez le goût de chialer! grogna Élizabeth, qui ne souhaitait pas se laisser monter sur la tête.

— C'est pas une critique que je fais, c'est une constatation. Les autres pensionnaires parlent pas, mais je le fais pour eux aussi. Monsieur Moreau mange pas à sa faim, pas plus que madame Lacroix ou monsieur Cohen. Avoir des œufs et de la viande une fois de temps en temps, ça ferait du bien.

Les locataires de cette petite résidence étaient des gens plutôt démunis et ils se trouvaient bien aise d'avoir une place où vivre avec leur maigre pension. Ils n'osaient pas se plaindre, de crainte d'être malmenés. Heureusement que quelqu'un était là pour veiller à ce qu'ils aient le strict minimum et c'est la raison pour laquelle Rita s'impliquait dans la cuisine. Elle savait préparer de la bonne nourriture avec peu et elle transmettait ses connaissances à la propriétaire.

Hector n'aimait pas ces discussions qui le dérangeaient,

particulièrement ce matin, alors qu'il s'était mal réveillé. Il avait conscience qu'il perdait parfois des bouts de réalité. Il faisait tout ce qu'il pouvait pour éviter que ses oublis paraissent, mais c'était souvent contre sa volonté.

Bien qu'il eût été profondément déçu quand il était arrivé dans cette maison, il ne souhaitait plus la quitter maintenant qu'il connaissait Rita Blanchard. Elle ensoleillait ses journées et, quand il n'allait pas bien, elle le savait et elle s'occupait de lui. C'est du moins ce qu'elle lui avait laissé entendre.

Pour une fois, il mangea avec grand appétit et engloutit trois rôties. Il était maintenant mieux, sa tête ayant repris son bon sens.

— Cet après-midi, si ça vous dit, je vais monter mon sapin de Noël, lança Élizabeth, et vous pourrez m'aider à le décorer. On est déjà dans la deuxième semaine de décembre.

— Je serai là, confirma Rita, qui n'était pas rancunière. Vous allez venir vous aussi, Hector?

— Pourquoi? répondit-il sans raison. Machine doit passer me voir, ajouta-t-il en se levant pour se diriger vers sa chambre.

— C'est qui ça, Machine?

— Quand il se souvient pas d'un nom, il dit Machine, expliqua sa compagne. Ça lui arrive de plus en plus souvent. Depuis la visite de son fils, il pense juste à s'en aller prendre le train. Je me demande si ça peut avoir un rapport.

— Les enfants font pas toujours ce qu'il y a de mieux pour leurs parents! remarqua Élizabeth sur un ton de sage.

— Et puis les propriétaires de résidences servent pas tout le temps ce qu'il y a de meilleur à manger à leurs pensionnaires, répliqua Rita. Je vous avertis que je laisserai pas ça comme ça! On est tannés de manger juste de la soupe au riz et du poulet.

— Donnez-moi une chance, supplia Élizabeth. C'est mon mari qui fait les achats et j'essaie de faire de mon mieux pour varier les repas avec ce que j'ai dans le congélateur.

— C'est certain! Une escalope de poulet, un burger au poulet, des ailes de poulet, un riz au poulet! Voulez-vous que je continue? Si vous arrêtez pas, il va finir par nous pousser des plumes!

Élizabeth savait que madame Blanchard avait raison, mais elle n'avait pas beaucoup d'alternatives. Le coût du panier d'épicerie avait considérablement augmenté, et de plus, son mari lui causait des problèmes. Elle devait parfois payer des factures qui n'étaient pas reliées à son entreprise. Très bientôt, elle devrait avoir une discussion avec lui afin de stabiliser la situation financière du ménage, qui devenait précaire.

—◦—

Monique était très heureuse que la maison de son père puisse être enfin habitée, mais encore fallait-il qu'elle se rende sur place pour faire l'emballage de tous ses effets personnels.

Robert lui avait gentiment offert son aide pendant tout un week-end.

— Si on travaillait dans une pièce à la fois et qu'on triait à mesure les objets qui s'y trouvent au lieu de tout simplement empaqueter les articles, ça te ferait gagner beaucoup de temps.

— Tu pourras pas savoir ce qui est bon et ce qui l'est pas, lui répondit Monique impulsivement.

— Non, mais si tu t'occupes de choisir ce qui est à donner et ce que tu veux garder, moi je pourrais préparer les boîtes. On pourrait accomplir beaucoup de travail dans une journée. Tes jeunes locataires vont aussi nous aider, car ils sont très enthousiastes et ils ont sûrement hâte que les rénovations débutent. Je te suggère qu'on commence par vider les armoires de la salle de bain.

— T'as bien raison. Est-ce que tu sais ce que Francis m'a proposé pour le remplacement de la baignoire sur pattes qui est vraiment usée ?

— Non, mentit Robert, qui ne voulait pas confier à son amie qu'il avait en effet discuté avec son collègue des prochains travaux. Il devait mettre des gants blancs s'il souhaitait que l'harmonie règne entre eux.

— Il m'a expliqué qu'il pourrait installer une douche en céramique. Ses parents en ont fait poser une chez lui et il a aidé son père. Il semble que c'est beaucoup plus à la mode.

— C'est bien certain que ça changerait le look.

— Surtout, ça me coûterait beaucoup moins cher. Francis m'a dit qu'il connaissait un endroit où il pourrait acheter un excédent de tuiles de céramique pour une bouchée de pain.

— C'est une très bonne idée, mais pour le moment, on doit continuer ce qu'on a commencé ici. Si tu le veux bien, je vais tout transporter sur la table de cuisine, et toi tu vas faire le ménage qui s'impose.

Jamais Monique et Robert n'auraient pu imaginer trouver autant de produits périmés. Ils avaient découvert une bouteille d'huile camphrée de marque Familex, un vieux tube d'Ozonol jaune et rouge écrasé, une minuscule boîte de métal de couleur jaune contenant 12 comprimés d'Anacin, une bouteille de petites pilules Carter pour le foie et plus d'une dizaine de fioles de remèdes non identifiés.

— À mon avis, Robert, il y a rien de bon dans tout ça, ni les produits ni les meubles. On devrait tout jeter à la poubelle.

— Je suis tout à fait d'accord avec toi. À l'usine, il y a une cliente qui a refusé un beau meuble de salle de bain. Si ça te dit, je pourrais demander à mon patron à quel prix je pourrais l'avoir. Selon moi, ce serait une aubaine!

— C'est certain que ça m'intéresse d'installer du neuf à la place de ce vieux lavabo-là. Il y a aussi l'armoire au mur qui est toute rouillée et le miroir dans lequel on voit plus rien.

— Je suis convaincu que si tu laisses faire les jeunes, tu vas avoir une belle salle de bain pour pas trop cher.

— Pourrais-tu m'avoir des armoires de cuisine à un moment donné? Tant qu'à être dans les travaux, j'en profiterais pour moderniser la place.

— Probablement, si t'es prête pour ça. Je crois bien qu'on pourrait t'arranger quelque chose d'assez spécial.

Monique était convaincue que si elle jouait bien ses cartes, elle aurait bientôt une belle maison bien à elle. Elle ne devait pas trop attendre pour faire des achats à partir du compte de son père. Elle ne voulait aucunement utiliser les 15 000 dollars que son oncle Raoul lui avait donnés pour rénover la maison de son père. C'était elle, après tout, qui s'occupait de lui jour après jour!

Il ne fallait surtout pas que Jean-Guy soit au courant de son stratagème, sinon, il lui causerait des ennuis. Elle laisserait le temps passer et quand son père décéderait, elle affronterait la tempête.

Rita aimait bien son nouveau compagnon, mais elle avait de la peine de voir que jour après jour, il perdait un peu plus la raison. Il se mélangeait de plus en plus souvent et il arrivait même des périodes où il ne la reconnaissait pas, ce qui l'attristait terriblement.

Depuis son arrivée, il avait déjà beaucoup régressé. Elle devait toujours aller le chercher pour les repas ; sinon, il ne sortait pas de sa chambre. Autant que possible, elle passait beaucoup de temps avec lui afin qu'il ne lui arrive rien de fâcheux. Ils en profitaient pour parler de l'époque où ils étaient jeunes. Si Hector avait de la difficulté à se souvenir de ce qu'il avait fait la veille, il pouvait par contre raconter en détail la journée où il avait acheté sa première voiture neuve ou le jour où son oncle avait coupé la queue de son chien qui était passée trop proche pendant qu'il fendait du bois.

Rita devait s'absenter de la résidence pour la période des Fêtes et la perspective de son absence à venir l'inquiétait. Deux ou trois fois par année, elle allait passer quelques semaines chez sa fille à Palmarolle, en Abitibi. C'était trop loin pour qu'elle ne s'y rende que quelques jours et elle avait toujours hâte de voir ses petits-enfants.

Alors qu'elle se faisait habituellement une joie à l'idée de faire ce voyage, cette année, elle angoissait à celle d'abandonner son voisin de chambre. Madame Lacroix ne pouvait lui être d'aucune aide et il ne fallait pas non plus compter sur le vieux Polonais, avec qui elle avait encore eu une querelle l'autre jour parce qu'il regardait la télévision à tue-tête.

Elle était la seule pensionnaire qui pouvait garder un œil sur ce pauvre Hector.

Après mûre réflexion, elle se réconforta en se disant qu'avant son départ, elle préviendrait Doris, la sœur d'Hector, qu'elle avait rencontrée à deux reprises.

Il n'était pas question qu'elle parle avec Monique, en qui elle n'avait pas confiance. Elle savait que, de toute façon, elle se ferait rabrouer rapidement si elle discutait avec la fille d'Hector.

— Moi, si mes enfants habitaient aussi proche, je suis certaine qu'ils me visiteraient plus souvent, songeait-elle.

Avant de partir, Rita offrirait à Hector un beau foulard qu'elle lui avait acheté lorsqu'elle était allée à l'Entraide de Sainte-Agathe. À ce comptoir familial situé derrière l'église, on pouvait acquérir des vêtements et d'autres articles d'occasion pour quelques dollars. Elle avait été chanceuse en mettant la main sur cette écharpe en laine imprimée de carreaux gris, noirs et bleus. Elle l'avait lavée un soir dans le lavabo de la cuisine en prenant la peine d'utiliser un savon doux et elle l'avait fait sécher à plat sur un fauteuil de sa chambre. Elle l'avait ensuite parfumée avec sa lotion et l'avait disposée dans un emballage-cadeau.

Son départ était prévu dans une semaine, elle devrait parler à Doris très bientôt.

—

Sur les conseils de sa conjointe, Jean-Guy téléphonait à son père deux ou trois fois par semaine. Il ne lui parlait pas longtemps, mais il avait ainsi de ses nouvelles.

Quand il était revenu de l'hôpital, le soir où Raoul lui

avait donné la somme de 15 000 dollars, en entrant dans la maison, il s'était dirigé vers le réfrigérateur pour se prendre une bière.

— En veux-tu une, Mariette?

— Quoi, en plein milieu de la semaine? Qu'est-ce qu'on fête? T'as pourtant pas l'air si enthousiaste que ça.

— La vie nous réserve parfois des surprises! Pour commencer, je te dis que mon oncle en mène pas large. D'après moi, c'est une question de jours avant qu'il décède, tout au plus.

— Es-tu sérieux? Et pourquoi est-ce qu'il tenait tant à te voir avec ta sœur?

Jean-Guy avait pris l'enveloppe qu'il avait rangée dans la poche de son pantalon et il en avait sorti les billets de 100 dollars, qu'il avait étendus en éventail sur la table du salon.

— C'est quoi ça?

— Mon oncle a demandé à Dominique de nous donner, à Monique et à moi, 15 000 dollars en argent.

— Pourquoi il a fait ça?

— D'après moi, il réalise qu'il va mourir et il voulait nous faire un cadeau. Il a spécifié qu'il souhaitait qu'on prenne soin de notre père, avait soufflé Jean-Guy avec beaucoup d'émotion.

— Tu parles d'un beau geste!

— Tu aurais dû voir comment Dominique a fait ça. Tu sais quand je dis, «les affaires, c'est les affaires», c'est exactement ce qui s'est passé. Mon oncle l'a nommée procureure pour s'occuper de lui.

— Probablement la même affaire que ton père a faite avec Monique!

— Oui, mais j'aurais plus confiance en ma cousine qu'en

ma sœur, avait-il confié à Mariette avec une grande sincérité. Sais-tu c'est quoi la première chose que je vais faire avec cet argent-là?

— Non, mais j'espère que tu vas pas me faire de cachette.

— Demain matin, j'aimerais ça que t'appelles Cogeco et que tu lui fasses installer le téléphone dans sa chambre avec un forfait pour les interurbains illimités. Comme ça, même s'il se trompe dans les numéros, ça sera pas un problème.

— Quelle bonne idée! Penses-tu que Monique va dire quelque chose?

— Elle pourra rien dire parce qu'on va demander que le compte arrive ici, à mon nom, et je vais le payer tous les mois. Cet argent-là, je vais l'utiliser pour que mon père soit bien.

— Les gens vont s'apercevoir que tu t'occupes de lui. De mon côté, je vais garder les relevés de comptes au cas où ça irait mal quand il va partir.

— On dirait que t'es comme Monique. Tu planifies ce qui va arriver dans cinq ans en commençant à ramasser des preuves. Je trouve que c'est malsain comme attitude.

— Quand on a une sœur comme la tienne, il vaut mieux avoir un peu de jarnigoine[67] si tu veux pas te faire manger la laine sur le dos. Ces gens-là posent toujours des gestes calculés, alors il faut penser un peu comme eux.

Depuis la dernière année, son père était devenu une préoccupation constante pour Jean-Guy. Avant ce jour, il allait le voir à l'occasion, mais il savait que ce dernier pouvait subvenir facilement à ses besoins. Il respectait aussi le fait que celui-ci était d'un tempérament solitaire.

— Tu devrais aller le visiter plus souvent, avait conseillé

---

67 Jarnigoine: bon sens, clairvoyance.

Mariette. Je veux pas te dire quoi faire, mais je pense qu'il en a pas pour bien des années encore.

— T'as raison, mais ça me vire à l'envers. T'as pas remarqué combien ça me prend de temps pour m'en remettre après être allé le voir?

— Il faudrait que tu y ailles toutes les deux semaines au moins, mais jamais la même journée. Tu pourrais également passer chez ta tante Doris à l'occasion. Une visite de courtoisie, ça délie parfois les langues.

— Je me sens coincé entre toi et Monique. C'est pas mon genre de jouer au chat et à la souris.

— Je t'aurai prévenu! avait ajouté Mariette, frustrée par le manque de vigueur de son homme. Un bon matin, tu vas t'apercevoir que ta sœur aura la maison à son nom et le petit peu d'argent de ton père aussi!

— Monique me ferait jamais ça! avait rétorqué Jean-Guy, fermement convaincu. On est des jumeaux, est-ce que tu l'oublies?

— Dans la Bible, il est pourtant dit que Caïn a tué son frère Abel!

CHAPITRE 23

La Villa des Pommiers

(Décembre 2007)

Si quelqu'un avait dit à Dominique qu'à la fin de l'année 2007, elle prendrait rendez-vous avec la gestionnaire d'une résidence pour aînés, elle lui aurait répondu qu'il était complètement «dans les patates». Pourtant, elle venait tout juste de réserver une grande chambre au deuxième étage de La Villa des Pommiers pour son oncle Raoul.

C'était un établissement sis au cœur de la ville de Sainte-Agathe-des-Monts, à proximité de l'église, du cimetière, des magasins et, bien entendu, du magnifique lac des Sables. Elle n'y avait jamais mis les pieds, personne de sa famille n'y ayant habité. Il semblait bien que ce serait une première.

Lorsqu'elle avait rencontré la directrice, elle lui avait expliqué la situation selon laquelle l'hôpital de la ville était en quarantaine, ce que cette dernière savait déjà.

— Vous ne m'apprenez rien. Nous avons trois résidents qui étaient admis dans cet établissement et ils ne peuvent pas réintégrer leur chambre ici tant qu'ils sont en isolement. Par contre, on nous confirme qu'ils font de la physio en attendant, ce qui est plutôt bien pour eux.

— J'espère vraiment que mon oncle va bien récupérer.

C'est un homme avec une santé de fer, mais il a eu un malaise qui l'a littéralement terrassé.

— Étant donné que vous prenez la chambre 257, je vais la faire nettoyer et peinturer à neuf. Dès que ce sera fait, vous pourrez apporter les meubles de monsieur Moreau et toutes ses affaires.

Dominique avait rempli tous les documents nécessaires et signé un bail d'une durée d'un an. Il était impossible de faire autrement. Si son oncle n'aimait pas l'endroit, elle tenterait alors de négocier une résiliation de contrat, mais elle souhaitait que tout se passe pour le mieux.

Puisqu'elle ne pouvait pas lui annoncer la grande nouvelle en personne, elle l'appela, ce qui le sécuriserait énormément.

— Comment ça va aujourd'hui? lui demanda-t-elle afin de savoir dans quel état d'esprit Raoul se trouvait.

— Assez bien, pour un homme de mon âge. Je prends des forces tous les jours. Chaque après-midi, je fais des allées et venues dans le passage avec une petite fille qui travaille ici et elle répète toujours que je marche pas mal vite pour un vieux.

— Ça me fait plaisir d'entendre ça. Cette jeune-là sait sûrement pas que vous faisiez des promenades de quelques kilomètres sur la piste cyclable de Val-David avant de tomber malade.

— Je lui en ai parlé justement et je lui ai dit comment c'était beau quand on longeait la rivière du Nord. Elle est censée y aller en ski de fond prochainement.

— Mon oncle, il semble que ça sera plus qu'une question de jours avant que l'hôpital ouvre à nouveau ses portes, mais ça ira probablement pas avant le début de la semaine.

— On a pas le choix, je comprends bien ça. Il y a des

journées qui sont plus longues que d'autres, mais heureusement, tu m'as fait installer la télévision.

Ce qui surprenait Dominique, c'était qu'il ne demande pas combien coûtait ce service, alors qu'il était au fait que c'était un abonnement hebdomadaire.

— J'ai une autre bonne nouvelle pour vous. Je vous ai trouvé une jolie chambre à la résidence La Villa des Pommiers, à Sainte-Agathe-des-Monts. C'est au deuxième étage et il y a une vue sur la montagne. C'est magnifique!

— Je suis bien content! Les gens disaient qu'il y avait de longues listes d'attente.

— Faut croire qu'on est arrivés au bon moment! Il devait manquer un beau monsieur dans la place.

— T'es trop drôle, toi! Es-tu allée dernièrement à ma maison pour voir si tout était correct?

— Inquiétez-vous pas. Comme on en avait parlé quand vous êtes rentré à l'hôpital, j'ai remis la nourriture qui était périssable à une petite famille qui a de jeunes enfants. On a baissé les thermostats et on a fermé l'eau pour nous assurer qu'il y aurait pas de dégâts. Je passe régulièrement et lorsque j'aurai à m'absenter, je demanderai à maman d'y aller à ma place avec Évelyne.

— Tu fais bien les choses, Dominique, reconnut Raoul.

— Quand vous allez sortir de l'hôpital, on ira faire un tour chez vous afin que vous constatiez par vous-même qu'on a bien pris soin de tout, offrit-elle pour qu'il ne se sente pas exclu.

— Si j'ai décidé de te confier un mandat, c'est pas pour vérifier derrière toi, répondit le vieil homme avec sincérité.

Lorsque Dominique sut que les travaux de peinture étaient terminés à la résidence, elle demanda l'aide de son frère Claude et de Xavier pour déménager les quelques objets qu'elle y ferait transporter. Elle avait choisi son lit, un bureau, une table de chevet, son meuble de télévision, son fauteuil préféré, une petite chaise ainsi qu'une petite table d'appoint où il pourrait s'asseoir pour grignoter ou lire un journal.

Elle apporterait quelques cadres qui ornaient sa maison, des photos de sa femme, de sa bonne amie Irène, de ses parents et d'un chat qu'il avait eu durant plusieurs années. Elle voulait qu'il se sente chez lui, même s'il vivait ailleurs.

En préparant sa valise, elle s'aperçut que ses habits étaient plutôt défraîchis. Le soir, elle en parla avec son mari.

— Je dois absolument aller magasiner. Tu devrais voir les vieux sous-vêtements, les bas troués et les souliers usés qu'il portait. Je peux pas lui envoyer ça en résidence, surtout que ce sont eux qui vont faire son lavage.

— Pauvre homme! Ça devait être ça qu'il voulait insinuer quand il disait qu'il était pas prêt à partir de sa maison et que ce malaise l'avait pris de court. Il a pourtant toujours été si orgueilleux! mentionna Patrick.

— Demain, je vais aller faire le tour des magasins et je vais lui monter une nouvelle garde-robe. On va jeter les vieux vêtements et je vais faire nettoyer ce qui est encore bon.

— Aimerais-tu que j'aille avec toi? lui demanda son mari.

Depuis qu'ils avaient eu une discussion à propos du party de départ de l'une de ses employés, Patrick était beaucoup plus enclin à être doux et attentionné envers sa femme. Durant cette fameuse soirée, il avait tout juste pris un verre avec son personnel en spécifiant qu'il ne pouvait rester pour le repas. Quand il était arrivé chez lui, à 18 h 30, il avait trouvé Dominique en larmes.

Elle lui avait raconté qu'après son départ le matin, quand elle avait réalisé qu'elle ne pouvait le joindre, elle s'était imaginé mille et un scénarios. Elle n'avait pas été très présente au cours des derniers temps et il aurait été normal qu'il se soit lassé de cette vie de partage.

Patrick l'avait rapidement consolée en lui assurant qu'elle était l'amour de sa vie et que jamais il ne pourrait vivre sans elle. Ils étaient, depuis, inséparables.

— Tu veux qu'il soit beau, ton oncle!

— C'est une question de fierté! De toute façon, il avait pas de raison de s'en priver. Il a suffisamment d'argent pour se payer des vêtements neufs.

— Je fais des blagues, mais c'est correct ce que tu fais. Je trouve ça drôle que tu m'en parles toujours avant de faire une dépense. C'est pourtant pas de mes affaires.

— Je sais que tu me le dirais si je faisais quelque chose qui avait pas d'allure. On a continuellement pris nos décisions à deux et disons que ça me réconforte d'avoir ton appui.

——

Le jour où Raoul reçut son congé de l'hôpital, les chemins étaient enneigés. La veille, une tempête avait laissé entre 40 et 50 centimètres de neige et le déblaiement n'était pas encore terminé.

Dominique avait communiqué avec son oncle par téléphone pour le prévenir qu'elle serait peut-être un peu retardée à cause de l'état des routes.

— Prends tout ton temps, l'avait-il sagement conseillée. Je suis à l'abri, ici. Je veux pas qu'il t'arrive quoi que ce soit!

— Patrick va m'accompagner, alors inquiétez-vous pas!

En arrivant à sa chambre, Dominique aperçut son parrain, qui était déjà vêtu et qui avait ramassé tous ses effets personnels dans des sacs de plastique déposés sur son lit.

En la voyant, il lui fit un large sourire, qui en disait long sur son état d'esprit. Il partait pour une nouvelle aventure, mais il avait confiance en son guide qu'il avait lui-même choisi.

— Il manquait juste vos bottes et votre manteau, dit Dominique. Vous allez sûrement pas vous ennuyer de l'hôpital!

— J'ai quand même rien à redire. Tout le monde a été très gentil avec moi et aux petits soins. Même les employés ont été malades, alors ils comprenaient bien ce qu'on vivait ici.

Il remercia donc tout le personnel en partant et il embarqua fièrement sur la banquette avant de l'automobile de Patrick.

— T'as toujours eu des belles voitures, toi! remarqua-t-il pour entamer la conversation.

— Comme vous! J'en prends cependant moins soin un peu. C'est impossible pour moi de la remiser dans le garage durant tout l'hiver.

— Vous travaillez encore, vous autres, les jeunes! Moi, j'ai juste ça à faire, marcher.

Patrick prit le temps de faire faire une petite randonnée à l'oncle Raoul, qui regardait toute cette abondance de neige. Quand il allait bien, des tempêtes de ce genre ne l'empêchaient pas de sortir. Il devrait cependant recouvrer des forces avant de pouvoir à nouveau profiter de ces merveilleux instants.

— Est-ce que vous avez le goût qu'on aille faire un tour à

votre maison avant de se rendre à la résidence? lui demanda Dominique, qui souhaitait qu'il se sente très à l'aise avec elle.

— Non, ma belle. Peut-être une autre fois, mais pour l'instant, emmenez-moi dans mon nouveau chez-nous, décida-t-il avec une grande sérénité. Ça donne rien de faire un détour par Val-David aujourd'hui.

Sa nièce était abasourdie par autant de résilience. Elle ne réalisait pas que c'était un moment auquel il avait songé pendant plus de deux ans, ne sachant pas comment son départ de la maison familiale allait se dérouler.

En arrivant dans le stationnement de la résidence, Raoul regarda l'enseigne annonçant La Villa des Pommiers, et il comprit que l'heure était venue pour lui d'entreprendre cette dernière étape de sa vie. Il n'en parlerait pas tout de suite à Dominique, mais il était convaincu qu'il ne ferait pas de retour en arrière.

En entrant, il remarqua que tout était moderne. Il admira les immenses fenêtres auxquelles étaient accrochés des rideaux aux couleurs apaisantes, les fauteuils assortis et de magnifiques tableaux illustrant des paysages de différentes régions du Québec. Il avait l'impression de pénétrer dans le hall d'un grand hôtel.

Dominique, Patrick et Raoul empruntèrent l'ascenseur et se rendirent à la chambre de l'aîné. Sur la porte de celle-ci, on trouvait déjà une photo de lui et son nom inscrit en grosses lettres. Le vieil homme éprouva une étrange impression à l'idée qu'il était maintenant associé à une pièce dans cet édifice. Sa nièce avait beaucoup travaillé durant son hospitalisation.

— C'est vraiment beau, reconnut Raoul en pénétrant dans sa chambre. Il regardait partout et trouvait que la pièce était très lumineuse, alors que chez lui, on trouvait seulement de plus petites fenêtres et des boiseries foncées qui assombrissaient les lieux.

— Vous avez pas l'air d'avoir remarqué, mais ce sont vos meubles que j'ai apportés ici afin que vous vous sentiez chez vous. J'ai même fait transférer votre téléphone avec le même numéro que vous aviez depuis tant d'années.

— C'est incroyable d'avoir fait tout ça en si peu de temps ! admira Raoul.

— J'ai eu de l'aide de mon frère Claude, de ma sœur Évelyne et de son mari. Mon beau Patrick est pas capable de forcer, ça fait que j'ai été obligée de faire appel à des plus jeunes.

— Laisse-toi pas parler comme ça, Patrick ! s'amusa l'oncle Raoul, riant de la tournure de la discussion.

Cela faisait à peine 15 minutes que Raoul était arrivé et il se sentait bien et surtout en sécurité à La Villa des Pommiers. Il savait qu'il dormirait profondément ce soir et tous les autres à venir. Bien sûr, cette résidence ne remplacerait jamais sa maison, mais il avait au préalable fait une partie de son deuil dans la dernière année, alors qu'il avait tellement jonglé pendant de longues nuits.

— Tantôt, ils vont vous apporter un plateau dans votre chambre parce qu'on est arrivés un peu tard et que le repas avait déjà été servi à la salle à manger. À deux heures, la coiffeuse va venir vous chercher pour couper vos cheveux et vous aurez rien à payer. C'est moi qui vais régler les frais une fois par mois.

— Comme si j'étais à l'hôtel ! souligna le vieil homme heureux.

— C'est exactement ça ! Mais le matin, vous allez devoir faire votre lit, par exemple. J'ai mentionné à la directrice que vous étiez très autonome et que vous deviez aussi garder vos capacités.

Dominique eut de la difficulté à quitter son protégé, à accepter de le laisser seul dans sa chambre. Patrick avait ouvert la télévision et expliqué à Raoul qu'ils devaient partir, mais qu'ils reviendraient le lendemain.

— Allez-y, les enfants. Je vais manger, aller me faire couper les cheveux et ensuite, je pense que je vais faire une petite sieste. Inquiète-toi pas pour moi! voulut-il rassurer Dominique, qui ne souhaitait pas pleurer, mais dont les yeux roulaient dans l'eau.

— Non, je suis pas inquiète, s'encouragea la nièce. Je vais vous appeler à soir pour savoir comment votre journée se sera passée. Vous avez une sonnette près de votre lit et dans la salle de bain. S'il y a quoi que ce soit, hésitez pas à l'utiliser.

En prenant l'ascenseur, Dominique s'était jetée dans les bras de son époux pour laisser couler ses larmes.

— J'ai l'impression de l'abandonner dans un endroit qu'il connaît pas!

— Tu peux pas rester avec lui tout le temps. Et puis il te l'a dit: ton oncle est habitué à vivre seul. Il va se faire un petit nid ici.

— En tout cas, c'est vraiment pas drôle de vieillir, ajouta-t-elle en reniflant, comme une enfant qui se relève d'un gros chagrin.

— C'est le fardeau de tous. Un jour, ce sera à nous de franchir cette étape! Tu peux être fière d'avoir installé ton parrain dans un endroit aussi bien. C'est pas mal différent de l'endroit où habite ton oncle Hector.

— Jamais j'aurais pu signer pour qu'il aille dans une

maison comme celle-là! Au moins, ici, il vit dans un bel environnement et il a accès à tous les services.

— Prenons les choses un jour à la fois. Je t'invite à dîner au restaurant, histoire de te consoler. Est-ce que cette offre est acceptée ou refusée? ajouta-t-il en faisant référence à l'émission *Le Banquier* que sa femme regardait assidûment et dans laquelle l'animatrice Julie Snyder posait cette question aux concurrents.

— OK, j'aimerais aller chez Des Monts. Je sais qu'à cette période de l'année, ils proposent habituellement un menu du temps des Fêtes. Il me semble qu'un bon mets traditionnel me réconforterait.

Dominique s'était toujours convaincue qu'elle avait bien fait de ne pas avoir d'enfant, car elle les aurait sûrement surprotégés. Quand avaient lieu les rentrées scolaires, le cœur serré, elle imaginait qu'elle aurait eu beaucoup de difficulté à quitter la cour d'école en tournant le dos à son petit de cinq ou six ans.

Ce matin, les circonstances l'avaient obligée à poser ce geste en laissant la main de son parrain, qu'elle venait tout juste de prendre sous son aile. Elle se demandait si elle agissait normalement ou si elle était trop émotive.

Cet après-midi, elle regarderait souvent sa montre alors qu'elle suivrait en pensée la première journée du vieil homme en résidence...

CHAPITRE 24

Les préparatifs

(Décembre 2007)

Comme toutes les années, durant la période des Fêtes, Doris et Évelyne se réunissaient pour cuisiner de bons petits plats. La mère se rendait chez la fille pour faire les tartes sucrées et les tourtières et celle-ci la visiterait quand il serait temps de cuisiner le ragoût et les beignes.

Quand Évelyne s'était mariée, elle avait choisi de demeurer au village, alors que sa sœur s'était tout de suite expatriée vers la ville. Elle avait donc eu la chance de profiter de tous les conseils de sa mère en ce qui avait trait aux recettes familiales.

Aujourd'hui, la corvée de cuisine avait lieu chez elle et Doris s'était préparée en conséquence: un foulard pour couvrir ses cheveux, un tablier pour ne pas salir son chandail, ses bas de soutien et ses bons souliers lacés, qui lui permettraient de rester debout plus longtemps sans avoir les jambes trop enflées.

— Pourquoi vous viendriez pas faire le réveillon et le dîner de Noël chez nous? demanda Évelyne, qui souhaitait donner un peu de répit à sa mère.

— On a toujours fait ça à la maison et j'aimerais bien

qu'on continue la tradition. Au mois de mai prochain, je vais avoir 80 ans. Peut-être que ça me tentera moins de faire de gros repas de même dans quelques années. Aussi bien en profiter pendant que je suis encore capable.

— Que tu aies 80 ou 79 ans, ça changera pas grand-chose, maman. C'est juste un chiffre. L'important, c'est que tu fasses attention à toi. J'ai une proposition à te faire, par contre.

— Toi et tes idées! Tu veux sûrement couper la poire en deux, comme je te connais.

— Tu as tout compris. On pourrait réveillonner chez nous, avec les enfants et la famille, et le lendemain midi, on dînerait chez toi. Naturellement, j'arriverais plus tôt pour t'aider à peler les patates, préparer les crudités et servir les apéros aux premiers invités.

— T'as bien raison. Vu de cette manière, ça me dérange moins. Est-ce que tu crois qu'Hector et Raoul vont pouvoir se joindre à nous pour le dîner de Noël?

— Il faudra s'informer auprès de Dominique pour savoir si mon oncle Raoul est suffisamment bien pour sortir. Pour ce qui est de mon oncle Hector, tu devras demander à Monique si tu veux qu'il vienne. Penses-y, et tu peux toujours lui téléphoner la veille.

— La dernière fois où on était tous là pour Noël, il y avait eu de la bisbille. Claude lui avait fait une remontrance à propos du ton qu'elle avait employé en s'adressant à son père.

— Je m'en souviens très bien. Elle lui avait dit qu'il était pas évolué ou une autre bêtise du genre, parce qu'il chialait après les manettes de télévision.

— Claude lui avait rabattu le caquet[68] en lui disant qu'elle avait pas vraiment de génie pour insulter son propre père comme ça.

— Je me rappelle. Monique avait joliment rouspété et Claude lui avait répondu que si son père vivait encore, il tolérerait pas de tels propos dans sa maison. C'est vrai, ça avait jeté un froid pendant quelque temps.

— Marcel était pas du genre à se laisser marcher sur les pieds et Claude s'en souvenait très bien. Vous avez eu un papa sévère, mais vous m'avez jamais fait honte nulle part.

Les deux femmes passaient du bon temps quand elles popotaient ensemble et chaque année, Évelyne songeait qu'un jour, sa mère ne serait plus avec elle pour faire tous ces préparatifs. Rien que d'y penser, cette perspective l'attristait.

Ce n'était pas qu'elle rechignait à faire toute la cuisine, mais il était bien certain qu'à ce moment-là, le ragoût n'aurait plus tout à fait la même saveur.

Depuis une semaine, Hector n'était plus le même homme. Il ne dormait que très peu la nuit, écoutant la télévision jusqu'à des heures indues, et il restait couché une grande partie de la journée. Élizabeth devait aller le chercher et négocier avec lui afin qu'il s'habille pour venir à la salle à manger.

Tout avait commencé lorsque Rita était partie chez sa fille en Abitibi.

---

68 Rabattre le caquet : faire taire.

La veille de son départ, après le souper, elle avait invité Hector dans sa chambre et ils avaient regardé un film de Noël. Durant la journée, elle avait préparé du sucre à la crème pour la propriétaire et elle s'en était gardé quelques morceaux, qu'elle avait apportés à son vieil ami.

— Est-ce que tu prendrais un verre de lait avec une petite gâterie? avait-elle demandé en lui montrant l'assiette contenant les sucreries.

— Tu commences à connaître mes goûts! Est-ce que c'est toi ou Machine qui l'a fait?

— C'est toujours moi qui prépare le sucre à la crème depuis que je demeure ici. Je pense pas qu'Élizabeth sache en faire.

Rita avait donc servi son ami et elle l'avait observé candidement. C'était un pur bonheur de le voir apprécier le goût de chaque bouchée. Elle aimait bien ce vieil homme qui n'avait pas de malice et elle était triste à l'idée de le laisser seul pendant près de trois semaines. Elle devait cependant le prévenir afin qu'il ne la cherche pas le lendemain.

— Je t'ai déjà dit que j'ai une fille qui vit en Abitibi, à Palmarolle. À chaque temps des Fêtes, je vais passer environ une quinzaine de jours avec mes petits-enfants.

— Ma femme Jacqueline est née à Barraute, mais elle est partie jeune pour…

Hector n'avait pas terminé pas sa phrase, comme cela lui arrivait de plus en plus souvent. Rita n'en tenait pas compte, croyant qu'il avait peut-être oublié ce qu'il voulait dire.

— Hector, demain, mon neveu de Montréal va venir me chercher pour m'emmener dans ma famille. Je serai donc absente pour quelque temps, lui avait-elle répété, car il ne semblait pas avoir saisi la précision la première fois.

Le vieil homme avait tout à coup arrêté de manger.

Il s'était essuyé la bouche du revers de la main et avait repoussé son verre de lait. Il ne parlait pas et fixait le téléviseur.

— Qu'est-ce qu'il y a Hector, tu as plus faim? s'était-elle enquit.

— J'ai compris. Tu dois t'en aller de bonne heure, alors il faut que j'aille me coucher.

— C'est pas ce que je voulais dire. Je pars juste vers la fin de l'avant-midi. On a encore le temps de veiller un peu. J'espère que tu vas faire le bon garçon pendant mon absence. Je reviendrai au plus tard à la mi-janvier. Occupe-toi à faire des casse-têtes ou à faire ton jeu de patience pendant l'après-midi et regarde la télé le soir. Ça passe très vite, le temps des Fêtes! Bientôt, je serai de retour et la vie reprendra son cours normal.

— T'as bien raison, avait-il reconnu alors qu'il se trouvait trop ému pour parler plus longuement.

Il s'était levé et s'était dirigé vers la porte sans se tourner vers Rita.

— De toute façon, on va se voir demain matin au déjeuner, avait-elle spécifié pour apaiser sa peine.

Mais il avait déjà quitté la grande chambre de sa voisine pour se réfugier dans son petit cagibi.

Hector ne pouvait expliquer ce qu'il avait ressenti quand il avait su que Rita partait pour un temps. Son cœur lui avait fait mal et il avait eu de la difficulté à respirer. Il souhaitait maintenant se coucher dans son lit pour pleurer comme un enfant qu'on aurait abandonné.

Heureusement qu'il n'avait pas toujours conscience du temps qui passait, car il aurait été incapable de traverser les prochaines semaines. Quand il aurait trop de chagrin, il se consolerait en pensant qu'il devait attendre le retour de sa belle Rita, peu importe le nombre de jours et de nuits que cela prendrait. À d'autres moments, il ne se souviendrait pas que quelqu'un était parti.

Trois jours après le départ de Rita, la propriétaire appela Monique, qui n'était pas venue visiter son père depuis un bon moment. Elle lui confia qu'elle était inquiète pour Hector parce qu'il s'ennuyait et s'isolait dans sa chambre. Il mangeait également très peu.

Monique passa donc à la résidence après son travail et elle constata que le vieil homme n'avait pas l'air très en forme. De plus, la pièce exhalait une mauvaise odeur et des vêtements traînaient sur son bureau.

— Papa, veux-tu bien me dire ce qui t'arrive? T'as une barbe de deux ou trois jours et d'après la senteur, selon moi tes bobettes ont le même âge! Y va-tu falloir que je te tienne par la main comme un enfant?

— As-tu vu Machine en rentrant? demanda le vieil homme tout bonnement. C'est beau ton manteau.

— Papa, est-ce que tu veux venir avec moi? Je vais te faire couler un bon bain.

— Je prends pas mon bain l'hiver sinon j'attrape le rhume. Je me lave à la mitaine[69].

— Ça marche pas comme ça! Il faut que tu prennes un vrai bain au moins une fois par semaine. Si tu sors pas, il y a pas de danger d'être malade.

— Lui non plus il se lave pas l'hiver, se défendit Hector en pointant du doigt un être imaginaire qu'il apercevait dans la cour arrière.

Son père était mal en point aujourd'hui. Monique trouvait pourtant qu'il se portait bien quand elle l'avait vu lors

_____

69 Se laver à la mitaine : se laver manuellement, avec une débarbouillette.

de sa dernière visite, mais elle réalisa que cela remontait déjà à une dizaine de jours.

Monique décida d'aller demander à la propriétaire s'il était arrivé quelque chose de spécial dans la vie de son père. Élizabeth était en train de faire réchauffer des croquettes de poisson et des frites congelées qu'elle comptait servir aux résidents. Elle inclurait au repas deux petites tranches de concombre. Avec un pouding au riz et les éternels biscuits secs, le repas serait complet.

— Mon père ressemble à un itinérant. Pouvez-vous me dire ce qui se passe ici?

— C'est pas de ma faute s'il refuse de se laver. J'ai bien essayé de le convaincre, mais il veut rien entendre.

— Pourquoi il parle toujours de Machine?

— Si vous veniez plus régulièrement, vous sauriez qu'il dit ça quand il se souvient pas du nom d'une personne. Il dit Machine ou Chose. Il a de plus en plus tendance à oublier des mots, et très souvent, il finit pas ses phrases. C'est une étape normale de la maladie d'Alzheimer, mais y a pas deux personnes qui ont vraiment les mêmes symptômes.

— Comment je peux faire pour le convaincre de prendre un bain? demanda Monique, décontenancée par la situation.

— Venez avec moi, on va essayer quelque chose, proposa madame Bisaillon.

Les deux femmes se rendirent donc dans la chambre du vieil homme.

— Monsieur Moreau, indiqua Élizabeth, il y a quelques minutes, madame Rita m'a appelée.

Les yeux d'Hector s'illuminèrent et il lui offrit un doux sourire.

— Elle s'en vient ? Pourquoi elle a pas demandé à me parler ? Elle sait que j'ai le téléphone.

Monique lui lança un regard qui en disait long. Elle avait été très surprise d'apprendre que Jean-Guy avait fait installer un appareil dans la chambre de son père. Il avait également réussi à conserver le même numéro que son père avait depuis plus de 50 ans. Quand elle avait interrompu le service téléphonique chez Hector, la compagnie lui avait offert de réserver le numéro pendant six mois pour une somme modique, mais elle avait refusé. Comment avait-il pu le garder quand même ? Son frère venait de gagner des points auprès de son père, elle devrait s'en méfier.

— Madame Rita se souvenait pas de votre numéro, répondit Élizabeth, qui avait l'habitude de mentir. Elle m'a expliqué que votre fille était là pour faire couler votre bain. Elle demande que vous vous laviez comme il faut, que vous rasiez votre barbe et que vous enfiliez des vêtements propres.

— C'est Machine qui a dit ça ? s'informa-t-il pour s'assurer de la véracité des propos qu'il entendait.

— Oui, c'est madame Rita, ajouta Élizabeth pour convaincre le vieil homme.

Monique était complètement estomaquée. Elle se dirigea vers la salle de bain pour tout préparer comme une automate et elle y conduisit son père.

— Laisse la porte entrouverte, papa. Il faut pas la barrer pendant que tu te laves. Je reste ici, dans le passage, pour surveiller. Prends tout ton temps, je suis pas pressée.

— Je barre pas la porte, répéta-t-il. C'est Rita qui l'a dit.

Monique se trouvait là, assise dans un étroit passage d'une résidence désuète, et elle surveillait la porte pendant que son père se lavait. Elle jouait ce rôle ingrat malgré le fait qu'elle n'avait aucune affinité avec les personnes âgées, mais elle n'avait pas le choix. Y avait-il possibilité qu'elle puisse se sortir de cette impasse? Elle n'en voyait pas! Combien de temps cette situation désagréable allait-elle encore durer?

Elle avait le goût de s'enfuir sans regarder derrière elle, mais elle ne pouvait abandonner celui qui, un jour, lui avait donné un petit jonc en bois. Elle avait à ce moment-là sept ans et elle l'appelait «mon p'tit papa d'amour».

Quand Hector ressortit de la salle de bain, il était rasé de près et il sentait la lotion que son fils lui avait apportée la dernière fois qu'il était venu le voir.

Hector était de plus en plus mêlé et il ne pouvait plus être laissé à lui-même. Il aurait besoin d'une supervision que madame Rita assurait très bien depuis qu'il était arrivé à la résidence. Or, quand elle n'était pas là, c'était une autre paire de manches.

Monique quitta la résidence avec l'impression d'avoir fait un voyage dans le temps.

—

Cela faisait déjà près d'une semaine que Raoul avait emménagé à La Villa des Pommiers. Ce matin, il s'était levé très tôt et il avait fait son lit. Il s'était ensuite rendu dans sa salle de bain, où il avait fait sa toilette avec une grande minutie. Il avait toujours été plutôt routinier.

Il était par la suite descendu à la salle à manger pour le déjeuner. Depuis son arrivée à cet endroit, il avait une table d'assignée et il la partageait chaque jour avec les mêmes compagnes. Il aurait préféré être seul pour les repas, mais il devait suivre les consignes. Il faisait donc bonne figure, mais il n'était pas trop jasant le matin.

Il n'avait pas beaucoup d'appétit non plus, mais il se forçait pour bien s'alimenter, afin de reprendre des forces. Il ne souffrait pas de la faim, car Dominique lui avait installé un mini réfrigérateur dans sa chambre et elle l'avait rempli de mille et un produits : des yogourts, du lait au chocolat, des poudings au tapioca et au riz, et quelques fruits. Dans son armoire, on trouvait des croustilles, des bâtonnets de fromages et des bretzels. Elle lui avait acheté des portions individuelles afin que ses denrées soit toujours fraîches.

Dominique avait pensé à tout. Raoul se demandait comment une personne pouvait être aussi attentionnée. Depuis son entrée à la résidence, le temps passait à la vitesse de l'éclair.

Vers 13 h 30, il eut la surprise de voir arriver Noémie.

— Qu'est-ce que tu fais ici, ma belle fille ? T'es pas à l'école ?

— Non, c'est une journée d'activités libres aujourd'hui. Je viens vous chercher pour descendre dans le grand salon. J'ai réuni quelques amis de mon groupe et on fait une rencontre avec des aînés. C'est pour un travail scolaire.

Depuis le printemps, Noémie était sensibilisée aux changements qui s'opéraient chez les gens âgés de sa famille et elle était consciente que cette situation inquiétait beaucoup sa grand-mère. C'est en jasant avec celle-ci, la semaine dernière, qu'elle avait eu cette idée.

Elle entendait souvent dire que les aînés n'avaient souvent pas de visite et de son côté, elle avait déjà une bonne porte d'entrée, puisque l'oncle Raoul venait tout juste d'être admis dans une résidence. Avec ses amies, elle avait préparé quelques questions. Le titre de leur travail était : le temps des Fêtes dans le bon vieux temps.

— Est-ce que ta mère sait que t'es ici ?

— Oui et elle est bien fière de moi. Je lui avais demandé son opinion avant de soumettre mon projet à l'école.

— Peux-tu me dire ce que je vais devoir faire ou dire ?

— Je vais vous expliquer tout ça en même temps qu'aux autres. Je voulais simplement en profiter pour venir vous chercher moi-même dans votre chambre. Après tout, vous êtes mon grand-oncle. Depuis quelques mois, maman et grand-maman nous racontent plein d'histoires d'autrefois et il me semble que j'ai encore plus le goût de vous connaître.

Dès qu'elle sortit de la pièce, Noémie prit la main du vieil homme pour le guider et il fut ému de cette délicate attention. Raoul monta donc dans l'ascenseur avec sa petite-nièce, fébrile et anxieux à la fois. La vie lui faisait de ces surprises depuis quelque temps !

Une fois rendu au rez-de-chaussée, il constata que plusieurs personnes se dirigeaient vers le grand salon, où régnait ces temps-ci une ambiance toute particulière. Un immense sapin de Noël trônait fièrement dans un coin de la pièce et de multiples guirlandes égayaient les plafonds. Sur le vieux piano, on avait disposé une crèche symbolisant la raison de ces festivités pour les gens de cette génération.

Six élèves de 13 ou 14 ans étaient présentes et elles espéraient parvenir à distraire les participants. Elles avaient enfilé des tuques de Noël et avaient dessiné des cartes de souhaits pour chacun d'eux.

Noémie remercia tout d'abord les responsables de La Villa d'avoir accepté de les recevoir. Elle expliqua ensuite le travail scolaire et posa la première question.

— Est-ce que c'est vrai que vous receviez une pomme et une orange comme cadeaux de Noël ?

— Oui, ma belle fille, répondit une vieille dame. C'était comme ça, et parfois, on avait aussi des *mix candy*.

— Qu'est-ce que c'était ?

— Des petits bonbons variés, pleins de rayures de différentes couleurs. Quand il faisait trop chaud dans la maison, ils collaient tous ensemble et souvent on en mangeait deux ou trois à la fois !

— Moi, ma mère nous tricotait des bas et des mitaines, se souvint une autre aînée, et elle nous les offrait en cadeau.

— Moi, mon père m'a déjà cousu une belle paire de mocassins, raconta un homme qui, habituellement, ne participait pas à ces discussions. Il me les avait faits si grands que j'ai pu les porter pendant trois ou quatre ans. Pâpâ était de descendance indienne et travaillait très bien le cuir.

Tout un chacun voulait révéler l'histoire d'un présent qu'il avait reçu dans son enfance et dont il se souvenait, et à écouter les descriptions qu'ils en faisaient, on sentait tout l'amour qu'il y avait dans ceux-ci.

Les adolescentes furent très touchées d'entendre ces gens raconter des pages de vie d'un temps où le quotidien était si rude, mais où l'ambiance familiale était si importante. Une seule question avait lancé une conversation qui aurait pu durer pendant des heures.

Le but de l'exercice avait été atteint.

Quelques dizaines de personnes avaient eu la chance de revivre de beaux moments en les partageant avec les autres et de généreuses jeunes filles ressortiraient grandies de l'expérience.

Un sentiment de fierté habitait Raoul, qui avait foi en cette génération. Il n'aimait pas qu'on dénigre continuellement les jeunes. Il tentait plutôt de les comprendre en songeant au fait qu'il avait déjà eu cet âge, lui aussi.

«Heureusement que dans notre temps, il y avait pas de caméra dans les cuisines d'été», pensa-t-il en se rappelant une cousine éloignée avec laquelle il avait échangé des caresses et des baisers prolongés un certain Noël.

— Vous avez un méchant sourire, mon oncle Raoul, lui lança Noémie à la blague. Vous avez à peine parlé. Gardez pas pour vous ces beaux moments, partagez-les avec nous!

— Vous savez, les jeunes, même si on est vieux, on a aussi ce qu'on nomme aujourd'hui «un jardin secret».

Le temps avait passé, mais les souvenirs seraient toujours présents, peu importe comment ils étaient classés dans le cerveau. Tout ce qu'on pouvait apporter à ces gens, c'était de leur faire revivre des instants mémorables.

CHAPITRE 25

Rire ou pleurer

(Décembre 2007)

Quand elle avait fait l'achat de la résidence, deux ans plus tôt, Élizabeth était très enthousiaste face à son projet, contrairement à son conjoint Charles, qui aurait préféré qu'elle utilise l'argent à d'autres fins.

C'est après avoir reçu un petit héritage à la mort de son père que la femme avait décidé d'investir dans cette entreprise, qui cherchait un nouvel acquéreur depuis déjà quelque temps. Pour convaincre son conjoint, elle avait employé tous les arguments possibles.

— Tu vas voir, Charles, on va être nos propres patrons! On louera juste à du monde autonome. Si on travaille tous les deux, j'aurai pas besoin d'engager du personnel. Je vais faire la cuisine et le ménage et toi, tu pourrais t'occuper des tâches d'entretien.

— T'as pas peur de trouver les journées longues à rester enfermée avec des vieux? s'était interrogé Charles. Fie-toi pas sur moi pour m'occuper d'eux autres!

— Non, ça, c'est sûr et certain, mais essaie de voir les bons côtés de l'affaire. On aurait notre propre maison. Ça serait fini, la vie de locataires. Nos appartements seraient dans le sous-sol de la maison et on aurait pas à se déplacer pour se rendre au travail. Je suis convaincue qu'on pourrait se faire une belle vie. De toute façon, c'est devenu difficile pour toi de conduire des camions, avec ton mal de dos.

— Je t'avoue que passer mes journées à me faire brasser le derrière dans le *truck*, ça me tente de moins en moins. As-tu regardé les chiffres assez sérieusement pour t'assurer qu'on puisse vivre tous les deux avec la résidence ?

— L'ancien propriétaire m'a montré tous ses papiers et c'est très clair. Le plus important, c'est d'avoir de bons pensionnaires qui demandent pas de soin et ensuite de planifier nos achats intelligemment.

La première année d'exploitation de la résidence s'était relativement bien déroulée. Les locataires étaient en majorité des gens qui ne voulaient pas rester seuls dans une maison et qui étaient plutôt solitaires. Ensemble, ils avaient partagé leurs habitudes de vie et leurs expériences et comme ils le faisaient auparavant, lorsqu'ils vivaient chez eux, ils participaient de plein gré à différentes tâches quotidiennes.

Malheureusement, par la suite, certains locataires avaient quitté la résidence, soit pour se rapprocher de leur famille ou pour aller vivre dans un endroit plus moderne où davantage de services étaient offerts. Sur le coup, Élizabeth n'avait pas voulu s'en faire outre mesure, croyant pouvoir les remplacer rapidement, mais elle avait réalisé que la vétusté des lieux qu'elle avait achetés était un problème de taille.

Aussi, elle ne pouvait pas demander aux nouveaux pensionnaires de l'aider dans la maison. Il fallait que ce soit de leur propre chef qu'ils décident de s'impliquer. Il n'en aurait d'ailleurs pas été question pour madame Lacroix, qui était beaucoup trop âgée, ni pour monsieur Cohen, de nature plus ou moins sociable.

Au moins, Rita Blanchard vivait à la pension depuis déjà un bon moment et elle était toujours d'accord pour mettre la main à la pâte. Élizabeth lui demandait davantage de soutien, n'étant pas une habile cuisinière. Et très rapidement, la propriétaire avait compris que la gestion des repas était la tâche principale qu'elle devait assumer dans son entreprise. Elle se disait qu'avec le temps, elle aurait assurément les moyens d'engager une employée pour faire le travail à sa place.

Charles avait très vite regretté leur acquisition. Il était alors tombé dans une grande nonchalance. Il faisait les réparations urgentes, mais il ne s'occupait que minimalement de l'entretien continuel que nécessite une bâtisse. Il faisait les courses pour Élizabeth, mais il partait toujours à reculons. Il flânait devant le téléviseur pendant de longues heures et recevait ses amis, avec qui il jouait aux cartes jusqu'à tard dans la nuit.

— Je suis tanné qu'on vive enfermés dans la cave, comme des rats! ragea-t-il un jour.

— C'est pas toi qui es le plus à plaindre! rétorqua Élizabeth. Moi, je m'occupe des trois repas, du ménage et de l'administration. J'ai mis des annonces à l'entrée de plusieurs commerces pour louer ma dernière chambre. Ça m'aiderait grandement si ça fonctionnait!

— Il faudrait que tu penses à augmenter tes prix. Ça coûte de plus en plus cher de faire l'épicerie et puis il y a l'électricité et les taxes. T'as mal calculé tes affaires en achetant cette vieille maison-là. Faudrait qu'on investisse pour la rénover, mais on est toujours à la dernière cenne!

— Je sais que c'est moins beau que ça en avait l'air, mais ce sont les premières années qui sont les plus difficiles avec une entreprise.

— La marge de crédit est au maximum et ça fait deux paiements d'hypothèque que tu reportes. Tu devrais penser à vendre avant qu'il soit trop tard!

— T'es plutôt déprimant à matin! On parlera de tout ça après les Fêtes. En attendant, j'aimerais ça que tu t'habilles pour le dîner. Étant donné que monsieur Moreau et madame Lacroix seront pas là pour le repas de Noël, j'ai prévu de faire un spécial ce midi. Madame Rita a fait des tourtières et du ragoût, et quelques tartes sucrées.

— J'ai pas le goût d'aller manger avec les vieux! ronchonna Charles.

— J'haïs ça quand tu parles de même! Tu pourrais au moins faire un effort. C'est quand même leur pension qui nous fait vivre.

— T'appelles ça vivre? Moi je dirais plutôt qu'on végète! Je suis plus capable d'aller prendre un repas en haut. La bonne femme Lacroix joue dans son assiette, tandis que le dentier du bonhomme Cohen fait tellement de bruit que ça m'empêche de penser. Il y a juste Hector qui a un peu plus d'allure, mais depuis que Rita est partie dans le Nord, il est quasiment en deuil.

— Laisse faire d'abord, je vais m'occuper de mon monde. Garde tes grandes culottes de jogging pis ton vieux t-shirt de Super Trucker et retourne t'évacher[70] dans le La-Z-Boy!

Le téléphone cellulaire de Charles sonna, ce qui mit fin à cette discussion qui s'envenimait.

Le couple vivait de plus en plus de prises de bec et la résidence était souvent à la base des conflits. La propriétaire souhaitait pouvoir louer toutes ses chambres bientôt afin d'être en mesure de fournir à Charles un peu plus d'argent

---

70 S'évacher : s'étendre paresseusement.

pour ses dépenses. Cette marge de manœuvre lui redonnerait peut-être plus d'enthousiasme. Élizabeth était une dépendante affective et elle était prête à payer plutôt que de se retrouver toute seule.

Charles avait cependant un tout autre intérêt pour le moment et cela ne concernait que lui.

———

La veille de Noël, Monique alla visiter son père afin de savoir s'il souhaitait l'accompagner à la messe de 19 heures, mais ce dernier refusa.

— Je l'écoute à la télévision! répondit-il sèchement.

— Je pensais que tu aurais aimé ça, qu'on aille à l'église. Tu verrais du monde un peu et ça te changerait les idées.

— Je suis bien ici!

On aurait cru qu'Hector voulait se débarrasser de sa fille.

— C'est correct pour à soir, mais demain, je viendrai te chercher pour le dîner.

— Pas besoin!

— On va chez ma tante Doris, tenta la femme, en guettant la réaction du vieil homme.

Son visage s'éclaira tout à coup, ce que Monique n'avait pas constaté chez son père depuis un bon moment. Elle n'avait pas été invitée cette année pour ce repas, mais elle savait bien qu'on ne leur fermerait pas la porte au nez.

— Je vais sortir le linge que tu vas porter demain.

— C'est correct! Je vais voir Doris et Raoul! s'enthousiasma Hector.

Monique en profita pour faire un peu de ménage dans

les tiroirs de son père. En ouvrant le premier, elle trouva des morceaux de sucre à la crème cachés sous ses combinaisons.

Elle décida de ne rien dire pour ne pas perturber l'aïeul à ce moment de l'année. Quand elle reviendrait, elle fouillerait un peu plus à fond et vérifierait s'il camouflait autre chose. Elle en discuterait aussi avec madame Blanchard à son retour, en sachant qu'elle surveillerait à son tour.

Elle prendrait bien garde de dire à Rita de ne pas en parler à la propriétaire, car elle ne voulait pas que le vieil homme soit obligé de partir pour un endroit mieux adapté. Cette petite cachette n'était finalement pas si grave.

———

Le réveillon s'était très bien déroulé chez Évelyne, qui en avait mis plein la vue à ses invités. Elle avait insisté pour que tout le monde assiste à la messe de 22 heures et s'y rende à pied. Tous étaient revenus à la maison en chantant des cantiques de circonstance.

C'était la première réunion de famille à laquelle Laurence participait. Et malgré le fait qu'elle était habillée à la toute dernière mode, elle avait charmé toute la famille par son élégante simplicité. Personne n'avait fait allusion à la grande différence d'âge entre son cavalier et elle, se réjouissant que Claude soit si heureux.

Patrick s'amusait à taquiner Bruno et Noémie en les traitant comme s'ils étaient encore des jeunes enfants.

— Avez-vous pensé laisser des biscuits et un verre de lait pour le père Noël ?

— Voyons, mon oncle, on est plus des bébés ! répondit Bruno du haut de ses 10 ans.

— Tu vas être déçu, si t'as pas écrit au Pôle Nord. T'auras sûrement pas de cadeaux! À moins que ta sœur ait parlé de toi dans la lettre qu'elle m'a demandé de poster pour elle la semaine dernière?

— Menteur, c'est pas vrai! répliqua l'adolescente sans réfléchir.

Les oreilles de sa mère frisèrent instantanément quand elle entendit la jeune fille répondre à son oncle aussi effrontément.

— Noémie, tu vas t'excuser tout de suite, fit Évelyne en la prenant par le bras d'un geste brusque.

— Laisse faire, Évelyne, c'était pas méchant! C'est moi qui les taquine, lança l'oncle, amusé.

— Faut quand même rester poli! On peut s'amuser, mais le respect doit toujours avoir sa place. C'est comme ça que maman nous a élevés et je veux faire la même chose avec les miens.

Patrick enlaça sa nièce délicatement et il l'embrassa sur la joue. En retour, celle-ci lui fit une caresse et elle s'excusa.

Par la suite, Xavier, le père de l'adolescente, décida de redonner de la vigueur à la soirée et il conta une histoire aux invités.

— Avez-vous remarqué que j'ai parlé avec monsieur le curé avant la messe?

— Oui, répondit l'un des convives. Il jasait avec tout le monde sur le perron de l'église.

— Savez-vous ce qu'il m'a raconté?

— Non, mais j'imagine que tu vas nous le dire, anticipa Dominique, qui aimait bien l'humour de son beau-frère et sa façon de mettre les gens à l'aise.

— Il m'a expliqué que pendant la pratique de la chorale, il trouvait que les chanteurs sonnaient faux. Question d'en avoir le cœur net, il a demandé à chaque personne de faire un solo. Vous le saviez peut-être pas, mais votre oncle Patrick faisait partie de cette chorale-là et quand son tour est arrivé, il s'est mis à chanter: «Léon! Léon!» Patrick, arrête tout de suite! l'a imploré monsieur le curé. Tu tiens ton livre de chant à l'envers. Les paroles, c'est: «Noël, Noël!»

Il n'en fallait pas plus pour que l'impolitesse de Noémie soit oubliée et que les invités éclatent de rire!

Doris avait assisté à la messe de 17 heures. Elle avait ainsi pu demeurer chez sa fille et se reposer afin de pouvoir réveillonner avec tout le monde.

Les membres de la famille avaient déballé les cadeaux en prenant le temps de regarder ce que chacun recevait. Ils y allaient tous de commentaires souvent humoristiques et les rires fusaient à profusion.

Il était près d'une heure du matin quand le buffet avait été servi, un repas qui était plutôt élaboré. Évelyne avait toujours peur de manquer de nourriture et elle avait prévu apporter les restants chez sa mère le lendemain, où des invités seraient sûrement heureux de les grignoter.

Dominique et Patrick étaient partis les premiers, car ils voulaient retourner chez eux, à Lorraine.

— Vous pourriez coucher ici, avait offert Doris, inquiète qu'ils prennent la route à une heure aussi tardive.

— On va mieux dormir à la maison. Et de toute façon, j'ai rien pour me changer.

— C'est certain que Dominique portera pas le même linge deux jours de suite, avait nargué Évelyne.

— Tout comme toi, ma petite sœur! C'est notre maman, plutôt orgueilleuse, qui nous a inculqué la coquetterie et c'est bien correct comme ça!

— En tout cas, appelez-nous quand vous serez arrivés, sinon je ne pourrai pas m'endormir! avait lancé le jeune Bruno en imitant sa grand-mère.

Tout le monde s'était mis à rire et avait continué à festoyer après leur départ.

Dominique s'était amusée lors de la réunion de famille, mais moins qu'à l'habitude. Elle pensait à son oncle, qui était seul à la résidence la veille de Noël. Elle avait déjà hâte au lendemain matin, car elle irait le chercher pour l'emmener dîner chez sa mère.

Si elle avait su que, chaque année, il écoutait religieusement un concert de Noël diffusé à une chaîne de télévision américaine, elle aurait été plus rassurée. Elle ne connaissait pas encore suffisamment les habitudes de vie et les goûts de son protégé.

━━━

Le matin de Noël, Monique alla chercher son père vers 10 heures et elle le trouva assis dans le salon avec ses bottes dans les pieds et son manteau sur le dos.

— Est-ce que ça fait longtemps que t'es prêt, papa? Je suis venue plus tôt en me disant que tu aurais besoin d'aide pour te préparer.

— Je voulais pas te faire attendre. On y va?

Dès qu'il s'assit dans la voiture, Hector demanda à sa fille de passer devant sa maison. Il y avait pensé en se levant.

— On est bien mieux de prendre la 117, s'opposa Monique. Ça risque d'être glissant sur le chemin de la Rivière ce matin.

— C'est bien entretenu. J'ai resté là toute ma vie! riposta le vieil homme.

Monique ne répliqua pas, espérant qu'il oublie son idée cette fois-ci. Quand elle serait à l'intersection du chemin du Lac-à-la-Truite et de la route 117, elle mettrait son clignotant à droite. Elle pourrait toujours prétexter que le projet de son père lui était sorti de la tête.

Avant qu'elle n'arrive à la jonction, Hector lui rappela son intention.

— T'oublieras pas, je veux passer devant ma maison.

Elle n'eut d'autre choix que d'obtempérer à sa demande.

Monique souhaita de tout son cœur qu'il n'y ait pas de voiture dans l'entrée, mais c'était sans compter que les jeunes locataires s'étaient couchés tard.

— Il y a quelqu'un chez nous! se surprit Hector.

— Oui, c'est un homme qui fait des travaux dans la salle de bain. La toilette coule.

— Tu m'avais dit que l'eau était fermée! répondit sèchement le vieil homme.

— Non, je l'avais oubliée, se défendit Monique, qui se voyait acculée au pied du mur. Elle avait sous-estimé les capacités mentales de son père.

Hector trouvait que les réponses de sa fille étaient louches. Il connaissait peu de plombiers qui acceptait de travailler le jour de Noël. Il insista pour que Monique arrête à la maison, mais elle finit par lui avouer que c'était impossible.

— Papa, je t'ai menti. J'ai été obligée de louer la maison pour payer les comptes d'électricité et les taxes qui vont arriver bientôt.

— Vire de bord et ramène-moi au foyer! lui intima-t-il.

— Voyons, fais pas l'enfant, on s'en va dîner avec ta sœur Doris. Tu vas pas gâcher une belle journée comme ça!

— Vire, sinon je me jette en bas du *char*! répéta le vieil homme, fâché. Je peux mourir asteure que je suis dehors!

— Prends pas ça de même, papa. C'est encore ta maison et je dépose le loyer dans ton compte.

— Je t'ai jamais… mais il ne put terminer sa phrase.

Monique dut se plier l'ordre de son père et elle alla le reconduire à la résidence. Quand il arriva sur les lieux, elle se préparait à descendre quand il lui balança durement:

— Va-t'en, je veux plus te voir!

Hector entra à la pension et il se dirigea vers sa chambre, où il enleva son manteau et ses bottes et s'étendit sur son lit. Il se mit à pleurer pendant de longues minutes. Il s'endormit en tenant l'oreiller humide de Rita contre sa joue. Il lui avait demandé de le lui prêter avant qu'elle parte.

— Je vais moins m'ennuyer avec ça! avait-il cherché à se consoler.

Doris se faisait une joie d'avoir ses deux frères à sa table pour le dîner de Noël. Elle n'avait pas invité Monique durant la semaine, mais en appelant Hector tôt ce matin, il l'avait informée que sa fille viendrait le chercher pour aller chez elle.

L'hôtesse ne s'en faisait pas pour autant. Recevoir deux invités de plus n'était pas un problème, surtout un jour de fête où autant de nourriture avait été préparée.

Dominique arriva en tenant Raoul par le bras. C'était sa

première sortie officielle depuis qu'il avait été hospitalisé et qu'il avait emménagé dans sa nouvelle demeure.

— Je suis contente de te voir chez moi! s'exclama Doris. Joyeux Noël, mon grand frère!

— Joyeux Noël à toi! répondit ce dernier en l'embrassant sur les deux joues. Il était très attaché à celle-ci, qui ressemblait tant à sa mère, partie trop jeune.

Tout le monde se bécota et déposa les manteaux sur le lit de la chambre d'amis. C'était une coutume québécoise qu'il faisait bon de perpétuer.

— Vous êtes tous là! se réjouit Évelyne, occupée à piler les pommes de terre. On pourrait peut-être penser à servir l'apéro. Je commence à avoir soif ici, dans le fond de la cuisine!

— Il manque Hector, remarqua Doris. Je lui ai téléphoné tôt ce matin pour lui souhaiter Joyeux Noël et il m'a mentionné qu'il viendrait dîner avec Monique.

— Es-tu bien certaine qu'il disait vrai? Depuis un bout de temps, il en perd des bouts, rapporta Évelyne, qui en avait eu des nouvelles de la part de sa cousine en allant à la pharmacie durant la semaine.

— C'est mon frère, je le connais assez bien pour savoir quand il est mélangé et quand il l'est pas! Je pense des fois que c'est l'ennui qui le fait oublier. Depuis que je l'ai vu dans son petit coqueron[71], je prie pour lui tous les soirs!

— On a pas le droit de parler de choses tristes le jour de Noël, précisa Dominique, qui ne voulait pas que cette journée de festivités soit gâchée par la situation que vivait l'oncle Hector. Il fallait songer également à Raoul, qui venait d'emménager lui aussi dans une maison de retraite.

---

71 Coqueron : placard, endroit mal famé.

— Ma femme a raison, seconda Patrick. De toute façon, ma femme a toujours raison! ajouta-t-il en riant.

Et la discussion tourna en rigolade. Les filles taquinaient les garçons et vice-versa.

Il était maintenant midi et demi et Hector n'était pas encore arrivé. Doris décida d'appeler à la résidence pour s'informer.

— Bonjour, madame Bisaillon. Je vais commencer par vous souhaiter un très joyeux Noël. C'est Doris, la sœur d'Hector Moreau. Il devait venir dîner chez moi et je voulais savoir si Monique était allée le chercher. J'ai appelé dans sa chambre et ça répond pas.

— Il est là, mais il est couché. Sa fille est passée le chercher ce matin, mais il est revenu à peine une demi-heure plus tard et depuis, il refuse de sortir. Je vous avoue que je suis un peu inquiète qu'il soit si triste le jour de Noël.

Doris insista pour qu'elle lui dise qu'elle souhaitait absolument lui parler, mais Hector fut impoli avec Élizabeth en lui criant des insultes. Ne voulant pas inquiéter la vieille dame outre mesure, la propriétaire lui mentit en prétextant qu'il dormait paisiblement.

— Merci à vous et je m'excuse du dérangement, articula Doris. Prenez-en bien soin et j'irai le voir cet après-midi.

— Inquiétez-vous pas, je vais m'en occuper. Je vais aller lui porter une assiette dans sa chambre dès qu'il sera réveillé. Bon dîner et profitez bien d'être avec les vôtres, l'assura la jeune femme qui aurait bien aimé, en cette journée spéciale, être entourée d'une famille unie.

Cette nouvelle éteignit l'ardeur de l'hôtesse. Elle n'avait plus le cœur à la fête. Quand elle raconta aux membres de sa famille ce qu'elle avait appris, avec une voix entrecoupée de sanglots, Patrick prit la parole.

— Pendant que tout le monde va s'installer à table pour commencer à manger, vous et moi, on va aller voir mon oncle Hector. Gréez-vous, la belle-mère, on va sortir ensemble! De toute façon, vous pourriez pas dîner avec le cœur gros de même.

Dominique se leva pour aller embrasser son mari qu'elle adorait. Il venait de poser là un geste qui valait de l'or.

Les larmes de tristesse de Doris se transformèrent en larmes de joie. Elle pourrait consoler son frère s'il en avait besoin et quand elle reviendrait, elle serait rassurée. Elle était la plus jeune de la famille, mais elle se sentait responsable de ses deux grands frères, sans toutefois avoir la capacité de réellement s'en occuper.

Elle avait au moins des enfants qui avaient un grand cœur! Ils faisaient honneur aux valeurs qu'elle leur avait inculquées.

Hector raconterait-il à sa sœur les raisons de son amertume?

CHAPITRE 26

Le choc du retour

(Décembre 2007)

Jean-Guy avait téléphoné à son père la veille de Noël et il lui avait promis qu'il irait le voir au jour de l'An. Comme d'habitude, Hector lui avait répondu de ne pas s'inquiéter, qu'il n'avait besoin de personne.

Cette attitude n'avait pas rassuré son fils, qui avait rappelé le lendemain. Comme il n'avait pas obtenu de réponse dans la chambre de son père, il avait joint Élizabeth, qui lui avait expliqué que Monique était venue le chercher vers 10 heures et qu'elle l'avait ramené à peine 30 minutes plus tard en précisant qu'il ne se sentait pas assez bien pour assister au repas de famille. Elle avait avoué à celui-ci que le vieil homme pleurait beaucoup et qu'il avait refusé de parler à sa sœur. Jean-Guy avait cru bon de prendre la route afin de s'enquérir en personne de l'état de son père.

— C'est plus fort que moi, Mariette. Je sais que je te laisse à un bien mauvais moment, mais tu as tes enfants et je suis convaincu qu'ils vont comprendre la situation. J'ai de la difficulté à accepter que papa soit si triste aujourd'hui.

— Tu es tout excusé, mon bel amour! Je ferais pareil s'il était question de mes parents, avait compati son amie.

Prends le temps qu'il faut, mais sois prudent. Si j'avais pu t'accompagner, ça m'aurait rassurée. Apporte-lui donc son cadeau tant qu'à faire!

Jean-Guy était parti en toute hâte et il s'était rendu directement à la résidence. En considérant les routes glacées, le trajet lui avait pris tout près de deux heures. Par hasard, il arriva en même temps que Doris et Patrick.

— Allo, Jean-Guy, salua Doris. Comme je suis contente de te voir, il me semble que ça fait une éternité!

— Je sais, ma tante, mais la vie passe si vite! J'ai téléphoné à papa hier et ce matin et il semble pas bien aller. C'est pour ça que je suis descendu de Labelle.

— Ta femme est pas avec toi?

— Non, on recevait ses enfants ce midi, mais j'étais trop inquiet pour rester chez nous. Ma sœur me décrit comme un sans-cœur, mais j'essaie de faire de mon mieux et j'appelle mon père le plus souvent possible.

— Personne peut juger de la bonté des autres, philosopha Patrick, qui ne parlait pas souvent, mais qui formulait des phrases dignes d'un grand sage.

— Il faudrait que tu ailles dire ça à Monique, qui me talonne tout le temps et qui veut même pas discuter avec moi quand il est question de notre père, rétorqua Jean-Guy.

— Heureusement que vous êtes juste deux, sinon ce serait l'enfer! En tout cas, j'espère que mes enfants se chicaneront pas pour moi quand je vais être vieille, ou plutôt quand je serai trop vieille pour m'occuper toute seule de mes affaires, s'inquiéta Doris.

— On devrait rentrer maintenant. J'ai hâte de voir comment papa se porte.

— On peut te laisser y aller en premier et attendre au salon, mentionna Patrick par souci de discrétion.

— Non, venez avec moi. Il sera content que vous soyez là.

Patrick resta en retrait, tandis que Doris et Jean-Guy avançaient d'un pas pressé vers la chambre d'Hector. Ils entrèrent sans frapper à la porte, souhaitant découvrir l'état réel dans lequel se trouvait le pauvre homme. Ce dernier était assis dans son vieux fauteuil, avec un album de photos sur les genoux, et semblait figé comme une statue de sel.

— Joyeux Noël, papa! souhaita Jean-Guy en entrant doucement dans la pièce.

— Joyeux Noël, lui dirent ensuite en chœur Doris et Patrick.

Hector sourit gentiment en tournant la tête pour voir ses visiteurs, mais des larmes glissaient lentement sur son visage bouffi par l'amertume.

— Papa, c'est Noël aujourd'hui, c'est pas permis de pleurer! le gronda gentiment son fils avec la voix brisée par l'émotion.

— Tout le monde t'attend chez nous pour dîner, ajouta Doris. J'ai dit à Raoul que je venais te chercher pour qu'on soit réunis encore une fois tous les trois.

— C'est plus pareil! se plaignit Hector.

— Qu'est-ce qui s'est passé ce matin? Tu t'étais préparé pour aller au repas chez ma tante Doris, avec Monique, puis vous êtes revenus peu de temps après.

Hector s'était muré dans un silence que ses invités ne parvinrent pas à percer, malgré de multiples tentatives.

Jean-Guy demanda alors à sa tante et à Patrick de le suivre au salon.

— Merci d'être venus, leur dit-il, mais allez maintenant retrouver votre famille et inquiétez-vous pas pour papa. Je sais pas ce qui est arrivé, mais je vais parler avec Monique un peu plus tard. Je vais rester avec lui toute la journée et je repartirai quand il se sera endormi à soir. Ce sera notre Noël père et fils.

Doris pleurait en réalisant qu'autant de tristesse habitait le cœur de son frère et Patrick la tenait chaleureusement contre lui pour la consoler.

— Belle-maman, si vous le voulez bien, on va s'en retourner à la maison et je vais demander aux femmes de préparer un lunch du temps des Fêtes pour mon oncle Hector et pour Jean-Guy. Je viendrai le leur porter. Qu'est-ce que vous en dites?

— T'as encore une fois raison, mon beau Patrick!

Doris avait accepté la proposition de son gendre en songeant au fait qu'elle avait des enfants et des petits-enfants pour qui c'était un jour de réjouissances et qu'à tout le moins, elle ne laissait pas Hector seul. Elle ne raconterait pas à Raoul combien son frère était triste, il n'avait pas besoin de vivre un moment si douloureux. Il avait bien assez de sa propre solitude.

❦

Monique était retournée chez elle le cœur en charpie. Elle s'interrogeait encore à savoir si elle n'aurait pas dû laisser la maison vide tant que son père était vivant. Elle se disait par contre que cette désertion n'aurait fait qu'empirer les choses. Une résidence inhabitée se détériorait plus rapidement et elle pouvait aussi être la cible des voleurs.

Elle ne pouvait pas appeler son amie Suzanne, qui était invitée chez sa sœur, et elle était convaincue que Robert n'abandonnerait jamais sa mère à Noël.

Comme l'an dernier, elle s'assoirait dans le salon avec une bouteille de vin et elle boirait jusqu'à ce qu'elle s'endorme. Elle aurait voulu se réveiller quand le temps des Fêtes serait terminé!

À cette période de l'année, à La Villa des Pommiers, plusieurs résidents s'absentaient pour une durée plus ou moins longue. Dès le 2 janvier, ils rentraient tour à tour au bercail et la routine reprenait son cours. Après toute cette agitation, la sécurité et le calme étaient indispensables.

Un comité s'occupait des divertissements pour les résidents et aucune occasion n'était oubliée. Pour clore le temps des Fêtes, cette année, un dîner des Rois était organisé auquel on accordait beaucoup d'importance.

Dans les derniers jours de décembre, comme à toutes les fins de mois, les pensionnaires avaient reçu une feuille de couleur imprimée recto verso. Tous les anniversaires à venir au cours du prochain mois et toutes les activités prévues y étaient inscrits. Dominique avait donc constaté qu'un repas spécial aurait lieu le dimanche 6 janvier et il était mentionné que les membres de la famille des résidents pouvaient y participer en déboursant une somme de 15 dollars par personne.

Elle avait tout de suite planifié d'inviter sa mère à ce repas, ainsi que son oncle Hector. Elle souhaitait ainsi mettre un peu de chaleur dans le cœur des trois aînés.

La famille avait finalement appris la raison pour laquelle Hector avait fait demi-tour le jour de Noël, car Dominique avait téléphoné à sa cousine pour avoir sa version des faits.

Monique avait joué sur les mots au début pour avouer par la suite que c'était le fait de savoir sa maison louée à des étrangers qui avait fâché son père.

La veille, Dominique avait donc choisi d'aller voir son oncle Hector directement pour l'inviter à ce repas en compagnie de son frère et de sa sœur. Il avait refusé immédiatement.

— Je suis mieux quand je reste dans ma chambre.

— Madame Bisaillon m'a dit que vous aviez très peu mangé ce midi. Vous allez perdre des forces si vous continuez comme ça.

— J'ai pas faim, c'est pas de ma faute! s'était défendu l'aîné.

On avait frappé à la porte et Dominique avait pensé que c'était Élizabeth qui apportait une collation à son pensionnaire. Elle avait ouvert et Hector s'était écrié :

— Rita, t'es revenue!

L'aîné s'était levé rapidement pour aller donner un baiser à son amie, sans aucune gêne. Dominique avait trouvé très touchant de le voir à nouveau si heureux.

— Madame Blanchard, je suppose. Moi, je suis Dominique, la nièce de monsieur Moreau. Enchantée de faire votre connaissance. J'ai beaucoup entendu parler de vous.

— Très contente également, avait souri Rita. Et toi, comment vas-tu, mon cher Hector? T'es chanceux comme tout d'avoir de la belle visite comme ça en pleine semaine! Une belle dame, à part de ça!

— Oui et intelligente! Machine, avait-il dit, ne se souvenant pas du prénom de Patrick, son mari aussi c'est un bon diable.

Hector parlait rapidement et il tremblait tant il était nerveux.

— J'étais venue pour inviter mon oncle à un party à la résidence de son frère Raoul. Vous auriez peut-être le goût de vous joindre à nous?

Hector avait souri en songeant qu'il sortirait peut-être avec Rita.

— Je vous dis pas non. J'arrive tout juste d'Abitibi et mes valises sont pas encore vidées. Je vais en parler avec Hector et on vous donnera une réponse demain.

— Vous allez m'excuser, avait expliqué Dominique, qui souhaitait laisser les deux aînés ensemble, mais il me reste des courses à faire avant de retourner à la maison.

Hector s'était levé pour aller embrasser sa nièce qu'il aimait bien. On aurait pu croire qu'il avait soudainement repris goût à la vie et c'était une bonne amie qui en était la responsable.

— Quand t'auras une chance, tu reviendras! avait-il invité Dominique avec sincérité.

Le même jour, en fin d'après-midi, Dominique s'était arrêtée à la pharmacie pour prévenir sa cousine qu'elle avait invité son père pour une activité qui aurait lieu le lendemain. Elle ne la voyait nulle part dans le magasin et elle avait décidé de s'informer auprès de la préposée aux caisses.

— Est-ce que Monique Moreau travaille aujourd'hui? J'aurais aimé lui parler quelques minutes.

— Monique a dû partir de toute urgence, il y a environ

15 minutes, lui avait répondu l'employée. Son père a été transporté à l'hôpital en ambulance.

— Ben voyons donc? J'étais avec lui, il y a tout juste une heure! Je me demande ce qui a bien pu se passer.

Dominique s'était rendue à l'établissement hospitalier, où elle avait rencontré sa cousine.

— Je suis allée à ton travail pour te voir et on m'a dit que t'étais ici. Qu'est-ce qui est arrivé?

— On sait pas exactement. Il a perdu connaissance tout simplement. Sa voisine de chambre pensait qu'il était mort. Madame Bisaillon a composé le 911 immédiatement et il est revenu à lui quand ils lui ont passé une débarbouillette d'eau froide sur sa figure et dans son cou.

— C'est incroyable! j'étais avec lui en milieu d'après-midi et il est venu m'embrasser avant que je parte. Il était un peu énervé à cause du retour de madame Rita, mais je le trouvais vraiment en forme.

— J'ai croisé les ambulanciers en arrivant ici et ils m'ont dit que c'était probablement un malaise vaginal, avait mentionné Monique avec le plus grand sérieux. Je comprends pas ce qu'ils ont voulu dire exactement.

— Ils parlaient sûrement d'un malaise vagal, avait repris sa cousine, qui ne souhaitait pas qu'elle répète son erreur à qui que ce soit. Il faut pas se cacher qu'il a passé par toutes les émotions depuis les dernières semaines et il a très peu mangé selon sa logeuse. J'ai même remarqué que ses mains tremblaient cet après-midi. C'était probablement un symptôme. Il a donc dû avoir une chute de pression ou bien son cœur a eu une défaillance quelconque.

Monique pestait à entendre Dominique lui parler comme si elle connaissait tout.

— De toute façon, c'est pas nous autres qui allons le

soigner, avait fermement rétorqué Monique. Tu vas m'excuser, mais je dois retourner à son chevet. Ils ont dit qu'il devait se reposer, tu peux donc pas venir le voir, avait-elle ajouté pour s'assurer que sa cousine quitterait l'hôpital.

— Tu nous donneras des nouvelles, avait prié Dominique avant de partir.

Elle savait fort bien que Monique ne l'appellerait pas, mais elle demanderait à Évelyne de s'informer et savait bien que celle-ci ne se gênerait pas pour y aller directement.

Chacune avait ses forces et les employait à bon escient.

En retournant chez elle, Dominique se disait que son oncle avait été trop ému quand il avait vu arriver sa belle Rita. Elle avait été témoin de sa réaction et songeait que le cœur du vieil homme avait sûrement ressenti une trop grande joie.

Avec l'incident impliquant Hector, Élizabeth craignait de perdre un autre chambreur. Un bail d'un an était bien signé, mais s'il décédait, elle ne pourrait recevoir que trois mois de loyer en compensation.

Quand elle descendit dans son logement, elle était très inquiète et voulait aller siroter un café avec son mari pour se calmer.

En entrant dans l'appartement, elle remarqua que Charles fouillait dans le bas de l'armoire de cuisine.

— Qu'est-ce que tu fais? demanda-t-elle, surprise de le voir là.

— L'évier coulait un peu en dessous et j'ai pris mes

pinces pour le serrer. Il faut surveiller ça de temps en temps, se justifia le mari.

— Tu l'avais pas déjà remplacé, ce tuyau-là? s'informa Élizabeth d'un air méfiant.

— T'écoutes rien quand on te parle! Oui je l'ai changé, mais je viens de te dire qu'il coulait encore et que j'ai encore été obligé de le réparer.

— Mais sont où tes outils? J'en vois pas autour de toi!

— J'ai eu le temps d'aller les porter dans mon coffre, improvisa l'homme sur un ton d'impatience, voire de nervosité.

— Charles, tu mens comme tu respires! Ce que tu cherches en dessous de l'armoire, je l'ai jeté dans la toilette pas plus tard que ce matin pendant que tu cuvais ton vin.

— Ah ben, ma tabarnak de folle! lâcha le mari en s'avançant vers elle, menaçant, et en lui saisissant brutalement les deux bras.

— Lâche-moi tout de suite! cria la victime en effectuant un mouvement prompt pour se défaire de son emprise. Touche-moi juste une autre fois et tu vas aller coucher en dedans! Je te le jure sur la tête de ma pauvre mère, qui s'est laissé faire toute sa vie!

— Sais-tu combien ça va me coûter pour payer ce stock-là? As-tu pensé qu'en faisant ça, tu viens de nous mettre dans la marde?

— Oublie le «nous», parce que je marche pas dans tes combines. J'ai aucune idée de la valeur de ta marchandise et je veux pas le savoir. Je m'étais aperçue que t'avais beaucoup de visite depuis une secousse et je t'ai surveillé. Tu m'avais juré que tu consommais plus.

— C'est pas un petit joint de temps en temps qui va me

déranger. Il y a eu un temps où t'haïssais pas ça toi non plus.

— En tout cas, peu importe. Tu diras à tes clients de se trouver un autre fournisseur de *pot* parce que moi, j'endurerai pas ça dans ma maison. Si ça se savait, je pourrais perdre mon permis pour la résidence. S'il le faut, je vais te dénoncer à la police! menaça Élizabeth

— T'es rien qu'une maudite vache! continua de s'insurger Charles. Je suis pas mieux que mort si je paie pas la semaine prochaine. Si t'appelles la police, je vais leur raconter que tu en vendais toi aussi!

— Tu m'énerves pas! J'ai jamais eu de dossier criminel et j'ai jamais été obligée de faire une demande de pardon pour pouvoir faire du camionnage aux États-Unis, moi!

— Arrête de brasser des vieilles affaires! se défendit l'homme. Avance-moi au moins l'argent pour rembourser ce que je dois et ensuite, on partira à zéro.

— Je travaillerai jamais pour régler des dettes de drogue! prévint Élizabeth. Arrange-toi avec tes troubles! Trouve-toi une *job* et va gagner ta vie. De toute façon, avec le peu d'ouvrage que tu fais ici, je suis capable de me débrouiller sans toi!

C'était une journée difficile pour la propriétaire, mais elle était décidée à ne pas se laisser manipuler par son conjoint. Quand elle l'avait connu, il lui avait avoué avoir eu des problèmes de dépendance à la drogue, mais il avait fait une cure de désintoxication et s'en était sorti. Il avait participé à des réunions avec un groupe d'entraide, mais son métier de camionneur l'empêchait d'être assidu à ces rencontres et il avait finalement cessé d'y aller.

Depuis que Charles avait arrêté de travailler pour s'impliquer dans la résidence, il était devenu paresseux et s'était mis à fréquenter ses anciens amis. Ceux-ci lui avaient fait de belles offres et il avait vu là une possibilité de toucher un petit revenu d'appoint tout en se payant à l'occasion un peu d'euphorie.

Il devrait trouver une solution rapidement.

———

Habituellement, Raoul n'aimait pas les dimanches après-midi, qu'il trouvait toujours interminables, mais cette fois-ci, il était l'homme le plus heureux de la Terre. Il avait la chance de célébrer les Rois en compagnie de sa nièce Dominique et de sa sœur Doris dans son nouveau milieu de vie. Maintenant qu'il était rassuré sur l'état de santé de son frère, qui était maintenant rentré chez lui, il pouvait profiter du moment présent.

Alors que les pensionnaires avaient habituellement une place attitrée à la salle à manger, aujourd'hui, c'était la fête et c'était premier arrivé et premier servi.

Raoul avait encore une fois choisi une table le long de la fenêtre, mais loin des musiciens. Avec son appareil auditif, il évitait les haut-parleurs et les gens qui parlaient trop fort. Le repas était composé de différentes salades : César, au macaroni et la fameuse salade d'amour, composée d'épinards, de riz, de fèves germées et de noix de cajou. De beaux sandwichs étaient également proposés dans des pains kaiser, ainsi que des brochettes de cubes de fromage et de tomates miniatures, des légumes avec trempette, différentes viandes froides et une grande section de desserts variés, allant de la tarte au sucre jusqu'à l'immense gâteau au chocolat.

— Vous comprendrez, avait expliqué la directrice, que nous ne servirons pas d'aliments contenant une fève pour élire un roi ou une reine. Nous tenons beaucoup trop à nos résidents pour risquer que l'un d'entre vous s'étouffe avec un misérable petit pois! Nous avons donc collé l'image d'un roi en dessous d'une assiette à dessert. Alors quand vous aurez terminé de manger, regardez sous votre couvert pour savoir si vous êtes le roi ou la reine de la journée.

Une vieille dame avait crié: «C'est moi!» quand elle avait réalisé qu'elle était la gagnante. Elle avait été coiffée d'une couronne de couleur or fabriquée à partir d'un carton ondulé sur lequel des brillants avaient été apposés.

Tout le monde l'avait félicitée. Les résidents adoraient ces activités qui les changeaient de leur routine.

— J'aimerais que l'on profite de l'occasion pour souhaiter la bienvenue à monsieur Raoul Moreau, qui a emménagé tout juste avant Noël, mais qui n'était pas là pour les festivités précédentes. Nous espérons, monsieur Moreau, que vous serez heureux parmi nous! avait indiqué la directrice.

Toujours très poli, Raoul s'était levé pour aller serrer la main à la responsable du centre, pendant que les autres locataires l'applaudissaient chaleureusement.

Doris se réjouissait de voir sourire son frère. Elle savait que Dominique était à la base de tous ces changements heureux chez lui. Il y aurait sûrement des moments où il s'ennuierait à nouveau, mais il en vivait aussi quand il demeurait seul dans sa maison.

La santé du vieil homme était plus stable, mais il aurait à subir un électrocardiogramme dans quelques semaines. Pour ce qui était des prises de sang, une infirmière à la résidence s'en occuperait à présent.

La fin de l'année 2007 avait été très mouvementée, mais il semblait que tout voulait rentrer dans l'ordre, du moins pour l'instant. Raoul avait beaucoup réfléchi depuis qu'il avait emménagé dans sa nouvelle demeure et il était maintenant prêt à se départir de sa maison.

Dès que le printemps arriverait, il demanderait à Dominique de liquider tous ses biens meubles. Il ne savait pas comment elle organiserait la vente, mais il lui faisait totalement confiance.

Il devait se délester de ce fardeau et déjà, il se sentait plus léger depuis qu'il avait pris cette décision !

CHAPITRE 27

La méfiance

(Janvier 2008)

Le temps des Fêtes avait été plus calme pour Hugo, qui l'avait passé avec ses vieux amis de Lachute. Il avait festoyé à la hauteur de ses moyens et il avait eu la chance d'être invité par les familles de ceux-ci, qui avaient été plutôt généreuses avec lui.

Il n'avait pas eu de contact avec Raoul depuis déjà un bon moment. Il ne voulait pas qu'on le soupçonne de quoi que ce soit. Il prendrait le temps de bien jouer ses cartes.

La dernière fois qu'il avait téléphoné à l'hôpital, on l'avait informé que le patient Moreau avait obtenu son congé. Il avait tenté de le joindre chez lui, mais n'avait pas obtenu de réponse. Était-il possible que Dominique l'ait emmené chez elle pour une période de convalescence? Ou encore la tante Doris, puisque c'était le temps des Fêtes? Il n'aurait pas été bien vu qu'il appelle chez la vieille dame.

Hugo essayait donc souvent d'appeler chez Raoul, se disant qu'il reviendrait sûrement à la maison après le jour de l'An. Un après-midi, alors qu'il s'apprêtait à raccrocher le combiné, une femme répondit au téléphone.

— Allo!

— Je suis bien chez monsieur Raoul Moreau? s'enquit-il.

— Oui, mais il est pas dans sa chambre présentement. Il est parti à la pause-café et moi, j'en profite pour laver son plancher.

— Vous êtes qui, vous? répliqua-t-il sur un ton autoritaire que la jeune fille n'apprécia pas.

Il voulait savoir si on avait embauché quelqu'un pour s'occuper de son oncle et surtout de qui il s'agissait.

— Vous êtes à La Villa des Pommiers, monsieur. Où est-ce que vous pensiez appeler? demanda-t-elle tout à coup, furieuse d'avoir peut-être trop parlé.

Hugo mit fin à la conversation. Il ne s'était pas nommé, de toute façon.

Ainsi, la belle Dominique avait placé son oncle Raoul dans une résidence. Il fallait absolument qu'il garde contact avec lui s'il ne voulait pas se faire couper l'herbe sous le pied.

Dès la deuxième semaine de janvier, Hugo se rendit à La Villa et il fut surpris de ne pas être en mesure d'y entrer comme il le souhaitait. Il lui fallait un code d'accès. Il regarda sur le tableau et il essaya un numéro au hasard, mais personne ne répondit.

Un visiteur arriva un peu plus tard et il composa un numéro sur le tableau. Hugo le nota mentalement et composa ensuite le même, qu'il réussit du premier coup et qui lui permit de déverrouiller la porte. Il savait maintenant comment entrer dans la place. Il ne lui restait qu'à trouver où demeurait Raoul exactement.

Hugo se promena lentement dans la résidence en saluant quelques personnes au passage et il s'informa à une préposée.

— Bonjour, madame. Est-ce que mon oncle, Raoul

Moreau, a changé de chambre? Il m'avait dit qu'il restait au 115, mais c'est une femme qui est là. À moins qu'il se soit trompé de numéro? C'est assez nouveau pour lui ici.

Hugo était un fin manipulateur et il savait à qui il pouvait poser de telles questions et comment il devait le faire.

L'employée trouva la requête bizarre, mais elle ne voulait pas priver un résident d'un visiteur qu'il souhaitait peut-être recevoir. De plus, le garçon tenait un sac de Noël qui était sûrement destiné à celui-ci.

— Suivez-moi, je vais vous conduire à sa chambre, répondit-elle.

— Vous êtes bien gentille! rétorqua le vilain en usant de son regard charmeur. Si j'avais su, je vous aurais également apporté un petit cadeau!

La jeune fille sourit et se dit qu'elle avait finalement bien agi. Les responsables de la résidence leur répétaient constamment d'être sur leurs gardes, si bien que les employés en venaient à douter d'un peu tout le monde.

Hugo trouvait qu'il s'en tirait plutôt bien. Il aurait de nouveau accès au vieil homme. Rendue à l'étage, la préposée se dirigea vers la chambre de Raoul et elle frappa à la porte avant d'entrer.

— Je vous emmène de la visite, monsieur Raoul, indiqua-t-elle, en pénétrant dans la pièce afin de noter la réaction du résident.

— Hugo, qu'est-ce que tu fais ici? demanda le vieil homme froidement.

— Je vous apporte un cadeau de Noël et je voulais voir où vous étiez déménagé. Je me préoccupais de votre santé et personne m'a appelé pour me donner des nouvelles.

— Ça va assez bien, répliqua Raoul sur le même ton sec. J'ai eu une mauvaise période, mais c'est déjà du passé.

Constatant que les deux personnes se connaissaient, la préposée se retira en douceur, mais elle garda en tête la description du jeune homme. Cette minutie faisait partie de son travail.

Hugo remarqua que la pièce était meublée avec le vieux mobilier de Raoul, mais il avait en plus un petit réfrigérateur et un joli couvre-lit. La chambre était décorée avec goût.

— Comment vous aimez ça ici? C'est assez différent d'une grande maison. Vous devez vous sentir à l'étroit?

— J'étais plus capable de rester tout seul, coupa Raoul sèchement.

— J'aurais pu déménager avec vous, ajouta Hugo. Qu'est-ce qui va se passer avec votre maison cet hiver? Vous avez pas peur que l'eau gèle et cause plein de dégâts?

— Non! Le mari de Dominique l'a fermée et ils ont laissé du chauffage. Il y a pas de danger.

— Moi, à votre place, je serais pas aussi sûr que ça! Je connais un gars… Sa couverture a écrasé une fois et il a eu des dommages de plusieurs milliers de dollars. Si vous le voulez, j'ai pas de bail à Lachute et je suis prêt à venir garder votre maison jusqu'au printemps. Vous auriez la tête tranquille en sachant que j'en prendrais soin. Et si vous avez de petits travaux à faire faire à l'intérieur, comme de la peinture ou du ménage, je pourrais m'en occuper pendant ce temps-là!

Raoul avait demandé à Dominique de veiller à ses intérêts et c'était pour éviter des discussions comme celle-là. Ce n'était pas la première fois qu'Hugo faisait des tentatives de la sorte à son endroit et il ne voulait pas se disputer avec lui, car il craignait les représailles. Il aurait bien aimé que sa nièce soit là aujourd'hui pour le sortir de ce pétrin.

— C'est Dominique et Patrick qui vont prendre soin de ma maison pendant tout l'hiver! répliqua Raoul, las de se faire questionner.

— Ils restent du côté de la ville et ils sont toujours partis en voyage. Moi je pourrais être sur place 24 sur 24, insista Hugo. Vous pourriez aussi sortir quand il ferait beau et venir faire un tour chez vous.

— Quand bien même tu viraillerais autour du pot toute la journée, je changerai pas d'idée. Ma maison est fermée pour l'hiver et c'est parfait comme ça. Patrick fait les mêmes travaux chez lui quand il part en vacances et sa maison vaut beaucoup plus cher que ma petite cabane. Il a jamais eu de problème et m'a dit de pas m'en faire.

— Avez-vous des commissions que vous aimeriez que je vous fasse pendant que je suis au village? À la pharmacie ou à l'épicerie?

Raoul savait que s'il commençait à donner de l'argent à Hugo, ce dernier reviendrait à la charge. Il décida donc de jouer plus sûr.

— Ici, j'ai pas une piastre qui m'adore! C'est maintenant Dominique qui paie partout pour moi. Je lui ai délégué tous les pouvoirs et elle fait bien ça.

— Elle vous laisse même pas une cenne? C'est une belle vie que vous faites là! Je vous ai connu plus autonome que ça! le nargua le jeune homme.

Raoul avait un peu d'argent sur lui pour ses dépenses personnelles, mais il ne souhaitait pas en informer Hugo.

— Oui, j'oubliais, fit Raoul en se levant. J'en ai un peu ici, heureusement que tu m'y as fait penser.

Les yeux d'Hugo se mirent à briller d'envie. Il avait travaillé fort, mais il était parvenu à délier la langue du vieil homme.

Raoul ouvrit le premier tiroir de sa commode et sortit une petite banque qu'il avait reçue en cadeau quand il allait à l'école primaire. Elle était en métal et avait la forme d'une minuscule maison. La peinture était écaillée, mais on pouvait encore discerner les rideaux à carreaux rouges et blancs aux fenêtres et la vieille cheminée. Le toit était muni de pentures qui permettaient d'ouvrir la boîte, qui contenait quelques pièces d'un dollar.

— Regarde mon garçon, j'ai cinq pièces d'une piastre. Ça veut dire que je peux aller à la messe cinq fois. Le prêtre mérite bien qu'on donne à la quête et le temps des 10 cennes est vraiment passé!

Hugo réalisa que Raoul se moquait tout simplement de lui. Il ne devait pas lui montrer qu'il était enragé, mais il essaierait bien de se venger du vieux d'une quelconque manière.

—

Durant cette semaine-là, Dominique et Patrick étaient partis au Bavaro Garden à Punta Cana, en République dominicaine, pour leurs vacances d'hiver. Ils aimaient aller se prélasser au soleil pendant deux semaines afin d'avoir l'énergie nécessaire pour se rendre au printemps.

Évelyne et Doris avaient promis de prendre soin de Raoul durant leur absence. Même Claude s'était proposé pour aller lui faire une visite.

Dominique pouvait donc partir la tête tranquille, mais ce ne fut pas le cas. Elle avait de la difficulté à s'endormir le soir et elle aurait souhaité avoir la chance de parler à son oncle à l'occasion, mais un appel au Québec était tout à fait hors de prix.

— Ils sont trois à s'occuper de lui, je me demande pourquoi tu t'en fais autant! lui reprocha Patrick, déçu de voir sa femme aussi mélancolique.

— C'est moi qui ai accepté cette responsabilité, pas toute ma famille!

— Tu peux quand même pas arrêter de vivre parce que t'es devenue procureure de Raoul Moreau! T'es un peu excessive, ma belle!

— C'est pas de ma faute, je suis faite comme ça. Je m'excuse d'être si intense quand je m'implique dans quelque chose, mais c'est plus fort que moi.

— Sa santé est stable et il semble bien s'acclimater à sa nouvelle place. Veux-tu bien me dire ce qui t'inquiète autant?

— J'ai gagné sa confiance et j'ai peur que les jumeaux aillent le perturber pendant mon absence ou, pire, qu'Hugo décide de revenir dans le portrait.

— Tu t'en fais pour rien. Monique et Jean-Guy en ont assez de s'occuper de leur père. J'en suis certain!

— J'aimerais être aussi optimiste que toi. As-tu vu ce que Monique a fait en si peu de temps avec lui?

— On est à presque cinq heures d'avion de la maison, alors on peut rien faire dans l'immédiat. Je vais faire un marché avec toi: avant d'aller souper à soir, si tu veux, on va téléphoner à ton oncle.

— T'es gentil de me le proposer, mais ça a quasiment pas d'allure!

— Si tu lui parles et qu'il va bien, tu vas passer une meilleure semaine et c'est tout ce qui compte pour moi. Alors, on va aller sur la plage et on va l'appeler au retour. Il faut juste penser au décalage d'une heure.

— Comment ça se fait que j'ai marié un homme aussi formidable?

— Parce que tu es une femme extraordinaire! rétorqua tendrement Patrick, en prenant Dominique dans ses bras.

Celle-ci ferait des efforts pour profiter de ce voyage avec son amoureux, mais elle aurait souvent la tête ailleurs.

Elle était tiraillée entre deux feux. Elle avait maintenant deux personnes dans sa vie et elle voulait leur accorder autant d'attention que chacune le méritait. Elle devait par-dessus tout s'assurer de ne pas nuire à l'équilibre de son couple.

—

Doris reçut un appel téléphonique d'un voisin qui vivait près de la maison de son frère Raoul. Celui-ci surveillait de près la résidence depuis qu'il savait qu'elle était inhabitée.

C'était encore Hugo qui traînait dans les parages et les gens des alentours le craignaient beaucoup. Ils savaient qu'il avait déjà eu des démêlés avec la police et ils avaient peur des représailles s'ils relataient quoi que ce soit.

Doris ne put joindre Claude, qui avait beaucoup de travail après le long congé des Fêtes.

Elle s'en remit donc à Évelyne, qui ne rechignerait sûrement pas à l'épauler.

— Le beau Hugo rôde autour de la maison de Raoul et j'aime pas ça du tout! Ce gars-là pourrait faire du grabuge! Je te dis qu'il a plus d'un tour dans son sac. Quand tu voles ton prochain avant même d'avoir un seul poil de barbe, ça inspire pas confiance, jugea Doris.

— Il faut surtout pas énerver mon oncle Raoul avec ça. Il commence tout juste à prendre du mieux. Je vais appeler la Sûreté du Québec et leur demander de faire une surveillance autour de cette maison-là en spécifiant qu'elle sera inhabitée durant tout l'hiver.

— C'est une excellente idée! De cette manière-là, tout le monde aura la tête tranquille.

— As-tu le goût de venir voir Raoul avec moi cet après-midi?

— Oui, on arrêtera chercher un bon café chez Tim Hortons et on le boira avec lui. Pis je paie les beignes! offrit Doris, qui était fière d'avoir des enfants aussi serviables et généreux de leur temps.

Leur visite fut bien appréciée par Raoul, qui avait beaucoup jonglé depuis qu'Hugo était passé en fin d'avant-midi.

— T'ennuies-tu de ta belle Dominique? lui demanda Doris en arrivant.

— Je te mentirais si je te disais non. C'est une gentille fille et très dynamique, mais aujourd'hui, pour la remplacer, j'ai la chance d'en avoir deux, répondit le vieil homme avec un grand sourire.

— Vous avez la bonne réponse! Si vous aviez répondu autre chose, je vous aurais pas donné de beignes. Maman et moi, on a pensé cet après-midi qu'il y a pas juste les policiers qui peuvent manger des *donuts* à l'heure de la collation.

— T'as toujours le mot pour rire, ma belle Évelyne, comme Dominique!

On la comparait souvent à sa sœur, mais Évelyne ne le prenait pas mal. Elle l'aimait bien et elle était consciente qu'elle avait un caractère de fonceuse. Les deux filles étaient différentes, mais tout aussi chaleureuses l'une que l'autre.

— Je suis chanceuse d'avoir une grande sœur comme elle et un frère comme Claude. La famille, c'est drôlement important, surtout quand il nous arrive des épreuves dans la vie, soulignait souvent Évelyne.

Raoul pensa qu'il était préférable qu'il informe sa nièce qu'il avait eu la visite d'Hugo le matin. Elle pourrait ainsi prendre les mesures nécessaires si le jeune homme tentait quoi que ce soit contre lui. Après que le vieil homme eut narré son récit, Doris lui révéla à son tour l'appel qu'elle avait reçu et se voulut rassurante.

— Inquiète-toi pas pour ta maison, Raoul. Tes voisins la surveillent.

— Et j'ai signalé à la Sûreté du Québec qu'elle serait inhabitée pour tout l'hiver. Ils vont faire des patrouilles dans le secteur. Vous avez donc pas à vous faire de mouron avec ça, comme dirait mon homme. Tout est maintenant réglé, même si la belle Dominique se dore au soleil!

Le nouveau résident de La Villa des Pommiers était rassuré, mais demeurait toutefois perturbé par l'attitude d'Hugo.

⸺

Raoul était allé souper, comme il le faisait tous les soirs à ce moment précis. Il s'était ensuite rasé et avait enfilé son pyjama avant de s'installer pour écouter la télévision. Sa journée était terminée et il se reposait, bien allongé dans son fauteuil.

Une sonnerie le fit sursauter. Qui pouvait donc lui téléphoner après huit heures le soir ?

— Allo, mon oncle, c'est Dominique ! Vous allez bien ?

— Oui, ça va ! Vous vous êtes bien rendus ? répondit-il surpris d'entendre sa voix.

— Très bien ! Inquiétez-vous pas, j'avais juste le goût de vous parler. Patrick est un peu jaloux, mais je dois avouer que je m'ennuyais de vous !

— T'es tellement fine ! T'as pas besoin de t'en faire pour moi. Ici, tout va comme sur des roulettes ! Ta mère et ta sœur sont passées me voir aujourd'hui et elles sont censées revenir mercredi parce qu'il y a du bingo. Elles vont venir jouer avec moi, ajouta-t-il rapidement, en sachant que sa bienfaitrice appelait de très loin et que son appel coûtait sûrement les yeux de la tête.

— L'important, c'est que vous vous changiez les idées pour pas rêvasser inutilement.

— Profitez de vos vacances et oubliez-moi ! Je manque de rien !

— Je suis si heureuse de vous l'entendre dire !

— Occupe-toi de ton Patrick au lieu de prendre soin d'un vieux croulant comme moi. Vous avez de belles années devant vous.

— Merci, parrain !

Dominique mit fin à la communication non sans avoir fait promettre à son oncle de participer aux activités et d'échanger avec ses collègues de table. Il devait se créer un monde bien à lui et il était dans un endroit où il avait tout pour y parvenir. Il lui fallait cependant recommencer à s'ouvrir aux autres, comme il le faisait si bien, autrefois, dans son travail de commis-voyageur. Depuis qu'il avait ses problèmes d'audition, il s'était replié sur lui-même.

Heureusement qu'il n'avait pas confié un mot à sa nièce à propos d'Hugo, sinon les vacances de Dominique auraient été gâchées !

— Celui-là, pensa-t-il, j'ai voulu en prendre soin quand il était jeune et voilà qu'il vient assombrir mes vieux jours !

CHAPITRE 28

Abus de confiance

(Janvier 2008)

Élizabeth avait rendez-vous ce matin avec un homme qui souhaitait visiter la chambre libre dans la pension. Elle avait bien aimé sa façon de s'exprimer et même le timbre de sa voix lui avait inspiré confiance.

— Si je pouvais louer cette chambre-là, ça pourrait me permettre de me refaire financièrement, songeait-elle.

Les déboires de son conjoint lui avaient fait réaliser qu'elle risquait de tout perdre si elle ne s'occupait pas davantage elle-même de son entreprise. La résidence était à son nom uniquement et son héritage y avait été totalement englouti.

À la suite de sa dispute avec Charles, elle était montée à l'étage et elle avait discuté longuement avec Rita, qui avait déjà possédé un commerce de vêtements pendant plusieurs années avant de travailler à l'hôtel La Sapinière.

— Quand tu veux réussir, tu dois gérer tes revenus et tes dépenses de façon très serrée. Ici, tu devrais avoir un budget établi et t'arranger pour pas le dépasser, mais je doute que tu le fasses. Est-ce que tu sais combien te coûte ton épicerie d'un mois?

— Il faudrait que j'additionne les factures, mais je l'ai jamais fait. Je dois vous avouer que depuis une bonne secousse, et vous me l'avez déjà mentionné, j'achète pour l'argent que j'ai à la banque. C'est la raison pour laquelle on mange souvent des gibelottes[72] au bœuf haché ou du poulet.

— Si tu es d'accord pour me faire confiance, je pourrais t'aider et mettre ta tenue de livres à jour. J'ai tout mon temps maintenant. Il faudrait que tu acceptes de me montrer tous tes papiers, comme les factures, les comptes de dépenses et tes relevés bancaires.

— À vous, j'ai rien à cacher. Vous allez cependant trouver que je suis pas très à l'ordre. Tous mes documents sont dans un bac de plastique que je trie quand vient la période des impôts. Le bureau, ça a jamais été mon fort.

— Et pourtant, c'est l'une des grandes priorités si tu veux réussir en affaires. Tu m'apporteras ta boîte dans ma chambre et je vais te faire du classement là-dedans. En attendant, on va faire un bon ménage dans le garde-manger et on fera une liste des aliments qu'il te manque pour préparer des repas intéressants à moindre coût.

Élizabeth était encouragée de pouvoir compter sur le soutien de sa locataire. Elle avait choisi de se prendre en main et elle avait tout de suite trouvé de l'aide.

Au début de la semaine, elle avait sommé Charles de se chercher du travail afin de subvenir à ses besoins.

— C'est fini de rester à la maison à chienner[73]! Tu vas faire comme moi et te lever tous les matins pour aller gagner ta croûte.

— C'est toi qui as insisté pour que j'arrête le camionnage

---

72 Gibelottes: mets ratés, peu appétissants.
73 Chienner: paresser.

quand t'as acheté ta maudite pension de vieux! Je t'avais dit que c'était juste un paquet de troubles! avait ronchonné le mari paresseux.

— C'est pas la résidence qui est le problème! C'est toi qui as jamais mis l'énergie pour que ça marche!

— Les vieux, ça me pue au nez!

— Ben trouve-toi de l'ouvrage ailleurs, pis ça presse!

Élizabeth ne lui avait pas laissé le temps de répliquer et elle était montée à l'étage afin de vaquer à ses occupations. Ce n'était pas la première fois qu'ils avaient ce genre de discussion et elle espérait encore une fois que Charles se prenne en main.

À 10 heures pile, un homme d'une cinquantaine d'années, bien habillé, arriva donc pour visiter la chambre disponible. Madame Blanchard avait bien préparé sa propriétaire à cette rencontre.

— Vous devez lui vanter cet endroit, même si c'est un peu désuet. C'est bien malheureux, mais si on avait pu y faire un peu de ménage et de la peinture dans la chambre avant de la lui montrer, je suis certaine que ça aurait été beaucoup plus facile de le convaincre de la louer.

— Je crois que je vais lui raconter qu'on a pas encore eu le temps de le faire et ainsi il verra peut-être qu'il y a du potentiel.

Depuis le début de l'exploitation, c'est Charles qui lui dictait la marche à suivre pour le cours des choses. Il lui disait qu'elle ne devait pas investir dans les chambres et que c'était aux pensionnaires à aménager les lieux selon leur bon vouloir.

Quand elle vit arriver ce possible pensionnaire, elle fut tout de suite charmée par son style.

— Vous me semblez pas très âgé pour venir vous installer dans une résidence comme ici, souligna Élizabeth.

— C'est que je suis appelé à voyager beaucoup et j'ai besoin d'un pied à terre. J'ai vu votre annonce sur le babillard du Marché Dufresne, à Val-David.

— Il y a à peine une semaine que je suis allée en installer à différents endroits à Sainte-Agathe-des-Monts, à Val-Morin et à Val-David. Je me demandais s'il y avait des gens qui s'arrêtaient à ces annonces-là, mais à voir les petits bouts de papiers déchirés qui contiennent les numéros de téléphone, il faut croire que ça fonctionne !

— Quand on cherche quelque chose, on regarde partout, dans les journaux locaux et sur les tableaux d'affichage. On dirait cependant qu'il y a toujours quelque chose qui nous attire et c'est ce qu'on appelle le hasard.

L'homme visita la chambre, qui était un peu plus grande que celle d'Hector, mais elle n'avait qu'une fenêtre haute qui donnait sur un cabanon.

— Je vous avoue que je suis assez particulier, mais très peu exigeant. Serait-il possible que je puisse faire des travaux de peinture avant d'emménager ?

— Si vous pouvez le faire, j'assumerai avec plaisir les coûts du matériel. Mon conjoint faisait ce genre d'ouvrage auparavant, mais il a dû retourner travailler à l'extérieur pour sa compagnie.

— J'aimerais aussi louer la chambre, mais sans les repas, car je serai souvent absent. Je vous paierais à mesure quand je serais dans la région.

Élizabeth accepta l'entente immédiatement. Il était important pour elle de combler le dernier espace libre. Depuis sa discussion avec Rita, elle avait le vent dans les voiles. Elle écouterait ses sages conseils et se libérerait tranquillement de l'emprise malveillante de son conjoint. En faisant le point, elle avait réalisé qu'ils n'avaient plus vraiment d'atomes crochus et qu'il lui avait beaucoup nui depuis le début de leur relation.

———

Monique était très heureuse de l'ouvrage que le jeune Francis avait entrepris dans la maison de son père, mais elle trouvait qu'il ne travaillait pas très rapidement. Elle ne pouvait cependant rien dire, étant donné l'entente qui avait été établie au tout début.

Le nouveau meuble pour la salle de bain avait été livré et il avait été déposé au salon, pour éviter qu'il soit abîmé pendant que de la besogne était abattue dans la petite pièce.

Les travaux encouraient des frais que Monique n'avait pas nécessairement prévus, mais elle devait payer les factures au moment où elles se présentaient. Robert avait bien expliqué à son amie qu'elle était mieux de profiter du chantier déjà installé pour moderniser certaines composantes et en réparer d'autres.

— Pour faire de la céramique, t'as pas le choix. Il faut mettre un contreplaqué d'une certaine épaisseur en dessous et bien le visser, sinon tes tuiles vont craquer.

— C'était bien plus simple quand on avait du prélart.

— De toute manière, pour faire un bon travail, il fallait corriger les dénivellations importantes de ce plancher. Ce sera la même chose quand tu referas la cuisine.

— Je te dis que j'ai de méchantes factures à payer chez Monette, le marchand de bois. Il me semble que c'est terriblement cher, toutes ces rénovations-là !

— T'es bien chanceuse parce qu'ils te chargent rien pour la livraison. C'est pas partout qu'ils font ça.

— J'ai déjà travaillé là il y a quelques années, mais je suis pas restée longtemps.

— T'aimais pas ça? s'informa Robert, qui n'imaginait pas son amie dans un centre de rénovation.

— Pas vraiment! Le téléphone commençait à sonner à 8 heures le matin et tout le monde voulait avoir ses matériaux livrés en premier. Les gens sont si exigeants!

— Hier, t'étais la première à demander ta commande en priorité. Tu me fais rire, toi! Pendant qu'on y est, as-tu déjà pensé à ouvrir le mur entre le salon et la cuisine? Ça te ferait une bien plus belle pièce!

— Oui, mais ça doit coûter beaucoup plus cher! J'ai pas un budget illimité.

— C'est pas quand tout va être fini que tu vas pouvoir changer d'idée. Je trouve que c'est pas fonctionnel comme c'est là. À ta place, j'enlèverais toutes les armoires et je pousserais le poêle et le frigidaire dans le coin. Ensuite, j'abattrais ce mur-là qui soutient rien et l'ouverture te donnerait une impression de grandeur. Il faudrait aussi penser à l'isolation avant de faire la finition. Tu y gagnerais en économie de chauffage.

— Les jeunes vont trouver ça difficile de pas avoir de cuisine pendant tout ce temps-là!

— À leur âge, on s'acclimate à tout. En plus, Véro sera pas déçue qu'on remplace les vieux comptoirs et l'évier terni.

Monique était enthousiaste à l'idée que la maison soit beaucoup plus moderne, mais elle ne devait pas dépenser tout l'argent de son père, alors qu'il pourrait en avoir besoin avant la fin de sa vie. Elle ne voulait pas non plus investir les 15 000 dollars que son oncle Raoul lui avait donnés. Elle avait décidé de déposer cette somme dans un compte d'épargne pour se gâter quand elle aurait du temps pour voyager après le décès de son papa.

— Je te laisse faire, Robert, mais il faut que tu surveilles les prix!

Dès qu'il eut l'assentiment de Monique, Robert commença à démolir la cuisine afin de préparer le chantier pour Francis. Il aimait bien ce genre de travaux, mais il allait cependant de surprise en surprise.

Au retour de Monique, il lui demanda de venir voir ce qu'il avait découvert.

— Regarde, il y a des trous dans les murs extérieurs à certains endroits, c'est totalement pourri. Avant de mettre de l'isolation, on doit les réparer.

— Si on a pas le choix, vas-y, remplace ce qui fait défaut.

— Et ici, j'ai trouvé ces fils grugés par des rongeurs. C'est très dangereux pour le feu. Il faut vraiment en passer de nouveaux et surtout faire en sorte d'éliminer définitivement les souris ou les rats, afin qu'ils fassent plus de tels ravages.

Monique commençait à déprimer. Elle se retrouvait jour après jour avec des problèmes différents et des dépenses à l'avenant.

— Inquiète-toi pas trop, la rassura Robert. Je vais trouver un électricien qui te coûtera pas trop cher et on va juste faire les travaux essentiels.

Monique se disait que son frère se réjouirait sûrement s'il était au courant de ses mésaventures.

— Il s'est sauvé à Labelle pour pas avoir besoin de s'occuper de papa et à mon avis, il doit se faire vivre par sa belle Mariette! avait un jour persiflé Monique.

— J'haïs ça quand les gens dénigrent les autres sans preuve, avait rétorqué le bon Robert. Qu'est-ce qu'ils pensent de moi, qui reste avec ma mère depuis toujours?

— Prends pas ça de même! avait répliqué Monique, ne voulant pas perdre son seul ami et surtout celui qui acceptait d'effectuer des travaux pour elle tout à fait gratuitement.

⸺

Jean-Guy était très heureux dans sa vie de restaurateur, mais il était malheureux quand il réalisait que son papa vivait des moments de tristesse intense. Ce qui le rassurait cependant, c'était la présence de la tante Doris dans son entourage. Il savait qu'elle veillerait à ce qu'il ne manque de rien.

La visite qu'il avait faite à Hector dans le temps des Fêtes lui avait ouvert les yeux. Son père avait encore sa raison, même s'il avait des absences, et le fils voulait profiter de ces moments de lucidité pour vivre de beaux instants à ses côtés. Aujourd'hui, il prenait congé et il descendait le voir à la résidence. Il hésitait à le faire sortir de crainte qu'il ait un malaise, mais il n'envisageait pas de rester nécessairement assis dans sa petite chambre durant de longues heures.

En arrivant, il fut accueilli par madame Rita, qui était heureuse pour Hector. Elle avait appris très jeune à se réjouir du bonheur des autres.

— Votre père fait une sieste, l'informa-t-elle. Il est plus fatigué depuis qu'il a été hospitalisé. On dirait qu'il a utilisé toute son énergie pour passer au travers de ce qui aurait pu lui être fatal.

— Il était aussi mal que ça? s'enquit Jean-Guy, qui ne croyait pas toujours les propos de sa sœur.

— J'ai bien pensé que sa dernière heure était arrivée. J'ai prié autant comme autant pour qu'il reprenne ses esprits et j'ai été exaucée.

— Vous êtes bien bonne, madame Rita. J'apprécie tout ce que vous faites pour mon père.

— Hector est toutefois différent depuis qu'il est revenu. Vous allez sûrement avoir un choc en le voyant. Sa mémoire s'est beaucoup dégradée.

— C'est incroyable qu'un individu puisse tomber comme ça aussi rapidement! s'attrista le fils.

En entrant dans la chambre d'Hector, ils constatèrent qu'il était couché sur son lit et récitait son chapelet, comme le ferait un robot. En voyant Rita, il sourit faiblement et une larme coula sur sa joue. Il lui arrivait de plus en plus souvent de pleurer ainsi.

Son fils s'avança vers lui et lui adressa la parole.

— Papa, ce matin, j'ai pu me libérer pour venir passer quelques heures avec toi. Si j'attends de pas avoir d'ouvrage pour me sauver du restaurant, ça marchera jamais!

— C'est gentil à vous, répondit mollement le vieil homme.

Jean-Guy n'accorda pas d'attention à sa réponse et il continua.

— Le commerce a été occupé durant tout le temps des Fêtes avec des partys de bureau et des réceptions familiales. J'ai servi assez de ragoût que j'ai pas eu le goût d'en manger quand tout a été fini.

— Machine? interrogea-t-il en s'adressant à Rita, le café…

— Oui je vais aller t'en chercher un. Est-ce que vous en voulez un vous aussi? demanda-t-elle à Jean-Guy.

— Non merci, refusa ce dernier en suivant la vieille

dame dans le corridor. Il souhaitait en savoir plus sur l'état de son père.

— Comment ça se fait qu'il parle pas plus que ça?

— C'est la maladie d'Alzheimer qui progresse jour après jour. Pendant qu'il a été hospitalisé, des médecins ont posé un diagnostic clair.

— C'est inhumain! Il semble même pas me reconnaître ce matin!

— Consolez-vous, il a également oublié votre sœur Monique! ajouta Rita avec un léger sourire. Il est ni plus ni moins dans un monde qui lui appartient et on fait tout en notre pouvoir pour nous occuper de lui, madame Bisaillon et moi. Il est très à l'aise avec nous deux et il nous écoute. C'est un cas un peu lourd pour une maison comme ici, mais Élizabeth a dit que tant qu'on pourrait en prendre soin, il aurait plus d'attention auprès de nous que dans un CHSLD.

La propriétaire souhaitait surtout ne pas perdre un revenu alors qu'elle s'apprêtait à louer sa dernière chambre. Pour une fois qu'elle aurait la chance de prendre le dessus, madame Blanchard comprenait très bien son choix et elle l'aiderait du mieux qu'elle le pouvait.

— Je peux faire quelque chose?

— Vous pouvez continuer de l'aimer, ça lui fera beaucoup de bien, même s'il vous le dit pas. Et venez le visiter le plus souvent possible. Il sera alors plus familier avec vous et vous craindra moins.

Jean-Guy retourna à la chambre de son père, mais il fut incapable de rester très longtemps. Il était très attristé de le voir agir ainsi.

Avant de partir, il rassura madame Rita en lui expliquant qu'il était sous le choc, mais qu'il reviendrait très bientôt.

— Je voudrais pas qu'il m'oublie complètement. Ça me ferait trop mal!

En plus de la peine, Jean-Guy ressentait de la rage envers sa sœur, qui lui avait fait autant de cachettes.

———

Tandis que Rita vaquait à certaines tâches à la résidence, Élizabeth en avait profité pour faire du ménage chez elle pendant que Charles était parti, semblait-il, pour chercher du travail.

Elle s'activait à récurer la salle de bain quand elle entendit la porte d'entrée se refermer.

— Je suis ici! cria-t-elle pour prévenir Charles. Tu reviens donc bien de bonne heure!

Comme son conjoint ne répondait pas, elle sortit de la pièce pour aller à sa rencontre. Elle eut cependant la surprise de faire face à un homme très grand, aux cheveux longs foncés et portant une barbiche poivre et sel. Il était vêtu d'un blouson de cuir noir, de jeans très serrés et d'une paire de bottes de moto.

Elle fit un saut, mais crut reconnaître un des individus qui venait parfois jouer aux cartes avec Charles.

— Allo, le salua-t-elle simplement pour ne pas montrer qu'elle était impressionnée par sa carrure.

— Je veux voir Charles! intima l'autre. Je lui ai laissé un message et il me rappelle pas!

— Il est pas ici parce qu'il avait une entrevue pour une *job* aujourd'hui.

— Il t'a pas donné une enveloppe pour moi? demanda le visiteur sur un ton très intimidant.

— Non, il m'avait pas prévenue de votre visite.

— Tu lui diras que Joe est passé pour le collecter. La prochaine fois, je vais probablement être moins patient. J'aime pas me faire niaiser!

— J'ai pas d'affaire là-dedans, se défendit Élizabeth afin de se soustraire à d'éventuels problèmes.

— Toi, tu restes avec lui pis tu ramasses l'argent des vieux. T'es sûrement capable de me donner une couple de piastres!

— Allez-vous-en sinon j'appelle la police! menaça la femme en mettant la main sur le combiné du téléphone sans fil.

— Si tu fais ça, tu vas le regretter longtemps! rétorqua l'homme hostile, en frappant fortement l'appareil du revers de la main.

Puis, l'intrus tourna le dos et il partit sans ajouter un seul mot. Dès qu'elle fut certaine qu'il avait fermé la porte, Élizabeth s'agenouilla afin de récupérer le téléphone qui avait glissé sous le divan du salon. Elle resta ensuite assise par terre.

Elle devait absolument appeler Charles sur son cellulaire.

Dans l'énervement, elle se trompa de numéro à deux reprises et à la troisième tentative, elle entendit son conjoint lui répondre.

— Charles, annonça-t-elle sur un ton accusateur et larmoyant, ton chum est venu pour te collecter et il m'a menacée!

— Menacée avec quoi? demanda le conjoint, soudainement inquiet.

— Avec des mots! Il a promis de revenir si tu le paies pas!

— T'aurais pas dû te mêler de mes affaires. Trouve-moi

5 000 piastres et tout va bien aller, répondit Charles tout simplement.

— J'ai pas cette somme-là et tu le sais bien.

— Je t'ai déjà dit de demander à ta madame Rita. D'après moi, la vieille en a de collé!

— Si tu penses que je vais impliquer mes pensionnaires dans tes magouilles, tu te trompes royalement! s'insurgea Élizabeth.

— Alors, prépare-toi à avoir d'autres visiteurs pour le paiement. T'as peut-être pas remarqué, mais j'ai fait ma valise à matin et je pars pour une période indéterminée. Il serait bon que je me fasse oublier un peu. Il fait pas mal froid! J'irai peut-être faire un petit tour en Floride pour quelques mois.

— T'es juste un écœurant!

Charles mit fin à la conversation rapidement, ne laissant pas la chance à Élizabeth de l'accabler d'injures plus longtemps. Il savait qu'il devait partir au loin et il était vrai que la Floride l'intéressait beaucoup. Son travail de camionneur lui avait donné l'occasion de connaître beaucoup de gens et il pourrait sûrement se trouver un emploi en peu de temps là-bas.

La femme était exténuée et n'avait aucune idée de la manière dont elle pourrait se sortir de ce pétrin. Bien sûr, le type reviendrait chercher son dû, elle n'y échapperait pas. Devait-elle communiquer avec la police?

CHAPITRE 29

Des hauts et des bas

(Février 2008)

L'hiver suivait un parcours en dents de scie. Le mercure pouvait être assez élevé une journée et le lendemain, le ciel était ensoleillé, mais il faisait si froid qu'il valait mieux éviter de mettre le nez dehors.

Ce matin-là, Claude se rendit chez une cliente afin de réparer l'escalier de son entrée principale, qui avait été brisé par le déneigeur. En reculant, le conducteur l'avait carrément arraché du balcon auquel il était fixé.

— Vous savez que j'ai appelé quatre personnes avant de vous joindre. Personne voulait sortir par cette température! déplora la jeune dame.

— Il faut mettre les priorités aux bonnes places, raisonna sagement le travailleur acharné. Aujourd'hui, je devais aller poser du plancher flottant chez un client et j'ai repoussé le rendez-vous. Je lui ai expliqué que j'irais un peu plus tard, car il y avait une réparation urgente à faire ailleurs, et il a très bien compris.

— J'ai pris votre numéro de téléphone dans le journal local, *Ski-se-Dit*. Vous y étiez annoncé.

— Ça fait plaisir à entendre. On a toujours l'impression qu'on paie cette publicité-là pour rien.

— En tout cas, moi, je vais vous en faire, de la bonne promotion, à partir de ce matin !

— Je vais aussi vous laisser quelques cartes d'affaires.

— On envisage de faire des travaux au sous-sol. Je vais en parler avec mon mari et on vous contactera sûrement dans les prochaines semaines.

— Si vous avez besoin des conseils d'une designer, je peux vous recommander quelqu'un de bien. Ça vaut parfois la peine d'investir quelques dollars pour analyser toutes les possibilités d'aménagement d'une pièce.

Claude remit alors à la cliente les coordonnées de Laurence, en pensant qu'il serait intéressant pour eux de faire des contrats ensemble à l'occasion.

— Je dis pas non, mais il me faudra convaincre mon mari pour ça. C'est vrai qu'on a toujours l'impression que c'est pour les gens riches ces affaires-là ! reconnut la jeune propriétaire.

— J'ai vu si souvent du monde peinturer à nouveau une pièce parce qu'ils avaient pas choisi la bonne teinte. Ces gens-là auraient été gagnants d'avoir profité des conseils d'une professionnelle au début des travaux.

— J'en sais quelque chose, se souvint la femme. J'ai déjà peint ma chambre avec une couleur qui s'appelait « corail chinois » et quand j'ai eu terminé, c'était plutôt « orange floridien ». Ça fait deux ans de ça et mon mari a pas encore pris le temps de la repeindre. Il me dit toujours que le résultat est pas si pire que ça, tandis que moi, j'en fais quasiment des cauchemars !

Claude se mit à rire. Ses journées se déroulaient ainsi depuis qu'il travaillait avec Alain. Celui-ci était parti en vacances pour un mois, comme il le faisait tous les ans. C'était la période la plus calme de l'année pour leur entreprise.

Avant de se rendre à son prochain rendez-vous, il passerait à sa nouvelle maison, car il devait y retrouver Laurence pour dîner. Elle l'avait invité à faire un pique-nique.

Il était tout juste 11 heures quand il arriva chez lui et il vit que sa voiture était déjà là. Il avait laissé des clés à sa copine pour s'assurer qu'elle ne l'attende jamais à l'extérieur.

— Laurence, c'est moi! lança-t-il en entrant.

L'interpellée ne répondit pas. Claude cria à nouveau tout en se dirigeant vers la cuisine, mais elle n'y était pas. Il entreprit donc de faire le tour des pièces et il la trouva dans la salle de bain, où elle achevait d'appliquer de la peinture fraîche.

— Qu'est-ce que tu fais là? l'interrogea-t-il, étonné.

— Je t'avais expliqué que je faisais ce travail à l'occasion et j'avais le goût de te faire une surprise.

— C'est beaucoup trop dur pour toi, t'aurais dû m'attendre! gronda l'amoureux.

— Et depuis quand on embrasse pas sa blonde en arrivant? le nargua-t-elle en s'avançant vers lui, le pinceau à la main.

— Disons que j'ai peur de toi quand t'es armée!

Les tourtereaux se bécotèrent longuement et oublièrent momentanément qu'un bac de peinture se trouvait derrière eux. En faisant un pas de reculons, Laurence mit le pied directement dans celui-ci et, quand elle réalisa sa bévue, elle bougea, ce qui fit renverser tout le contenu sur le plancher.

— Maudit que je suis niaiseuse! se semonça-t-elle, les joues en feu. Laisse, je vais tout ramasser.

Claude riait comme il ne l'avait pas fait depuis des lunes.

Ce n'était que de la peinture à l'eau, après tout, et le sol était recouvert d'une immense bâche protectrice. Il n'y avait donc rien là pour fouetter un chat!

Il prit Laurence dans ses bras et la souleva pour la serrer très fort contre lui. Il voulait lui démontrer combien elle était importante pour lui.

— Arrête, Claude, t'es pas raisonnable! s'indigna-t-elle, encore gênée d'avoir gaffé de la sorte.

— Si tu savais comme tu me fais rire. Tu t'en fais pour rien. Je vais t'aider à ramasser le plus gros et ensuite on va dîner. J'aimerais bien rester avec toi toute la journée, mais j'ai du travail cet après-midi.

Depuis qu'ils se connaissaient, ils s'étaient vus le plus souvent possible.

— On est plus des enfants et on est si bien ensemble, reconnut Claude. Tu vas peut-être me répondre que c'est un peu tôt, mais avant de renouveler le bail pour ton appartement, est-ce que tu pourrais envisager de venir vivre ici, avec moi, dans la nouvelle maison?

— T'es bien certain de ça? demanda Laurence. On se connaît depuis si peu de temps et moi je voudrais pas me retrouver sans abri du jour au lendemain.

— Est-ce que t'as confiance en moi?

— Oui, mais...

— Oublie le «mais»! J'ai perdu plusieurs années à exister plutôt qu'à vivre. Avec toi, j'ai découvert ce que c'était que le bonheur. Chaque fois que tu pars, j'attends ton retour avec impatience.

— Je t'aime, Claude, mais on a une grande différence d'âge et moi je souhaite avoir des enfants un jour.

— Qui t'a raconté que je voulais pas d'enfant?

Laurence lui sauta dans les bras et ils s'étreignirent à nouveau pendant un long moment sans dire un mot.

Ils signèrent en quelque sorte une entente de vie commune, sans égard au fait qu'ils avaient les pieds dans la peinture fraîche!

Doris s'ennuyait du temps où son fils profitait de ses journées de congé pour sortir avec elle. Ils allaient prendre un café en ville ou faisaient un peu de magasinage. Elle sentait dernièrement que son plus vieux s'éloignait d'elle jour après jour.

Depuis peu, Claude dormait chez Laurence la majorité du temps. Doris comprenait qu'à 52 ans, il n'avait pas de permission à lui demander, mais elle trouvait que tout allait trop vite. Il avait cependant l'air si heureux qu'elle devait se faire une raison.

La vieille dame n'aimait pas beaucoup s'aventurer dehors durant l'hiver. Elle craignait toujours de faire une chute et de se fracturer une hanche. Elle profitait donc des occasions qui lui étaient offertes pour aller faire des courses, mais ce n'était pas nécessairement au moment où cela faisait son affaire.

Aujourd'hui, il lui semblait qu'il aurait été plaisant d'aller juste faire un tour d'auto et arrêter à la pharmacie pour flâner, comme elle le faisait quand elle sortait avec sa voiture.

Le téléphone sonna, à l'instant même où elle se disait qu'elle devrait appeler son frère Raoul pour le désennuyer.

— Allo!

— Bonjour, Doris, c'est Bernard Leclair. On s'est rencontrés la semaine passée au service de monsieur Lachaine.

— Oui, je m'en souviens. Comment tu vas ?

— Pas mal, mais comme on en parlait l'autre jour, parfois les journées sont longues. Depuis que ma femme est partie, il me semble que les hivers finissent plus !

— T'as bien raison, je pense la même chose.

Doris eut soudain une idée farfelue. Pourquoi ne pas demander à cet homme s'il aurait le goût d'aller prendre un café avec elle ? Ils étaient deux veufs à s'ennuyer chacun de son côté. Il ne fallait pas qu'elle y réfléchisse trop, sinon elle ferait marche arrière.

— Dis donc, Bernard, qu'est-ce que tu fais cet après-midi ?

— Rien de spécial. Je t'appelais justement pour savoir si tu viendrais avec moi prendre un café. Ça nous changerait les idées.

— J'accepte ! répondit Doris, étonnée qu'il ait eu la même idée qu'elle. Laisse-moi un peu de temps pour me préparer et je serai prête.

— Ça va être plus divertissant que de se rencontrer toujours à l'église pour des services funèbres.

Il semblait bien que Doris s'apprêtait à briser sa coquille. Elle était veuve depuis 13 ans et n'était jamais sortie avec un autre homme.

Il est jamais trop tard pour bien faire, songea-t-elle.

Elle se prépara donc en apportant un peu plus de soin que d'habitude à son habillement. Une petite touche de son eau de toilette *Neiges* de Lise Watier et elle était fin prête. Elle pensa cependant à laisser une note sur la table au cas où les enfants viendraient la visiter.

« Votre mère est partie au café avec un bel inconnu.
Heure de retour indéterminée ! »

Elle souhaitait qu'Évelyne passe durant son absence. Elle lui dirait que c'était une blague, mais qu'elle s'était bien amusée à la rédiger.

———

Claude avait promis à Dominique qu'il irait porter une nouvelle boîte d'ampoules vitaminées à son protégé, l'oncle Raoul.

— Bonjour, mon oncle, le salua Claude à son arrivée, en regardant s'il avait bien mis son appareil.

— Bonjour, mon garçon. Qu'est-ce qui t'amène ici ce matin ? J'arrive juste de mon déjeuner. Depuis que t'as une nouvelle blonde, je pensais que t'aurais moins de temps pour venir me voir.

— Y a pas une femme qui va m'empêcher de passer jaser avec vous. Quand je demeurais chez maman, je vous rencontrais plus souvent et on avait pris l'habitude d'avoir des bonnes discussions. J'ai pas le goût de me priver de ça.

— C'est bien gentil de ta part. C'est pas tout le monde qui aime parler avec des vieux comme moi.

— Vous êtes un vieux très intéressant, c'est pas pareil, reconnut Claude en riant. Ma blonde, Laurence, travaille aujourd'hui, et Dominique voulait que je vous apporte une autre boîte de vitamine C. Elle dit qu'à date, ça vous a ravigoté. Il semble qu'elle souhaite vous remettre sur le piton assez vite.

— Ça me fait tellement de bien que si je continue, je vais

bientôt sauter par-dessus les clôtures, mima l'oncle Raoul en soulevant les jambes de son La-Z-Boy pour les frapper l'une contre l'autre.

— J'aime ça vous voir comme ça! Vous avez remonté la pente rapidement. Êtes-vous sorti à l'extérieur cette semaine?

— Oui, mais juste dans la cour. Je veux pas m'aventurer sur le chemin et risquer de me casser des membres. J'ai passé assez de temps à l'hôpital pour cette année.

— Vous avez tout à fait raison. C'est pour ça d'ailleurs que vous aviez arrêté de faire du ski alpin, si je me rappelle bien.

— Oui, j'ai mis fin à tout ça quand j'ai eu 80 ans. Là je me suis dit : Moreau, si tu veux pas te casser les os, ramasse tes skis et tes bottines et puis reste assis dans ta cuisine!

— Vous vous souvenez encore de cette phrase-là? Vous avez toujours aimé ça rigoler. C'est pour ça qu'on est aussi à l'aise avec vous. Comment vous trouvez les jeunes infirmières ici?

— Cré-moi, c'est pas la mer à boire! J'avais imaginé finir mes jours avec des petites préposées sexy, mais c'est rendu qu'ils portent des pantalons et des blouses avec des bons-hommes de neige, des oursons ou des pingouins. Pas trop excitant, surtout pas à mon âge! soupira le vieil homme.

— Vous êtes drôle! Maman me disait qu'à la salle à manger, vous êtes toujours assis avec trois femmes. C'est là le rêve de tous les hommes!

— Si tu venais dîner avec moi, tu verrais que ton rêve prendrait le bord. Non, je fais des blagues, mais on est un bon groupe. Il y a madame Thibert, une belle grande dame, toujours bien coiffée et habillée comme une lady. Madame Vendette, c'est l'épouse de Gilbert. Il a travaillé pour moi pendant une couple d'années et la troisième, c'est la bonne femme Durocher. Elle, j'ai un peu de misère à la cerner. Elle a une petite face haïssable et elle ricane tout le temps. Des fois, je me demande si elle rit pas de moi!

— C'est relativement nouveau pour vous, ici. Vous allez finir par vous habituer à chaque personne.

Claude discuta encore une demi-heure avec son oncle et il partit ensuite en lui promettant de revenir le voir prochainement.

Quand il donnerait des nouvelles à sa mère, celle-ci appellerait Dominique pour les lui transmettre.

———

Dominique avait passé beaucoup de temps avec son parrain depuis qu'elle avait commencé à s'en occuper, si bien qu'elle s'ennuyait quand elle était une longue période sans le voir.

Elle était revenue de vacances un samedi matin et elle avait dû attendre au lundi pour monter dans le Nord. Avant de se rendre chez son protégé, elle s'était dirigée vers le bureau de la comptabilité de la résidence, car elle voulait payer le loyer du mois de février qui serait bientôt dû.

Elle rencontra par hasard la gestionnaire, qui l'interpella.

— Madame Moreau! J'allais justement vous téléphoner. Est-ce que je pourrais vous voir un instant?

— Oui, répondit cette dernière, surprise. Est-ce qu'il y a un problème avec mon oncle?

— Effectivement, depuis deux jours, il est très marabout. Lorsque la préposée au lavage de ses vêtements s'est présentée à sa chambre hier, il a refusé de lui remettre son sac de linge. Il lui a demandé de partir sur un ton désagréable en spécifiant qu'il s'arrangerait lui-même avec ses affaires.

— Oh mon Dieu, mais qu'est-ce qui lui arrive? Mon frère est venu le voir en début de semaine et il était de très bonne humeur.

— Et pour finir le plat, ce midi, il s'est disputé avec madame Durocher à sa table. Il lui a même dit très fort: «Ferme ta gueule!»

— Ça me dépasse! s'exclama Dominique. Mon oncle est toujours très poli avec tout le monde et particulièrement avec les femmes. Qu'est-ce qu'elle a bien pu lui dire pour qu'il se fâche comme ça?

— Je ne le sais pas. Elle avait peut-être passé un commentaire sur son humeur maussade et il ne l'a pas pris. Cependant, nous ne tolérons pas ces comportements ici et j'aimerais que vous en discutiez avec lui.

Dominique devait aller voir son oncle et lui demander pourquoi il avait agi de la sorte. Jamais elle n'aurait cru devoir se mêler de ce genre de disputes quand elle avait accepté son mandat de s'occuper de lui et de ses affaires.

En arrivant à la chambre de Raoul, elle constata effectivement qu'il faisait la tête. Quand elle lui parlait, il répondait par des monosyllabes, ce qui eut pour effet de la mettre hors d'elle.

— C'est quoi votre problème aujourd'hui?

— Laissez-moi donc vivre comme je le veux!

— Je suis d'accord, fit Dominique sur un ton autoritaire, mais il va falloir rester poli et respectueux. Avez-vous eu de la visite cette semaine?

— Tu dois bien être au courant. Claude m'a apporté mes vitamines.

— Personne d'autre? demanda la nièce, comme si elle le soumettait à une forme d'interrogatoire.

— Monique est passée hier matin, accepta-t-il de dévoiler.

Dominique avait la nette impression qu'elle tenait là l'origine de l'attitude déplaisante de son parrain.

— Et qu'est-ce qu'elle voulait?

— Rien de spécial! rétorqua-t-il sans plus. Elle fait de gros travaux dans la maison de son père.

— Est-ce qu'elle vous a demandé de l'argent? Vous êtes pas obligé de me répondre, mais j'aimerais qu'on soit francs l'un envers l'autre.

— Oui, mais j'ai dit que je pouvais pas lui en donner. Je lui ai expliqué que mes placements étaient gelés et que mes pensions servaient pour payer mon loyer ici.

— Voulez-vous me raconter comment tout ça s'est passé?

Raoul entreprit finalement de tout lui confier.

La convoitise de Monique ne datait pas d'hier. Elle avait toujours été en grande compétition avec son frère jumeau, avec ses cousins et cousines, ainsi qu'avec tous ses camarades de classe.

Une fois devenue adulte, elle n'avait jamais été en couple, mais elle avait à plusieurs reprises semé le trouble dans certains ménages. Il en avait été de même dans ses emplois, où elle espérait constamment avoir mieux que ses collègues.

Elle voulait toujours tout avoir et n'était jamais satisfaite de quoi que ce soit.

Le projet qu'elle avait élaboré s'était cependant avéré

plus difficile à concrétiser qu'elle l'avait cru au départ, car il exigeait un gros effort de manipulation afin d'obtenir une somme d'argent plus importante de la part de son oncle.

Comme elle souhaitait utiliser tous les subterfuges nécessaires pour arriver à ses fins, elle avait prévu d'aller demander directement un don à son oncle Raoul, qu'elle savait à l'aise financièrement.

— Il a pas d'enfant, se raisonnait-elle, alors pourquoi il m'aiderait pas à m'installer convenablement?

Elle était allée le voir à deux reprises dans une même semaine, une fois en lui apportant du sucre à la crème et une autre fois avec un billet de loterie *La poule aux œufs d'or* afin qu'il puisse écouter l'émission télévisée du mercredi soir et participer aux tirages.

Ces deux rencontres n'avaient été que préparatoires à la grande requête.

La troisième fois, Monique avait planifié lui demander de lui donner un montant d'argent pour rénover la maison de son père. Son plan était au point et elle croyait que Raoul ne pourrait refuser de l'aider.

— Vous devinerez jamais ce que j'ai trouvé cette semaine! avait-elle lancé en sortant une enveloppe de sa sacoche.

— Non, mais je sais bien que tu vas me le montrer, avait répondu Raoul, qui n'aimait pas ces visites répétitives de sa nièce. Il la connaissait suffisamment pour se douter qu'elle manigançait quelque chose.

— Il y a eu des dégâts d'eau dans la maison de papa et j'ai été obligée d'aller faire du ménage. J'en ai profité pour apporter des boîtes de portraits chez moi afin de les trier. J'aimerais bien faire un album souvenir pour mon frère Jean-Guy et pour moi, naturellement. Il y en a certains dont je n'ai malheureusement pas les négatifs, alors je vais aller les porter au photographe pour en faire faire des doubles.

Raoul ne disait pas un mot et écoutait sa nièce avec beaucoup d'attention.

— Mais en faisant ce travail, regardez ce que j'ai découvert. J'ai pris la peine de demander qu'on l'agrandisse pour vous l'offrir et j'ai acheté un beau cadre.

Le vieil homme avait scruté l'image où Léontine, sa mère, apparaissait lors de la première communion de Monique. C'était une dame jolie et très distinguée. Elle portait ce jour-là une robe de couleur beige cintrée à la taille et dissimulant le genou. On y reconnaissait l'église de Val-David et Léontine posait seule avec Monique, qui arborait la traditionnelle tunique blanche avec un voile sur la tête.

— C'était une belle femme, grand-maman. C'est triste qu'elle soit morte si jeune, avait regretté faussement Monique.

— Pourtant, dans sa famille, les Ménard, c'était une lignée de monde qui vivait vieux. C'est pas nous autres qui décidons quand notre heure va sonner. T'es bien gentille d'avoir pensé à moi.

— C'est tout naturel ! Dans la parenté, il est normal qu'on songe à faire plaisir aux siens.

Monique avait réussi à toucher une corde sensible chez Raoul et elle en était très fière. Elle pouvait maintenant lui faire part des prétendus dommages qu'elle aurait trouvés dans la maison de son père.

— Je pouvais pas laisser la maison de papa inhabitée durant tout l'hiver. Vous savez ce que ça peut coûter, le chauffage, de nos jours. Ils ont encore annoncé une augmentation pour le mois d'avril. Ils parlent de 5 %, si je me souviens bien. C'est décourageant à la longue.

Monique avait volontairement exagéré le montant de la majoration que la Régie de l'énergie avait permis à Hydro-Québec d'imposer à ses clients résidentiels, qui était plutôt de 3 %. Dans l'article qu'elle avait lu, il était écrit qu'en 2006, la hausse avait effectivement été de 5,3 %, alors elle pouvait se permettre d'en ajouter sans crainte.

— Ton père voulait pas vendre sa maison? Je pense pas qu'il puisse retourner y vivre de toute façon.

— Non, ça aurait été trop difficile pour lui de savoir qu'il avait plus d'endroit où rester si ça avait pas fonctionné là où il est.

— T'as pas eu de problème à louer en plein hiver?

— J'ai été chanceuse, c'est un collègue de travail d'un ami à moi qui a accepté de s'y installer avec sa blonde. Au moins, je suis certaine que ce sont de bonnes personnes chez qui je peux laisser certains meubles en attendant de voir ce qu'on fera de la maison plus tard. L'affaire, c'est que si je veux garder ces locataires-là, je dois changer le réservoir à eau chaude et remplacer la tuyauterie dans la salle de bain et la cuisine. J'ai fait faire une évaluation par un plombier et il me parle d'une dépense d'environ 5 000 dollars.

— Il me semble que c'est très dispendieux pour faire un peu de plomberie. Tu devrais peut-être en appeler un autre.

— J'en ai déjà contacté deux et ils sont même plus chers, avait raconté la nièce sur la défensive. J'ai pas le goût d'aller discuter de ça avec papa. Quand il a été hospitalisé la dernière fois, le médecin a mentionné qu'il devait pas avoir d'énervement.

— T'as bien raison. À notre âge, tout ce qui nous tracasse a un impact direct sur notre santé.

Monique commençait à songer qu'il lui faudrait présenter

une demande bien claire parce que son oncle ne semblait pas mordre à l'hameçon qu'elle lui tendait.

— Seriez-vous prêt à me prêter les 5 000 dollars afin que je puisse faire faire les travaux ? Je vous signerais un papier et je vous rembourserais au plus tard dans quelques mois.

— As-tu déjà dépensé tout l'argent que je t'ai donné ? Quinze mille piastres, ça doit pas disparaître si vite que ça !

— J'ai pas le goût d'investir cet argent-là dans la maison de papa, avait répondu Monique instinctivement.

— Et pourquoi moi je le ferais ? s'était défendu le vieil homme, d'un ton laissant voir son impatience.

— C'est votre frère et vous souhaitez son bien !

— Et toi, tu veux pas le bien de ton père ? On va arrêter ça là tout de suite, Monique. J'ai pas d'argent ici et c'est maintenant ta cousine Dominique qui gère tous mes avoirs. Je crois pas qu'elle voudrait que je dépense pour une histoire de travaux comme celle-là.

— La belle Dominique va s'en occuper de votre portefeuille, inquiétez-vous pas, avait raillé Monique. Vous lui avez laissé de la corde rien qu'en masse ! Je pensais que vous aviez plus d'estime pour les enfants de votre frère ! avait-elle sèchement ajouté.

Puis, Monique était repartie en colère. Elle était pourtant certaine que son oncle accepterait de lui remettre le montant qu'elle voulait lui soutirer, comme la fois où elle avait remplacé sa vieille voiture. En grande manipulatrice, elle lui avait alors demandé de l'accompagner quand elle avait visité des commerces de vente d'automobiles, lui disant qu'il s'y connaissait en véhicules, et il lui avait donné 2 000 dollars, qu'elle avait utilisés comme dépôt chez le concessionnaire.

Avec le temps, Raoul en avait eu assez de toutes ces

manigances et c'est ce qui l'avait mené à trouver quelqu'un d'autre pour gérer ses biens.

〜

Après la narration de la prise de bec survenue entre Raoul et Monique, Dominique le remercia de sa grande franchise, mais elle lui rappela gentiment que les gens qui l'entouraient n'avaient pas à subir ses sautes d'humeur.

Quand la préposée au lavage se présenta à sa chambre, quelques jours plus tard, il lui fit part de ses regrets.

— Vous savez, quand on est vieux, on est un peu comme des bébés qui percent leurs dents : on bougonne et on se mord les poings. Au moins, on peut également parler et j'en profite pour vous faire toutes mes excuses pour mon comportement de la semaine dernière.

— Vous avez pas à vous excuser. Moi aussi, j'ai mes journées où j'ai pas le sourire facile, alors je peux très bien comprendre. On tourne la page et on continue ! ajouta la jeune femme en lui tapotant la joue gentiment.

Raoul se sentait déjà mieux. L'éducation qu'il avait reçue avait fait en sorte qu'il pouvait admettre ses torts. Il songea alors que Dominique serait fière de lui quand il lui expliquerait ce qu'il venait de faire. Il ne voulait pas qu'elle soit triste ou gênée à cause de lui.

Pour ce qui était de madame Durocher, sa compagne de table, elle n'aurait pas dû le taquiner en lui demandant s'il avait mangé du boudin pour déjeuner ! Mais ce soir, au souper, il s'excuserait auprès de celle-ci.

Après tout, elle avait une belle petite gueule, alors pourquoi devrait-elle la fermer ? pensa Raoul coquinement.

CHAPITRE 30

Sauve qui peut!

(Février 2008)

C'est avec beaucoup d'intérêt que Rita Blanchard avait commencé à faire le ménage dans les papiers de sa propriétaire, madame Bisaillon. Elle savait que si tout était bien géré, celle-ci devrait dégager un peu d'argent ou à tout le moins se ménager une certaine marge de manœuvre.

Rita profita d'une soirée où tous les pensionnaires étaient dans leur chambre pour étaler l'ensemble de la paperasse sur la table de la salle à manger et elle fit un premier tri. Après avoir mis au recyclage les enveloppes de retour non utilisées, les publicités et les revues promotionnelles, il restait déjà beaucoup moins de documents. Elle fit alors des piles distinctes pour les factures d'Hydro-Québec, de Bell Canada, de la Banque Royale, de Visa, de Master Card, des comptes de taxes et de tous les autres comptes. Elle plaça de côté les autres petits reçus, qu'elle traiterait par la suite.

Son but était de dresser un budget simple, que sa propriétaire pourrait facilement respecter. Rita avait déjà fait cet exercice avec certaines personnes qui avaient de la difficulté à gérer leurs biens et tout s'était toujours bien déroulé.

— Avoir des problèmes d'argent, c'est épuisant à la

longue et tant qu'on en prend pas conscience, on s'enfonce tranquillement jour après jour dans un gouffre sans fin, leur disait-elle souvent pour les convaincre de se prendre en main.

Cette fois-ci, madame Bisaillon n'avait pas hésité à lui confier tous ses papiers. Elle était vraiment dans une mauvaise posture. Elle n'avait pas informé son assistante de la drogue trouvée dans son logement ni de la visite du fier-à-bras.

D'ici la fin de semaine, Rita serait en mesure de donner un aperçu de la situation financière de la résidence.

Elle devait cependant parler à Élizabeth d'un dossier particulier dès le lendemain matin. En fouillant dans les papiers, Rita avait mis la main sur une enveloppe qui n'avait pas encore été ouverte. Au point où elle en était avec sa propriétaire, elle sentait qu'elle n'avait pas besoin de son autorisation pour la décacheter. Elle avait alors constaté que les assurances étaient dues depuis déjà plus de deux mois. Elle dirait à Élizabeth que c'était une priorité et elle l'enverrait porter rapidement un chèque au courtier!

Il était tard le soir quand elle décida de ramasser tous les documents dispersés sur la table. Elle devait aller se coucher si elle voulait être en forme le lendemain matin pour aider sa propriétaire et pour prendre soin de son ami Hector, qui avait de plus en plus besoin d'elle, même s'il ne la reconnaissait pas souvent.

Un coup frappé à la porte arrière la tira de sa concentration. Élizabeth était peut-être sortie et elle avait oublié ses clés. Rita actionna l'interrupteur de la lumière extérieure et ouvrit sans prendre garde. Soudain, un individu cagoulé fit irruption dans la cuisine et il poussa Rita vers le réfrigérateur en lui maintenant la main sur la bouche.

— Si tu parles, la vieille, t'es pas mieux que morte! Le malotru prit du ruban gommé et lui ligota les poignets en avant, n'ayant pas été capable de lui tirer les deux bras derrière le dos, ceux-ci n'étant pas suffisamment souples pour se rejoindre. Il lui colla ensuite un morceau de ruban sur la bouche.

La pauvre dame était en état de choc et elle respirait avec peine.

— Conduis-moi à ta chambre! intima-t-il, en lui serrant fortement le bras.

Rita l'y emmena donc.

— Ça va bien aller si tu me dis où tu mets ton *cash*!

Rita lui montra du pied sa garde-robe, que le bandit ouvrit prestement. Il y découvrit sa sacoche, qu'il fouilla rapidement pour ne trouver que 50 dollars.

— T'as sûrement des cachettes, ma vieille crisse! Fais-moi pas niaiser! s'énerva le malfaiteur.

La dame hochait résolument de la tête pour signifier que non, ce qui tapait sur les nerfs du malfrat. Ce dernier lui enleva le ruban gommé sur la bouche et elle lui expliqua en pleurant qu'elle n'avait pas plus d'argent en poche une fois son loyer payé.

— Et c'est la même chose pour tout le monde, ici. On a nos petits chèques du gouvernement et c'est juste assez pour vivre.

Le voleur réalisa qu'il avait commis une erreur. Il pensait faire d'une pierre deux coups en pillant les vieux avant d'aller chercher l'argent de la propriétaire, mais son calcul n'était pas bon. Il risquait de se faire épingler s'il restait sur les lieux trop longtemps.

Hector avait été réveillé par un bruit anormal et, quand il était sorti de sa chambre, il avait entendu l'homme blasphémer contre son amie. Il s'était rendu au salon où il s'était emparé du tisonnier du foyer pour la défendre.

En entrant dans la chambre de son amie Rita, Hector fit face au gars cagoulé qui avait à nouveau bâillonné la pauvre vieille avant de l'attacher sur sa chaise berçante. Hector tenta de frapper l'intrus, mais celui-ci le désarma rapidement pour ensuite lui asséner un coup à la tête.

Hector s'écroula sur le sol et, en l'espace de quelques secondes, une grande mare de sang se répandit sur le plancher.

L'individu n'avait pas souhaité blesser aussi gravement le vieillard, mais il n'avait pas réfléchi avant de le frapper. Il s'était défendu instinctivement d'une agression. Il lui fallait maintenant partir, mais il voulait que ses victimes soient trouvées avant le matin.

Il se rendit donc dans la cuisine, et il déposa des linges à vaisselle sur le dessus du poêle. Puis, il alluma un des ronds au minimum. Lorsque le tissu s'enflammerait, le détecteur de fumée retentirait et les pompiers seraient appelés en renfort. Ceux-ci se rendraient sur place et découvriraient les deux blessés. Ils arriveraient peut-être assez tôt pour sauver le vieil homme.

Non seulement le malfaiteur s'était-il enfui bredouille, mais les dommages qu'il avait causés seraient sûrement considérables.

Il n'avait pas pensé que le feu pourrait se propager sur le côté du comptoir de cuisine, où un peu de résidu de graisse était étendu, et ainsi faire beaucoup de ravages!

—

Jean-Guy voulait se coucher tôt, ce soir-là, car il savait que le lendemain, il aurait une grosse journée.

— Tu trouves pas que c'est de bonne heure, 9 heures, pour aller au lit? lui demanda Mariette, qui aimait bien les petites veillées à la maison. On ferme le restaurant à 3 heures l'après-midi, mais avant que j'aie fini de ramasser ma vaisselle et de préparer le stock pour le prochain repas, il est quasiment 6 heures. Ça nous fait pas des bien longues soirées!

— T'as raison, Mariette, mais à soir, je me sens vraiment épuisé. On a un groupe de 30 policiers qui viennent demain pour leur déjeuner mensuel. Tu le sais que ça va bouger! J'aime mieux être en forme quand on a autant d'ouvrage.

— Trouves-tu que la *business* va bien depuis une secousse? Il y a pas une journée qui passe sans qu'on ait un nouveau client, s'enthousiasma Mariette.

— Avant longtemps, il faudra qu'on engage quelqu'un d'autre pour nous aider. C'était pas ma *job* de travailler dans le restaurant. Je peux bien te donner un coup de main, mais je serai jamais un vrai restaurateur. En plus, il faut pas que tu oublies que j'ai eu 60 ans au mois d'octobre.

— C'est correct, mon ti-loup, va te coucher, le rassura la femme. Moi je vais continuer mon livre pour me changer les idées.

Jean-Guy s'endormit immédiatement en posant sa tête sur l'oreiller. Peu de temps après, il ronflait à un rythme régulier.

Mariette sourit en se disant qu'il valait mieux faire de la lecture que de tenter de trouver le sommeil pendant que son homme était aussi bruyant. Elle se coucha vers 22 heures et elle s'abandonna paisiblement à la nuit, après avoir donné un petit baiser sur le front de son amoureux.

Jean-Guy se réveilla en sursaut à 22 h 43 et il regarda le cadran. Son cœur battait à tout rompre et il avait le souffle coupé.

— Qu'est-ce que t'as? lui demanda sa conjointe, tirée de son sommeil par le tressaillement de son homme. T'as l'air tout à l'envers!

— J'ai fait un cauchemar et je me rappelle pas de quoi il s'agissait, se tracassa Jean-Guy. J'espère que papa va bien.

— Pourquoi tu parles de ton père tout à coup? As-tu eu des mauvaises nouvelles dernièrement?

— Non, mais j'ai pas l'habitude de me réveiller comme ça et tout ce qui me tracasse, ces temps-ci, c'est lui. Je suis pas juste fatigué, Mariette, j'ai de la peine sans bon sens de savoir qu'il est malheureux.

— Il faut que tu te fasses une raison. As-tu déjà pensé qu'on pourrait l'emmener dans une résidence ici, près de chez nous? On lui ferait des bons lunchs qu'on irait lui porter et moi j'irais le voir aussi souvent que toi. J'ai plus mes parents de toute façon. Ça me ferait quelqu'un d'autre à cajoler.

— T'es un amour de me dire ça! Par contre, c'est Monique qui s'occupe des affaires de mon père. Je peux pas le changer de place comme ça et c'est un peu de ma faute. Si j'avais accepté au début d'aller le voir quand il a parlé de visiter son notaire, j'aurais pu prendre de meilleures décisions pour lui, j'en suis certain. Je savais cependant que ça ferait de la chicane avec ma sœur et j'ai préféré lui laisser toute la place.

— En tout cas, on peut rien régler à cette heure-là, mais demain soir, si tu veux, on en discutera et peut-être qu'on pourrait trouver une solution. T'as pas de raison de t'en faire autant. Dors, de toute façon, la nuit porte conseil, même ici, à Labelle!

Jean-Guy sourit, embrassa sa Mariette et le couple se recoucha, mais le fils inquiet ne pouvait que somnoler.

———

Les travaux de démolition dans la maison d'Hector avançaient, mais la demeure avait l'air d'un dépotoir. Francis expliqua à Monique que, pour le moment, les frais étaient mineurs. Pendant qu'il défaisait les armoires, il prenait le temps de trier les quelques matériaux qui pourraient être réutilisés ensuite à certains endroits.

— Au moins, quand on entreprendra la construction, on aura une bonne idée de là où on s'en va. Le pire est derrière nous, arrête de voir tout en noir, philosopha Robert.

— Avoir su, j'aurais loué la maison un peu plus chère et les jeunes auraient payé pour les deux premiers mois. C'est rendu qu'ils travaillent juste quand ça leur tente et ça avance à pas de tortue! se plaignit Monique.

— Mais tu voulais pas dépenser trop d'argent non plus, lui rappela son ami. J'avais des armoires de cuisine pour toi, mais il aurait fallu que tu les prennes quand je te l'ai dit.

— On était même pas prêts à les installer. Pourquoi j'aurais payé 2 000 piastres tout de suite quand je pouvais faire faire ces travaux un ou deux mois plus tard?

— Elles valaient au moins le double de ce que tu aurais payé. C'est pas certain qu'on va avoir une autre occasion comme ça bientôt! indiqua Robert.

— C'est correct, lui répondit-elle. Si ça te dit, en fin de semaine, on fera une rencontre avec les jeunes et j'ouvrirai la machine. Faut pas que ça traîne. On finira la salle de bain et on donnera le contrat pour l'électricité. En contrepartie, je demanderai aux jeunes de commencer à payer un mois plus vite ou bien j'augmenterai leur loyer.

— Tu peux pas changer ce qui était prévu comme ça, sur un coup de tête. Tu veux avoir le beurre et l'argent du beurre, Monique! Moi, je marche pas là-dedans.

— Il est tard, peut-être que je parle à travers mon chapeau. On devrait se reposer et demain, on aura les idées plus claires.

— Enfin, tu raisonnes avec ta tête!

Robert ramassa ses outils et verrouilla la porte de la maison. Les jeunes ne rentreraient pas ce soir, car ils étaient allés voir une partie de hockey et ils coucheraient chez des amis à Montréal. Ils ne stressaient pas beaucoup avec les travaux de rénovation.

Quand il arriva devant l'appartement de Monique, Robert donna un baiser sur la joue de celle-ci et il lui mentionna qu'il attendrait son appel. Leur façon de se laisser n'était jamais plus engageante.

Monique pénétra dans son logement et elle se rendit directement à la cuisine pour brancher la bouilloire afin de se faire une bonne tisane de camomille. Elle se ferait ensuite couler un bain. Elle aimait bien relaxer avant d'aller se coucher et il était tout de même tout près de minuit.

On frappa soudain à sa porte.

— Qu'est-ce que t'as encore oublié de me dire, Robert? cria-t-elle en se dirigeant vers l'entrée.

Elle ouvrit et fut surprise de voir deux agents de la Sûreté du Québec. Elle recula de deux pas pour les laisser pénétrer dans le portique. Elle ne prononça pas un mot et attendit que l'un des deux dise quelque chose. Elle savait, d'ores et déjà, qu'elle aurait à encaisser une mauvaise nouvelle.

— Madame Monique Moreau? demanda le plus petit des deux agents.

Monique ne répondit pas, mais elle opina de la tête. Il lui semblait qu'elle ne pouvait articuler la moindre parole.

— Nous devons vous aviser qu'il y a eu un incendie à la résidence où demeurait votre père.

Avant qu'il n'ait terminé sa phrase, Monique s'était mise à crier.

— Non, non, c'est pas vrai!

— Madame Moreau, calmez-vous. Il a été conduit à l'hôpital, ajouta le policier sans ajouter plus de détails.

— Il est mort, c'est ça? demanda-t-elle.

En regardant la figure du policier, elle comprit qu'elle avait bien deviné.

— Il n'a pu survivre à ses blessures, confirma l'agent en surveillant comment la femme se comporterait devant l'annonce de cette tragédie.

Monique réagit en frappant avec ses poings sur la poitrine de l'un des policiers afin de lui faire savoir qu'il n'avait pas le droit de lui apprendre une telle nouvelle. Elle n'acceptait pas que son père soit mort.

L'agent lui prit les poignets pour la maîtriser, mais elle abdiqua et s'affala par terre.

— Madame Moreau, est-ce que vous pouvez appeler un parent pour vous accompagner? questionna un policier.

— Robert Ducharme, répondit-elle, un peu plus calme, avant de leur fournir le numéro de téléphone de son ami.

Élizabeth fut réveillée par les pompiers qui frappaient vigoureusement à sa porte et qui l'avaient finalement défoncée. Ce soir, elle avait pris un somnifère, car ces derniers temps, elle était si nerveuse qu'elle avait de la difficulté à trouver le sommeil.

— Dépêchez-vous, madame, vous devez sortir! Il y a le feu dans la maison!

— Mais il y a des gens en haut, il faut aller les chercher! s'alarma-t-elle avec un langage engourdi par la médication.

— On s'occupe de ça! Faites vite!

Heureusement, Élizabeth avait l'habitude de dormir en pyjama, car il lui arrivait de devoir monter à l'étage pour répondre à une demande d'un pensionnaire durant la nuit. Sans penser à enfiler ses pantoufles, elle suivit le pompier dans la direction qu'il lui indiquait. Une fois rendue à l'extérieur, elle fut installée sur la banquette arrière d'une voiture de police alors qu'un agent était assis au volant et parlait au téléphone.

Élizabeth avait l'impression d'être au milieu d'un cauchemar. Elle pleurait à chaudes larmes en regardant les véhicules d'urgence quitter les lieux les uns après les autres.

— Vous allez être conduite à l'hôpital en ambulance dès qu'il y en aura une de disponible, l'informa un agent de police.

— J'ai rien, je dormais quand on a défoncé ma porte d'entrée. Est-ce que mes pensionnaires sont blessés?

— J'ai pas d'information pour l'instant. Pouvez-vous me dire combien il y avait de personnes à l'étage?

— J'ai cinq locataires, mais il y en avait quatre aujourd'hui, répondit-elle en tentant de se convaincre qu'elle allait bientôt se réveiller.

Le policier communiqua avec un collègue et recommença

par la suite à poser des questions à la propriétaire de la résidence.

— Madame Bisaillon, on a reçu un appel anonyme au 911 pour un incendie, mais on pensait pas découvrir une scène de crime. Pour l'instant, vous êtes la seule personne en mesure de nous fournir de l'information, indiqua formellement l'agent sur un ton qui n'encourageait pas le larmoiement.

— Un crime, vous dites? Qu'est-ce qui s'est passé chez nous?

— Calmez-vous et donnez-moi les noms des personnes qui demeurent dans cette maison, ordonna-t-il afin d'établir si l'un d'eux pouvait être soupçonné du meurtre.

Élizabeth pensa alors que sa vie était finie. Au moment même où elle semblait avoir trouvé la personne apte à la guider dans son entreprise, elle était frappée par un grand malheur.

De quel genre de crime pouvait-il s'agir? Est-ce qu'il était relié aux menaces qu'elle avait reçues de l'individu venu pour récolter son dû? Elle avait hâte d'être conduite à l'hôpital, où elle pourrait certainement voir ses pensionnaires et connaître leur état de santé. Sûrement que Rita pourrait lui dire ce qui s'était passé, pourvu qu'elle soit saine et sauve!

CHAPITRE 31

Funérailles modestes

(Mars 2008)

Quand le téléphone sonna, cette nuit-là, Jean-Guy se leva à la première sonnerie. Depuis plus de deux heures, il ne dormait pas. Sans savoir pourquoi, il était convaincu qu'il apprendrait une mauvaise nouvelle à propos de son père.

Mariette se réveilla également en sursaut. Elle observait les réactions de son conjoint et écoutait ses propos.

Assis sur le bord du lit, l'homme parlait très peu, ne posant que des questions courtes qui pouvaient le renseigner sommairement sur ce qui était survenu. Il préférait mettre un terme à cette conversation téléphonique pour se rendre sur les lieux le plus tôt possible. Il termina l'appel en répliquant froidement : « Je descends, attends-moi à l'hôpital ! »

Il raccrocha le combiné et, sans prononcer un mot, se leva avec l'intention de se préparer à partir.

— Dis-moi quelque chose, Jean-Guy ! Qu'est-ce qui est arrivé ? s'inquiéta Mariette.

— Papa est mort dans l'incendie de sa résidence, lui balança-t-il sans ménagement.

Aucune larme ne mouillait les yeux de Jean-Guy, que de

la rage qui bouillonnait dans son corps. Dès lors, il se sentait responsable de ce qui était advenu à son père. S'il s'était impliqué davantage auprès de lui, sa sœur n'aurait pas pris toutes ces décisions guidées par l'avidité.

— J'y vais avec toi! s'écria Mariette, sur un ton autoritaire, inquiète qu'il s'engage sur la route seul.

— Non, tu pourras rien faire de plus et puis tu as le restaurant à faire rouler demain matin.

— Je vais laisser une note dans la porte disant qu'on a de la mortalité dans la famille. Il faut savoir reconnaître les priorités dans la vie. C'est plus prudent que je t'accompagne, répéta-t-elle en serrant son amoureux dans ses bras pour lui démontrer son empathie.

— C'est d'accord, accepta le fils orphelin. Mais ça empêchera pas que si je m'étais occupé de mon père, ça serait probablement pas arrivé.

— On a tous une destinée, Jean-Guy, et dis-toi bien qu'on peut pas y échapper. Si tu te mets martel en tête avec des pensées comme celles-là, tu pourras pas passer au travers. T'es un homme intelligent. On va s'habiller et descendre à l'hôpital. On va traverser chaque moment comme il se présentera et on verra pour la suite.

— Pourquoi t'es aussi bonne que ça? murmura un Jean-Guy éploré avec maintenant les larmes aux yeux.

— Tout simplement parce que j'ai réalisé que les épreuves, tout comme le bonheur, ça se vit beaucoup mieux à deux.

Monique appréhendait le moment où Jean-Guy arriverait à l'hôpital et l'état dans lequel ils trouveraient leur père.

Devait-elle se culpabiliser de l'avoir placé dans cette résidence? Elle l'aimait et jamais elle n'aurait voulu qu'il lui arrive quoi que ce soit. Les gens qui prennent des décisions sont toujours les premiers blâmés par ceux qui ne font rien, se disait-elle.

Elle devait se préparer à affronter les foudres de son frère, elle ne pouvait rien faire de plus. Elle préférait être ici, dans un lieu public, plutôt que seule à la maison avec lui. Leur présence à l'hôpital aurait peut-être l'avantage de le calmer un peu.

Robert était resté avec elle depuis qu'elle avait appris la nouvelle, mais elle lui avait demandé de partir avant que Jean-Guy arrive. Elle ne voulait pas qu'il s'immisce dans leurs affaires de famille.

— Ça va toujours? s'informa l'une des préposées qui étaient en poste cette nuit-là.

— Oui, j'attends mon jumeau. Il doit venir voir le corps de papa.

— Est-ce que vous êtes seulement deux enfants?

— Oui, on est juste deux, mais rarement du même avis.

— Vous êtes peut-être différents à certains niveaux, mais sachez bien que votre frère a dû ressentir qu'il vous était arrivé quelque chose bien avant que vous l'appeliez. Vous avez jamais entendu parler du comportement fusionnel? Ça peut également être constaté chez des personnes qui sont très liées.

— Non, jamais. Bien que nous fussions jumeaux, ma mère nous traitait pas de la même manière. On fréquentait pas les mêmes écoles et Jean-Guy est parti assez jeune de la maison. J'ai donc pas vraiment d'affinités avec lui.

— Il faut laisser sortir les émotions et ensuite le temps arrangera les choses, raisonna la dame, qui avait l'habitude de répéter cette phrase aux gens endeuillés dans pareilles situations.

— J'aimerais bien vous croire, ajouta Monique, qui avait terriblement mal à l'estomac.

Elle ne digérait pas son souper, mais autre chose nuisait à son état de santé.

Elle savait fort bien qu'elle devrait bientôt affronter les funérailles et la lecture du testament d'Hector, et qu'il y avait là de quoi se ronger les sangs.

La rencontre entre le frère et la sœur fut moins dramatique que l'un et l'autre l'avaient prévu. Quand Jean-Guy constata toute la détresse dans le regard de Monique, il la prit tout simplement dans ses bras pour partager sa douleur.

Ce n'était pas le temps de faire des reproches et ces derniers n'arrangeraient rien de toute manière.

Les jumeaux virent les policiers ensemble et ils furent informés que le corps d'Hector serait transféré à Montréal pour une autopsie, puisqu'il avait été victime d'un acte criminel. Ils apprirent alors que Rita Blanchard avait été trouvée ligotée dans sa chambre et qu'elle avait subi de graves brûlures et un violent choc nerveux. Les autres pensionnaires ainsi que la propriétaire avaient été conduits au centre hospitalier pour des blessures mineures.

— Je peux pas comprendre pourquoi quelqu'un s'en prendrait à une résidence de personnes âgées! Ce sont pas ces gens-là qui ont le plus d'argent de toute façon, se désola Jean-Guy en s'adressant à l'agent.

— C'est ce qu'on va tenter de déterminer. Vous avez jamais eu connaissance de quoi que ce soit d'anormal à cet endroit?

— Ça faisait juste quelques mois que papa restait là, répondit Monique, qui se tenait sur la défensive.

— De toute manière, l'enquête va suivre son cours et on va communiquer avec vous dès qu'on sera en mesure de libérer le corps, mentionna l'agent avant de remettre aux enfants du défunt sa carte professionnelle contenant un numéro de dossier.

Monique et Jean-Guy observèrent quelques minutes de silence comme si personne ne voulait le briser. Ils avaient besoin de faire le vide avant de continuer de s'apitoyer sur leur sort.

— Je vais retourner à Labelle, puisqu'on peut rien faire pour le moment.

— T'as bien raison, on peut rien faire, approuva Monique.

— Prends bien soin de toi, ajouta Mariette, qui n'avait prononcé aucun mot depuis son arrivée, jugeant que la situation ne la concernait pas.

— Facile à dire! répondit sèchement Monique avant de s'en aller.

Mariette ne tiendrait pas rigueur de sa dureté à sa belle-sœur. Elle était du genre compréhensif et voulait croire que c'était la douleur qui parlait et non la hargne.

En prenant la route, Jean-Guy insista pour se rendre sur les lieux de l'incendie. Comme il s'agissait d'une vieille maison, le feu avait fait d'importants ravages. Il ne restait que des ruines fumantes. Les gens qui habitaient là avaient tout perdu, même si pour certains, il pouvait s'agir de peu de choses. Ils déménageaient habituellement dans ces endroits avec ce à quoi ils tenaient le plus, des photos, des lettres, un meuble ou un fauteuil, qui leur rappelaient le temps où ils avaient été le plus heureux.

———

Charles était arrivé chez des amis à Hallandale Beach, en Floride, et ils étaient en train de déjeuner.

— Ça fait drôle d'être assis ici à la grosse chaleur, en pensant qu'il y a à peine 48 heures, j'avais les deux pieds dans la neige.

— Je suis bien content que tu sois venu nous voir. Es-tu ici pour longtemps ?

— Je sais pas encore. Ça va dépendre si je me trouve un peu d'ouvrage. J'ai profité d'une *ride* avec un chum camionneur.

— Les gars, parlez moins fort, intima la femme de la maison. J'essaie d'écouter les nouvelles.

— C'est vrai, vous avez la télévision en français avec les soucoupes maintenant.

La dame haussa le son pour entendre ce que le commentateur racontait.

Une résidence de personnes âgées a été la proie des flammes, hier en fin de soirée. Il semble qu'un incendie criminel ait été provoqué pour camoufler un meurtre et une séquestration. L'événement est survenu sur le chemin du Lac-à-la-Truite, à Sainte-Agathe-des-Monts, dans les Laurentides. Le nom de la victime est encore inconnu, précisait la voix, alors que des

462

images montraient les restes d'une maison ravagée par le feu.

Quand il entendit les mots «résidence de personnes âgées», Charles sourit quelque peu en se disant qu'encore une fois, ces maisons étaient sur la sellette. Mais au moment où on mentionna le chemin du Lac-à-la-Truite, il détourna la tête pour regarder vers le téléviseur. Il put voir les restes de la demeure d'Élizabeth, qu'il avait quittée sauvagement.

Un meurtre et une séquestration? Mais qui pouvait bien avoir posé ce geste? Est-ce que son fournisseur de drogue aurait pu aller jusqu'à tuer Élizabeth ou la garder en otage? On allait sûrement le rechercher et vouloir l'interroger.

Son voyage prenait maintenant une tout autre tournure.

———

Toute sa vie, Hector avait détesté les salons funéraires et il avait toujours dit qu'il ne souhaitait pas être exposé.

— Le monde te parle pas quand t'es vivant et quand tu meurs, y viennent te brailler dans la face! disait-il.

Jean-Guy avait souvent entendu son père tenir de tels propos. Il s'était donc montré d'accord quand sa sœur avait insisté pour n'organiser qu'une cérémonie à l'église avec le cercueil.

Dans la semaine suivant le décès d'Hector, comme plusieurs régions du Québec, les Laurentides furent frappées par un blizzard, qui neutralisa les transports routiers, aériens et ferroviaires. Une accumulation de 30 à 50 centimètres de neige selon les endroits fit oublier momentanément aux membres de la famille qu'ils étaient en deuil.

Les gens regardaient à la télévision les voitures abandonnées sur les autoroutes et les sauvetages qui s'effectuaient au moyen de motoneiges.

On aurait cru que la nature s'était fâchée et souhaitait ensevelir la Terre.

C'est à l'entrepreneur de pompes funèbres qu'avait incombé la tâche d'aller chercher la dépouille et d'organiser une cérémonie à l'église de Val-David, celle-là même de laquelle Alphonse Moreau, le grand-père de Monique et de Jean-Guy, avait travaillé à la construction en 1917.

Le lieu de culte s'était rapidement rempli et les gens défilaient pour offrir leurs condoléances à Raoul, à Doris et aux enfants d'Hector. À cause des circonstances de sa mort, les personnes étaient souvent à court de mots pour exprimer leurs sympathies.

Un petit coussin de fleurs blanches ornait le cercueil et quelques bouquets avaient été disposés autour. On ne ressentait aucune animosité entre les membres de la famille, qui tentaient simplement d'accepter que le destin eût choisi de mettre fin à la vie de l'un des leurs.

Après la messe, aucun goûter n'avait été prévu, mais Doris avait paré le coup. Ses filles avaient commandé un buffet froid et elles avaient invité les gens à venir partager un repas à la maison de la sœur du défunt.

Jean-Guy était très gêné de l'offre de sa tante, mais ce n'était pas lui qui agissait comme exécuteur testamentaire. Il avait bien tenté de convaincre Monique d'organiser un petit événement, mais en vain.

— Si papa voulait pas être exposé pour pas faire rire de lui, il aurait pas payé non plus pour recevoir le monde à manger après la messe ! avait argumenté la sœur.

— Arrange ça à ton goût, avait dit son frère, qui ne souhaitait pas d'escarmouche.

À l'église, quand sa tante Doris lui avait demandé de les accompagner chez elle, Jean-Guy avait gentiment accepté alors que Monique avait refusé l'invitation, prétextant avoir autre chose à faire.

Mariette, la conjointe de Jean-Guy, se réjouissait à l'idée de passer du temps en présence de cette belle famille. Elle espérait sincèrement qu'ils pourraient continuer de les fréquenter malgré le décès d'Hector. Elle les trouvait tous si charmants et réellement différents de sa belle-sœur.

Hugo avait également participé aux funérailles. Il avait même poussé l'audace jusqu'à s'asseoir dans le banc juste derrière celui de Raoul. Durant la cérémonie, à quelques reprises, il avait flatté l'épaule du vieil homme afin de le réconforter. Avec l'âge avancé de celui-ci, songeait-il, il n'avait pas de temps à perdre s'il voulait mettre la main sur quelques biens lui appartenant.

Les mondanités se terminaient aujourd'hui. La semaine prochaine, les enfants d'Hector seraient convoqués chez le notaire Girouard pour la lecture du testament. Jean-Guy avait hâte que cette formalité soit derrière lui et il ferait en sorte que la vente de la résidence de son père ne traîne pas.

— Il y a toujours des gens intéressés à acheter une maison qui nécessite des rénovations, avait-il discuté avec son cousin Claude. Je sais bien que telle qu'elle est là, elle vaut pas une fortune, mais il y a un beau terrain et moi, de toute façon, je reviendrai pas vivre ici.

— Tu me le diras quand l'histoire du testament sera réglée, avait répondu Claude. Je vous ferais peut-être une offre puisque je suis dans le domaine maintenant. Je la renipperais[74] à temps perdu.

— Je t'en donnerai des nouvelles, avait assuré Jean-Guy, en se doutant cependant que sa sœur ne voudrait pas vendre la maison de leur père à leur cousin.

— Inquiète-toi pas, l'avait rassuré Mariette. Claude est assez intelligent pour la faire acheter par quelqu'un d'autre.

Chacun élaborait son scénario, mais personne ne connaissait vraiment le personnage principal de la pièce, la mégère qui était loin d'être apprivoisée!

---

74 Renipper : embellir, rénover.

CHAPITRE 32

La vie continue

(Mars 2008)

Doris avait découpé les quelques articles qui avaient paru dans les quotidiens relativement au décès de son frère et elle les conservait sur la table à côté de sa chaise berçante. Ce matin, elle s'était à nouveau mise à consulter ceux-ci et elle posait maintenant son regard sur la section nécrologique du *Journal de Montréal*, dans laquelle on pouvait lire :

1919 – 2008 À Sainte-Agathe-des-Monts, le 29 février 2008, est décédé accidentellement Hector Moreau, fils de Léontine Ménard et d'Alphonse Moreau. Il laisse dans le deuil ses enfants Monique et Jean-Guy (Mariette), sa sœur Doris, son frère Raoul et ses neveux et nièces.

— Tous les quatre ans, il y a un jour de plus dans l'année, et il a fallu qu'Hector soit assassiné froidement ce jour-là ! pleura la sœur éplorée.

— Maman, il va falloir que tu penses à toi. Ça fait maintenant trois semaines que c'est arrivé ! Tu manges à peine et tu dors juste quand t'es épuisée. Sois raisonnable un peu, tenta de la raisonner Évelyne, qui passait beaucoup de temps avec sa mère depuis l'événement.

— Et puis as-tu vu la photo que Monique a fait publier dans le journal? Un portrait de lui quand il avait 20 ans alors qu'il en avait 89 quand il est mort! Les Moreau ont l'air des arriérés avec ça!

— Maman, arrête! C'est pas grave, c'est juste un détail anodin. Il faut respecter leurs choix. Le plus important, c'est que tu restes forte et que l'oncle Raoul se porte bien lui aussi. Je sais que c'est un coup dur, mais la vie est ainsi faite, on y peut rien.

— T'as raison, ma fille, mais laisse-moi pleurer un peu, il faut que ça sorte, soutint Doris.

— Tu vas devoir te ressaisir! insista Évelyne, qui sentait qu'elle devait secouer sa mère. Ça donne rien de continuer à brailler. T'en as vécu des épreuves avant et t'es passée au travers, alors tu peux le faire encore!

Doris se calma et accepta les réprimandes. Elle demanda ensuite à sa fille de lui servir un petit bol de soupe.

On vit soudain une voiture se garer devant la maison.

— De la visite, maman! lança Évelyne sur un ton enjoué. Ta belle Dominique s'en vient et encore une fois avec quelque chose rien que pour toi!

— Qu'est-ce qu'elle peut bien m'apporter encore? J'ai pas besoin de rien, se désintéressa Doris.

— Je pense que ce qu'elle tient par la main te sera vraiment nécessaire!

Doris vit alors son frère Raoul arriver avec sa grande fille. Elle se mit à pleurer à nouveau et se leva pour aller le serrer dans ses bras.

— On est juste tous les deux maintenant, souffla-t-elle à son frère en larmoyant.

Raoul avait lui aussi les yeux humides, mais il s'était préparé à être fort. Il souhaitait réconforter sa sœur.

— Je suis pas sûr, moi. Il y a toi, moi, tes merveilleux enfants, leurs conjoints et tes petits-enfants ! Tu penses pas que ça vaille la peine de continuer avec une si belle famille autour de nous ?

— T'as tout à fait raison, Raoul. Si je reste comme ça, ils auront plus le goût de venir me voir, surtout mes petits-enfants. Je t'aime, mon frère !

Évelyne et Dominique se regardèrent, heureuses d'avoir réussi à faire sourire leur maman. La partie n'était pas nécessairement gagnée, mais une étape importante avait à tout le moins été franchie.

———

Étant donné que les résidents de la maison incendiée étaient peu nombreux, La Villa des Pommiers les avait temporairement accueillis.

On avait logé les deux hommes dans une chambre et les deux dames dans une autre. Il s'agissait de pièces habituellement utilisées pour des convalescents. La direction verrait ensuite avec les familles s'il était possible de leur trouver un endroit qui leur convenait davantage.

Un groupe de citoyens et des commerçants des municipalités environnantes avaient entrepris une collecte afin de procurer les biens nécessaires à ces personnes qui avaient tout perdu lors de l'incendie. On avait spécifié que les dons matériels seraient acceptés, mais que tous les vêtements devaient absolument être neufs.

En moins d'une semaine, plus de 10 000 dollars avaient

été recueillis. Les gens étaient très généreux quand ils étaient approchés pour soutenir des aînés en détresse. Une somme de 2 000 dollars avait aussi été reçue, mais il était impossible d'en connaître la provenance, car il s'agissait d'un mandat-poste laissé dans une enveloppe à l'attention de la directrice de la résidence.

— Il y a du bon monde, avait-elle constaté quand elle l'avait ouverte en présence d'une employée. Cette personne s'est sûrement dit que si une tragédie pareille arrivait à l'un des siens, elle aimerait bien qu'on puisse l'aider. Le plus triste, c'est qu'on ne saura jamais de qui il s'agit et qu'on ne pourra pas remercier ce bon samaritain.

— Vous avez bien raison, soutint l'infirmière à ses côtés. Cet homme-là a certainement donné sans rien attendre en retour, mais il sera récompensé par la vie.

— Pourquoi dis-tu que c'est un homme? demanda la directrice.

— Simplement comme ça, répondit la jeune femme en rougissant.

Elle ne révélerait jamais à qui que ce soit qu'elle se trouvait au bureau de poste au moment où Dominique faisait préparer un mandat-poste à la demande de son oncle.

La caissière aurait pu être plus discrète quand elle avait recompté les billets de banque.

— C'est parfait! avait-elle prononcé tout haut, 2 000 dollars exactement!

Si le maître de poste avait été là, elle aurait sûrement dû répondre à des questions en fin de journée.

Mais l'infirmière était professionnelle et ne dirait jamais un traître mot. Par contre, elle aimait bien monsieur Raoul et elle ferait en sorte de donner au suivant, elle aussi, quand l'occasion se présenterait.

Doris et Raoul n'étaient plus jeunes, mais ils avaient encore de beaux moments à vivre en compagnie des leurs. Ils avaient également beaucoup de pages de vie à leur transmettre.

D'un autre côté, la perte d'un aîné avait fait réaliser aux enfants de Doris que personne n'était éternel et qu'ils devaient profiter de chaque jour où le soleil se pointait.

Quelques jours après les funérailles, Jean-Guy s'était arrêté chez le bijoutier où il avait acheté une magnifique bague.

— Mariette, lui avait-il demandé le soir, avant d'aller au lit, veux-tu m'épouser ?

Pour tout consentement, cette dernière avait éclaté en sanglots et elle s'était jetée dans les bras de son amoureux.

Ne restait plus que Monique, qui attendait avec impatience que le notaire les convoque, elle et son frère. Elle souhaitait pouvoir enfin tirer un trait sur cet épisode.

Ensuite, personne ne pourrait lui mettre des bâtons dans les roues ! pensait-elle.

À suivre…

À venir dans le tome 2

Raoul

La famille Moreau accepte difficilement que l'un des siens ait été victime d'un crime gratuit. Il fallait que la police trouve le coupable et que justice soit faite. Heureusement, un mandat d'arrestation est lancé contre Charles, l'ex-conjoint d'Élizabeth Bisaillon.

Jean-Guy ne veut pas blâmer sa sœur Monique pour ce qui est arrivé à leur père, mais la lecture du testament lui permettra de remettre en doute les décisions prises par celle-ci. Monique a-t-elle tout prévu et saura-t-elle s'en sortir sans trop de dommages?

À La Villa des Pommiers, Raoul se fait quelques amis, mais il est plutôt sélectif. Il s'attache de plus en plus à Dominique, sa filleule, qui est très présente à ses côtés.

Doris s'ennuie beaucoup de son fils Claude, depuis qu'il vit avec une nouvelle conjointe, et elle ne veut pas trop accaparer la famille d'Évelyne. La solitude lui pèse et le deuil de son frère l'accable. Un ami dans sa vie pourrait lui faire oublier sa peine, mais comment les enfants réagiront-ils à sa présence?

Remerciements

À vous tous, lecteurs et lectrices qui aimez mes romans, mais surtout qui prenez le temps de m'écrire des commentaires !

Vous me stimulez dans cette belle aventure de l'écriture ! Merci d'être aussi fidèles !

De la même auteure, chez le même éditeur

Sur les berges du lac Brûlé, tome 1, Le vieil ours, 2016

Sur les berges du lac Brûlé, tome 2, Entre la ville et la campagne, 2016

Sur les berges du lac Brûlé, tome 3, L'héritage, 2016

MARQUIS

Québec, Canada

Achevé d'imprimer le 22 décembre 2017